電験3種過去問マスタ

法規の15年間

テーマ別でがっつり学べる

電気書院 編

2025年版

電気書院

本書は科目合格を目指す受験者のために，電気書院が発行しています「電験3種模範解答集」の内容を法規についてまとめたものです．

　本書収録の内容は，令和6年10月1日までの改正に基づき作成しています．

［本書の正誤に関するお問い合せ方法は，最終ページをご覧ください］

は じ め に

　本書は，第3種電気主任技術者（電験3種）の試験問題において，2024年より2010年まで過去15年間の問題を，各テーマごとに分類し，編集したものです。

　本書の特長として，法規の問題を6つのテーマ，6章（電気事業法，工事士法・用品安全法，電気設備技術基準（論説・空白），施設管理等（論説・空白），電気設備技術基準（計算），施設管理（計算））に分け，さらに問題の内容を系統ごとに並べて収録してあります。各章ごとにどれだけの問題が出題されているか一目瞭然で把握でき，また，出題傾向や出題範囲の把握にも役立ちます。章ごとの問題も系統ごと，段階的に並んでいますから，1問ずつ解き進めることによって，基礎的な内容から，応用問題までしっかり身につきます。

　また，問題は左ページに，解説・解答は右ページにまとめており，ページをめくることなく，本を開いたままじっくり問題を分析することも，右ページを隠すことにより本番の試験に近い形で学習することもできます。

　また，収録してある15年間に試験制度や出題範囲が変更になっているものもあります。本書では2024年の受験に合わせ，図記号や単位・法令などは実際に出題されたものではなく，新しいものに改定しております。

　本書をご活用いただき，皆さんが電験3種合格の栄誉を手に入れられることを祈念いたします。

　　2024年10月

編者記す

も く じ

試 験 概 要

○試験科目

マークシートに記入する多肢選択式の試験で，表に示す4科目について行われます．

科目	出 題 内 容
理論	電気理論，電子理論，電気計測，電子計測
電力	発電所，蓄電所および変電所の設計および運転，送電線路および配電線路（屋内配線を含む）の設計および運用，電気材料
機械	電気機器，パワーエレクトロニクス，電動機応用，照明，電熱，電気化学，電気加工，自動制御，メカトロニクス，電力システムに関する情報伝送および処理
法規	電気法規（保安に関するものに限る），電気施設管理

○出題形式・必要解答数

(1) 出題の形式

A問題とB問題で構成されています．A問題は，一つの問に対して一つを解答する形式，B問題は，一つの問の中に小問が二つ設けられ，小問について一つを解答する形式です．

(2) 必要解答数（2024年度上期の例）

理論・電力・機械…それぞれA問題14問，B問題3問（理論・機械のB問題は選択問題1問を含む）

法規…A問題10問，B問題3問

○試験実施時期（2024年度の例）

	筆記試験	CBT
上期試験	2023年8月18日(日)	2023年7月4日(木)～7月28日(日)
下期試験	2024年3月24日(日)	2024年2月1日(木)～2月25日(日)

2023年度からCBT（Computer Based Testing）方式が導入されました．CBT方式での受験の場合は，申込後のCBT方式への変更期間中に，会場および開始時刻等を予約する必要があります．

○試験時間

理論・電力・機械…各90分

法規…65分

○受験申込みの受付時期（2024 年度の例）

　上期試験は，5 月 13 日㈪〜5 月 30 日㈭．

　下期試験は，11 月 11 日㈪〜11 月 28 日㈭．

　インターネット受付は初日 10 時〜最終日 17 時まで，郵便受付は最終日の消印有効です．

○受験資格

　受験資格に制限はありません．どなたでも受験できます．

○受験手数料（2024 年度の例）

　郵便受付の場合 8,100 円，インターネット受付の場合 7,700 円

○試験地

　筆記試験：北海道（旭川市，北見市，札幌市，釧路市，室蘭市，函館市），青森県，岩手県，宮城県，秋田県，山形県，福島県，新潟県，茨城県，栃木県，群馬県，埼玉県，千葉県，東京都，神奈川県，山梨県，長野県，岐阜県，静岡県，愛知県，三重県，富山県，石川県，福井県，滋賀県，京都府，大阪府，兵庫県，奈良県，和歌山県，鳥取県，島根県，岡山県，広島県，山口県，徳島県，香川県，愛媛県，高知県，福岡県，佐賀県，長崎県，熊本県，大分県，宮崎県，鹿児島県，沖縄県

　CBT 試験：CBT 方式への変更期間中に，会場および開始時刻等を予約

○試験結果の発表

　2024 年上期は，2024 年 9 月 2 日にインターネット等にて合格発表され，9 月 30 日に通知書が全受験者に発送されました．

○科目合格制度

　試験は科目ごとに合否が決定され，4 科目すべてに合格すれば第 3 種電気主任技術者試験に合格したことになります．一部の科目のみ合格した場合は，科目合格となり，翌年度および翌々年度の試験では，申請により合格している科目の試験が免除されます．つまり，3 年以内に 4 科目合格すれば，第 3 種電気主任技術者合格となります．

　詳細は，受験案内もしくは，一般財団法人　電気技術者試験センターにご確認ください．

　　一般財団法人電気技術者試験センター

　　〒 104-8584　東京都中央区八丁堀 2-9-1　RBM 東八重洲ビル 8 階

　　TEL：03-3552-7691　　FAX：03-3552-7847　　https://www.shiken.or.jp/

第1章
電気事業法

●平成24年6月27日法律第27号『原子力委員会設置法』の附則第40条にて，電気事業法中の「経済産業大臣」および「経済産業省令」の記述の多くが「主務大臣」および「主務省令」などに改正されましたが，原子力発電工作物以外の事項については，従来どおり「経済産業大臣」および「経済産業大臣が発する命令」を指します．このため，本書ではこの改正による問題文の改訂は行っておりません．

問 1　Check! □□□

（令和元年 Ⓐ 問題 1）

次の文章は，「電気事業法」に基づく電気事業に関する記述である．

a　小売供給とは， ア の需要に応じ電気を供給することをいい，小売電気事業を営もうとする者は，経済産業大臣の イ を受けなければならない．小売電気事業者は，正当な理由がある場合を除き，その小売供給の相手方の電気の需要に応ずるために必要な ウ 能力を確保しなければならない．

b　一般送配電事業とは，自らの送配電設備により，その供給区域において， エ 供給及び電力量調整供給を行う事業をいい，その供給区域における最終保障供給及び離島等の需要家への離島等供給を含む．一般送配電事業を営もうとする者は，経済産業大臣の オ を受けなければならない．

上記の記述中の空白箇所(ア)，(イ)，(ウ)，(エ)及び(オ)に当てはまる組合せとして，正しいものを次の(1)～(5)のうちから一つ選べ．

	(ア)	(イ)	(ウ)	(エ)	(オ)
(1)	一般	登録	供給	託送	許可
(2)	特定	許可	発電	特定卸	認可
(3)	一般	登録	発電	特定卸	許可
(4)	一般	許可	供給	特定卸	認可
(5)	特定	登録	供給	託送	認可

解1 解答 (1)

電気事業法第2条（定義），第2条の2（事業の登録），第2条の12（供給能力の確保）および第3条（事業の許可）からの出題で，それぞれ，次のように規定されている．

① 第2条（定義）第1項第一号および第八号

この法律において，次の各号に掲げる用語の意義は，当該各号に定めるところによる．

一 小売供給　**一般**の需要に応じ電気を供給することをいう．

八 一般送配電事業　自らが維持し，及び運用する送電用及び配電用の電気工作物によりその供給区域において**託送**供給及び電力量調整供給を行う事業（発電事業に該当する部分を除く．）をいい，当該送電用及び配電用の電気工作物により次に掲げる小売供給を行う事業（発電事業に該当する部分を除く．）を含むものとする．

　　イ　その供給区域（離島（その区域内において自らが維持し，及び運用する電線路が自らが維持し，及び運用する主要な電線路（第20条の2第1項において「主要電線路」という．）と電気的に接続されていない離島として経済産業省令で定めるものに限る．）及び同項の指定区域（ロ及び第21条第3項第一号において「離島等」という．）を除く．）における一般の需要（小売電気事業者又は登録特定送配電事業者（第27条の19第1項に規定する登録特定送配電事業者をいう．）から小売供給を受けているものを除く．ロにおいて同じ．）に応ずる電気の供給を保障するための電気の供給（以下「最終保障供給」という．）

　　ロ　その供給区域内に離島等がある場合において，当該離島等における一般の需要に応ずる電気の供給を保障するための電気の供給（以下「離島等供給」という．）

② 第2条の2（事業の登録）

小売電気事業を営もうとする者は，経済産業大臣の**登録**を受けなければならない．

③ 第2条の12（供給能力の確保）第1項

小売電気事業者は，正当な理由がある場合を除き，その小売供給の相手方の電気の需要に応ずるために必要な**供給**能力を確保しなければならない．

④ 第3条（事業の許可）

一般送配電事業を営もうとする者は，経済産業大臣の**許可**を受けなければならない．

問2 Check! ☐☐☐

次の文章は,「電気事業法施行規則」における送電線路及び配電線路の定義である.

a.「送電線路」とは,発電所相互間,蓄電所相互間,変電所相互間,発電所と蓄電所との間又は発電所と ⎡ ㋐ ⎤ との間又は蓄電所と変電所との間の ⎡ ㋑ ⎤ (専ら通信の用に供するものを除く.以下同じ.)及びこれに附属する ⎡ ㋒ ⎤ その他の電気工作物をいう.

b.「配電線路」とは,発電所,蓄電所,変電所若しくは送電線路と ⎡ ㋓ ⎤ との間又は ⎡ ㋓ ⎤ 相互間の ⎡ ㋑ ⎤ 及びこれに附属する ⎡ ㋒ ⎤ その他の電気工作物をいう.

上記の記述中の空白箇所㋐,㋑,㋒及び㋓に当てはまる組合せとして,正しいものを次の(1)～(5)のうちから一つ選べ.

	㋐	㋑	㋒	㋓
(1)	変電所	電線	開閉所	電気使用場所
(2)	開閉所	電線路	支持物	電気使用場所
(3)	変電所	電線	支持物	開閉所
(4)	開閉所	電線	支持物	需要設備
(5)	変電所	電線路	開閉所	需要設備

解2 解答 (5)

電気事業法施行規則第1条第2項第二号および第三号からの出題で，次のように規定されている．

「送電線路」とは，発電所相互間，蓄電所相互間，変電所相互間，発電所と蓄電所との間又は発電所と変電所との間又は蓄電所と変電所との間の電線路（専ら通信の用に供するものを除く．以下同じ．）及びこれに附属する開閉所その他の電気工作物をいう．

「配電線路」とは，発電所，蓄電所，変電所若しくは送電線路と需要設備との間又は需要設備相互間の電線路及びこれに附属する開閉所その他の電気工作物をいう．

問3　**Check!** ☐☐☐　　　　　　　　（平成26年　Ⓐ問題5）

次の文章は，「電気事業法」及び「電気事業法施行規則」に基づく，電圧の維持に関する記述である．

一般送配電事業者は，その供給する電気の電圧の値をその電気を供給する場所において，表の左欄の標準電圧に応じて右欄の値に維持するように努めなければならない．

標準電圧	維持すべき値
100 V	101 V の上下 ［(ア)］ V を超えない値
200 V	202 V の上下 ［(イ)］ V を超えない値

また，次の文章は，「電気設備技術基準」に基づく，電圧の種別等に関する記述である．

電圧は，次の区分により低圧，高圧及び特別高圧の三種とする．

a. 低圧　　直流にあっては ［(ウ)］ V 以下，交流にあっては ［(エ)］ V 以下のもの

b. 高圧　　直流にあっては ［(ウ)］ V を，交流にあっては ［(エ)］ V を超え，［(オ)］ V 以下のもの

c. 特別高圧　［(オ)］ V を超えるもの

上記の記述中の空白箇所(ア)，(イ)，(ウ)，(エ)及び(オ)に当てはまる組合せとして，正しいものを次の(1)～(5)のうちから一つ選べ．

	(ア)	(イ)	(ウ)	(エ)	(オ)
(1)	6	20	600	450	6 600
(2)	5	20	750	600	7 000
(3)	5	12	600	400	6 600
(4)	6	20	750	600	7 000
(5)	6	12	750	450	7 000

解3 解答 (4)

電気事業法第26条（電圧及び周波数）第1項, 電気事業法施行規則第38条（電圧及び周波数の値）第1項および電気設備技術基準第2条（電圧の種別等）第1項からの出題で, 次のように規定されている.

電気事業法第26条（電圧及び周波数）

一般送配電事業者は, その供給する電気の電圧及び周波数の値を経済産業省令で定める値に維持するように努めなければならない.

電気事業法施行規則第38条（電圧及び周波数の値）

法第26条第1項の経済産業省令で定める電圧の値は, その電気を供給する場所において次の表の左欄に掲げる標準電圧に応じて, それぞれ同表の右欄に掲げるとおりとする.

標準電圧	維持すべき値
100〔V〕	101〔V〕の上下6〔V〕を超えない値
200〔V〕	202〔V〕の上下20〔V〕を超えない値

電気設備技術基準第2条（電圧の種別等）

電圧は, 次の区分により低圧, 高圧及び特別高圧の三種とする.

一　低圧　直流にあっては750〔V〕以下, 交流にあっては600〔V〕以下のもの

二　高圧　直流にあっては750〔V〕を, 交流にあっては600〔V〕を超え, 7 000〔V〕以下のもの

三　特別高圧　7 000〔V〕を超えるもの

問4　Check! ☐☐☐

　　次の文章は，「電気事業法」における，電気の使用制限等に関する記述である．

　　　[ア]　は，電気の需給の調整を行わなければ電気の供給の不足が国民経済及び国民生活に悪影響を及ぼし，公共の利益を阻害するおそれがあると認められるときは，その事態を克服するため必要な限度において，政令で定めるところにより，[イ]　の限度，[ウ]　の限度，用途若しくは使用を停止すべき　[エ]　を定めて，小売電気事業者，一般送配電事業者若しくは登録特定送配電事業者の供給する電気の使用を制限し，又は　[オ]　電力の容量の限度を定めて，小売電気事業者等からの　[オ]　を制限することができる．

　　上記の記述中の空白箇所(ア)，(イ)，(ウ)，(エ)及び(オ)に当てはまる組合せとして，正しいものを次の(1)～(5)のうちから一つ選べ．

	(ア)	(イ)	(ウ)	(エ)	(オ)
(1)	経済産業大臣	使用電力量	使用最大電力	区域	受電
(2)	内閣総理大臣	供給電力量	供給最大電力	区域	送電
(3)	経済産業大臣	供給電力量	供給最大電力	区域	送電
(4)	内閣総理大臣	使用電力量	使用最大電力	日時	受電
(5)	経済産業大臣	使用電力量	使用最大電力	日時	受電

解4 解答 (5)

電気事業法第34条の2(電気の使用制限等)からの出題で,次のように規定されている.

経済産業大臣は,電気の需給の調整を行わなければ電気の供給の不足が国民経済及び国民生活に悪影響を及ぼし,公共の利益を阻害するおそれがあると認められるときは,その事態を克服するため必要な限度において,政令で定めるところにより,使用電力量の限度,使用最大電力の限度,用途若しくは使用を停止すべき日時を定めて,小売電気事業者,一般送配電事業者若しくは登録特定送配電事業者(以下この条において「小売電気事業者等」という.)から電気の供給を受ける者に対し,小売電気事業者等の供給する電気の使用を制限すべきこと又は受電電力の容量の限度を定めて,小売電気事業者等から電気の供給を受ける者に対し,小売電気事業者等からの受電を制限すべきことを命じ,又は勧告することができる.

問5 Check! ☐☐☐

(平成27年 Ⓐ 問題1)

次の文章は，「電気事業法」に規定される自家用電気工作物に関する説明である．

自家用電気工作物とは，一般送配電事業，送電事業，配電事業，特定送配電事業および発電事業の用に供する電気工作物及び一般用電気工作物以外の電気工作物であって，次のものが該当する．

a.　 (ア) 以外の発電用の電気工作物と同一の構内（これに準ずる区域内を含む．以下同じ．）に設置するもの

b.　他の者から (イ) 電圧で受電するもの

c.　構内以外の場所（以下「構外」という．）にわたる電線路を有するものであって，受電するための電線路以外の電線路により (ウ) の電気工作物と電気的に接続されているもの

d.　火薬類取締法に規定される火薬類（煙火を除く．）を製造する事業場に設置するもの

e.　鉱山保安法施行規則が適用される石炭坑に設置するもの

上記の記述中の空白箇所(ア)，(イ)及び(ウ)に当てはまる組合せとして，正しいものを次の(1)～(5)のうちから一つ選べ．

	(ア)	(イ)	(ウ)
(1)	小規模発電設備	600 V を超え 7 000 V 未満の	需要場所
(2)	再生可能エネルギー 発電設備	600 V を超える	構内
(3)	小規模発電設備	600 V 以上 7 000 V 以下の	構内
(4)	再生可能エネルギー 発電設備	600 V 以上の	構外
(5)	小規模発電設備	600 V を超える	構外

解5　解答 (5)

　電気事業法第38条および電気事業法施行規則第48条（一般用電気工作物の範囲）に関する出題である．

　問題文中にある電気工作物が自家用電気工作物に該当する根拠は，次のようである．

a.　小規模発電設備以外の発電用の電気工作物と同一の構内（これに準ずる区域内を含む．以下同じ．）に設置するもの

　電気事業法第38条第1項で，一般用電気工作物となる電気工作物を規定しているが，ただし書きで，上記の電気工作物は除くとされており，自家用電気工作物に該当する．

b.　他の者から600Vを超える電圧で受電するもの

　電気事業法第38条第1項第一号および電気事業法施行規則第48条第4項の規定により，他の者から600Vを超える電圧で受電するものは，自家用電気工作物に該当する．

c.　構内以外の場所（以下「構外」という．）にわたる電線路を有するものであって，受電するための電線路以外の電線路により構外の電気工作物と電気的に接続されているもの

　電気事業法第38条第1項第一号の規定により，受電のための電線路以外の電線路によりその構内以外の場所にある電気工作物と電気的に接続されているものは，自家用電気工作物に該当する．

d.　火薬類取締法に規定される火薬類（煙火を除く．）を製造する事業場に設置するもの

　電気事業法第38条第1項および電気事業法施行規則第48条第3項第一号の規定により，上記の電気工作物は自家用電気工作物に該当する．

e.　鉱山保安法施行規則が適用される石炭抗に設置するもの

　電気事業法施行規則第48条第3項第二号の規定により，上記の電気工作物は自家用電気工作物に該当する．

問6　Check! ☐☐☐

(平成 22 年　Ⓐ 問題 1 改)

次の文章は,「電気事業法」及び「電気事業法施行規則」に基づく,太陽電池発電所の設置についての記述である.

a. 出力 50〔kW〕の太陽電池発電所を設置しようとする者は, │ (ア) │を主務大臣に届け出なければならない.

b. 出力 2 000〔kW〕以上の太陽電池発電所を設置しようとする者は, │ (イ) │を主務大臣に届け出なければならない.

c. 出力 2 000〔kW〕以上の太陽電池発電所を設置しようとする者は, │ (ウ) │ならない.

上記の記述中の空白箇所(ア), (イ)及び(ウ)に当てはまる語句として, 正しいものを組み合わせたのは次のうちどれか.

	(ア)	(イ)	(ウ)
(1)	工事の計画	保安規程	使用前自主検査を行わなければ
(2)	保安規程	工事の計画	工事計画の認可を受けなければ
(3)	保安規程	工事の計画	電気主任技術者を選任しなければ
(4)	工事の計画	保安規程	電気主任技術者を選任しなければ
(5)	工事の計画	保安規程	工事計画の認可を受けなければ

解6　解答 (3)

　電気事業法第 38 条, 第 42 条 (保安規程) 第 1 項, 第 43 条 (主任技術者) 第 1 項, 第 48 条第 1 項, 電気事業法施行規則第 48 条 (一般用電気工作物の範囲) 第 2 項第一号, 第 52 条 (主任技術者の選任等) 第 2 項, 第 65 条 (工事計画の事前届出) 第 1 項第一号に関連する出題であるが, 非常にわかりにくい出題である.

a. 出力 50〔kW〕の太陽電池発電所が施行規則第 48 条第 2 項第一号の規定により, 事業用電気工作物に該当するので, 保安規程の届出が必要であるが, 法 48 条第 1 項に規定される工事の計画の届け出は, 施行規則第 65 条第 1 項第一号および別表第 2 により, 出力 2 000〔kW〕以上の太陽電池発電所に限られるので, 出力 50〔kW〕の太陽電池発電所には届け出義務は課せられないことから, (ア)は保安規程が答となる.

b. 施行規則第 65 条第 1 項第一号及び別表第 2 により, 出力 2 000〔kW〕以上の太陽電池発電所の設置には法 48 条第 1 項に規定される工事の計画の届け出を必要とするので, (イ)は工事の計画が答となる.

c. 原則的には a ～ c で示されたすべての太陽電池発電所において電気主任技術者の選任を必要とする. ただし, 施行規則第 52 条第 2 項で 2 000〔kW〕未満の発電所においては, 所定の条件を満足すれば電気主任技術者を選任しないことができることが規定されているが, 出力 2 000〔kW〕以上の太陽電池発電所は, これに該当しないので, (ウ)は電気主任技術者を選任しなければが答になると考えられる.

問7 Check! □□□

（令和5年㊤　Ⓐ問題1）

次の a) 〜 c) の文章は，主任技術者に関する記述である．

その記述内容として，「電気事業法」に基づき，適切なものと不適切なものの組合せについて，正しいものを次の(1)〜(5)のうちから一つ選べ．

a)　事業用電気工作物（小規模事業用電気工作物を除く．以下同じ．）を設置する者は，事業用電気工作物の工事，維持及び運用に関する保安の監督をさせるため，主務省令で定めるところにより，主任技術者免状の交付を受けている者のうちから，主任技術者を選任しなければならない．

b)　主任技術者は，事業用電気工作物の工事，維持及び運用に関する保安の監督の職務を誠実に行わなければならない．

c)　事業用電気工作物の工事，維持又は運用に従事する者は，主任技術者がその保安のためにする指示に従わなければならない．

	a)	b)	c)
(1)	不適切	適切	適切
(2)	不適切	不適切	適切
(3)	適切	不適切	不適切
(4)	適切	適切	適切
(5)	適切	適切	不適切

解7　解答 (4)

電気事業法第 42 条（保安規程）および第 43 条（主任技術者）からの出題である.

a), b) および c) については，電気事業法第 43 条に定められている内容と同じであることから，3 項目とも適切である.

電気事業法第 42 条（保安規程）において，電気工作物を設置する者は，主務省令で定める保安規程を定め主務大臣に届ける必要がある.　また，電気事業法第 43 条（主任技術者）において主任技術者の職務等について定めている.

第 42 条（保安規程）　事業用電気工作物（小規模事業用電気工作物を除く.）を設置する者は，事業用電気工作物の工事，維持及び運用に関する保安を確保するため，主務省令で定めるところにより，保安を一体的に確保することが必要な事業用電気工作物の組織ごとに保安規程を定め，当該組織における事業用電気工作物の使用の開始前に，主務大臣に届け出なければならない.

第 43 条（主任技術者）　事業用電気工作物を設置する者は，事業用電気工作物の工事，維持及び運用に関する保安の監督をさせるため，主務省令で定めるところにより，主任技術者免状の交付を受けている者のうちから，主任技術者を選任しなければならない.

2　自家用電気工作物（小規模事業用電気工作物を除く.）を設置する者は，前項の規定にかかわらず，主務大臣の許可を受けて，主任技術者免状の交付を受けていない者を主任技術者として選任することができる.

3　事業用電気工作物を設置する者は，主任技術者を選任したとき（前項の許可を受けて選任した場合を除く.）は，遅滞なく，その旨を主務大臣に届け出なければならない.　これを解任したときも，同様とする.

4　主任技術者は，事業用電気工作物の工事，維持及び運用に関する保安の監督の職務を誠実に行わなければならない.

5　事業用電気工作物の工事，維持又は運用に従事する者は，主任技術者がその保安のためにする指示に従わなければならない.

問8 Check! ☐☐☐ (平成30年 Ａ問題2)

次のaからdの文章は，太陽電池発電所等の設置についての記述である．「電気事業法」及び「電気事業法施行規則」に基づき，適切なものと不適切なものの組合せとして，正しいものを次の(1)～(5)のうちから一つ選べ．

a 低圧で受電し，既設の発電設備のない需要家の構内に，出力20 kWの太陽電池発電設備を設置する者は，電気主任技術者を選任しなければならない．

b 高圧で受電する工場等を新設する際に，その受電場所と同一の構内に設置する他の電気工作物と電気的に接続する出力40 kWの太陽電池発電設備を設置する場合，これらの電気工作物全体の設置者は，当該発電設備も対象とした保安規程を経済産業大臣に届け出なければならない．

c 出力1 000 kWの太陽電池発電所を設置する者は，当該発電所が技術基準に適合することについて自ら確認し，使用の開始前に，当該確認の結果を経済産業大臣に届け出なければならない．

d 出力2 000 kWの太陽電池発電所を設置する者は，その工事の計画について経済産業大臣の認可を受けなければならない．

	a	b	c	d
(1)	適切	適切	不適切	不適切
(2)	適切	不適切	適切	適切
(3)	不適切	適切	適切	不適切
(4)	不適切	不滴切	適切	不適切
(5)	適切	不適切	不適切	適切

解8　解答 (3)

a：不適切（電気事業法第43条，同法施行規則第48条）

　低圧で受電し，出力20 kWの太陽電池発電設備以外の発電設備を有しない需要家の電気工作物は，一般用電気工作物となるので，電気主任技術者の選任は必要ない．

b：適切（電気事業法第38条）

c：適切（電気事業法第51条の2，同法施行規則第74条）

d：不適切（電気事業法施行規則第62条）

　出力2 000 kWの太陽電池発電所を設置する者は，その工事の計画について主務大臣に事前に届出をする必要があるが，認可を受ける必要はない．

問9 Check! ☐☐☐

（平成29年 Ⓐ 問題10）

次のa，b，c及びdの文章は，再生可能エネルギー発電所等を計画し，建設する際に，公共の安全を確保し，環境の保全を図ることなどについての記述である．

これらの文章の内容について，「電気事業法」に基づき，適切なものと不適切なものの組合せとして，正しいものを次の(1)～(5)のうちから一つ選べ．

a 太陽電池発電所を建設する場合，その出力規模によって設置者は工事計画の届出を行い，使用前自主検査を行うとともに，当該自主検査の実施に係る主務大臣が行う審査を受けなければならない．

b 風力発電所を建設する場合，その出力規模によって設置者は環境影響評価を行う必要がある．

c 小規模発電設備を有さない一般用電気工作物の設置者が，その構内に小規模発電設備となる水力発電設備を設置し，これを一般用電気工作物の電線路と電気的に接続して使用する場合，これらの電気工作物は自家用電気工作物となる．

d 66 000 Vの送電線路と連系するバイオマス発電所を建設する場合，電気主任技術者を選任しなければならない．

	a	b	c	d
(1)	不適切	適切	適切	適切
(2)	適切	不適切	適切	不適切
(3)	適切	適切	不適切	不適切
(4)	適切	適切	不適切	適切
(5)	不適切	不適切	適切	不適切

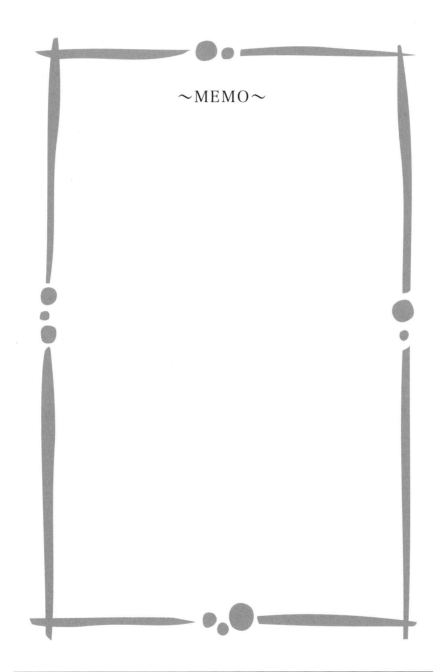

~MEMO~

解9 解答 (4)

c の記述が不適切である.

　小規模発電設備を有さない一般用電気工作物の設置者が，その構内に小規模発電設備となる水力発電設備を設置し，これを一般用電気工作物の電線路と電気的に接続して使用しても，これらの電気工作物は自家用電気工作物とはならない.

　電気事業法第 38 条第 1 項および同項第二号，電気事業法施行規則第 48 条（一般用電気工作物の範囲）第 2 項で，それぞれ次のように規定されている.

電気事業法第 38 条第 1 項

1　この法律において「一般用電気工作物」とは，次に掲げる電気工作物をいう. ただし，小規模発電設備以外の発電用の電気工作物と同一の構内（これに準ずる区域内を含む. 以下同じ.）に設置するもの又は爆発性若しくは引火性の物が存在するため電気工作物による事故が発生するおそれが多い場所であって，経済産業省令で定めるものに設置するものを除く.

　二　構内に設置する小規模発電設備（これと同一の構内に，かつ，電気的に接続して設置する電気を使用するための電気工作物を含む.）であって，その発電に係る電気を前号の経済産業省令で定める電圧以下の電圧で他の者がその構内において受電するための電線路以外の電線路によりその構内以外の場所にある電気工作物と電気的に接続されていないもの

電気事業法施行規則第 48 条第 2 項

2　法第 38 条第 1 項ただし書の経済産業省令で定める発電用の電気工作物は，次のとおりとする. ただし，次の各号に定める設備であって，同一の構内に設置する次の各号に定める他の設備と電気的に接続され，それらの設備の出力の合計が 50 kW 以上となるものを除く.

　一　太陽電池発電設備であって出力 50 kW 未満のもの

　二　風力発電設備であって出力 20 kW 未満のもの

　三　次のいずれかに該当する水力発電設備であって，出力 20 kW 未満のもの

　　イ　最大使用水量が毎秒 1 m³ 未満のもの（ダムを伴うものを除く.）

　　ロ　特定の施設内に設置されるものであって別に告示するもの

　四　内燃力を原動力とする火力発電設備であって出力 10 kW 未満のもの

　五　次のいずれかに該当する燃料電池発電設備であって，出力 10 kW 未満のもの

　　イ　固体高分子型又は固体酸化物型の燃料電池発電設備であって，燃料・改

　　質系統設備の最高使用圧力が 0.1 MPa（液体燃料を通ずる部分にあっては，
　　1.0 MPa）未満のもの
　ロ　省略
六　省略

Check! ☐☐☐　　　　　　　　　　(平成30年 Ⓐ問題1)

次のa，b及びcの文章は，「電気事業法」に基づく自家用電気工作物に関する記述である．

a　事業用電気工作物とは， ⬚(ア) 電気工作物以外の電気工作物をいう．

b　自家用電気工作物とは，次に掲げる事業の用に供する電気工作物及び ⬚(イ) 電気工作物以外の電気工作物をいう．

① 一般送配電事業

② 送電事業

③ 配電事業

④ 特定送配電事業

⑤ ⬚(ウ) 事業であって，その事業の用に供する ⬚(ウ) 用の電気工作物が主務省令で定める要件に該当するもの

c　自家用電気工作物を設置する者は，その自家用電気工作物の ⬚(エ) ，その旨を主務大臣に届け出なければならない．ただし，工事計画に係る認可又は届出に係る自家用電気工作物を使用する場合，設置者による事業用電気工作物の自己確認に係る届出に係る自家用電気工作物を使用する場合及び主務省令で定める場合は，この限りでない．

上記の記述中の空白箇所(ア)，(イ)，(ウ)及び(エ)に当てはまる組合せとして，正しいものを次の(1)～(5)のうちから一つ選べ．

	(ア)	(イ)	(ウ)	(エ)
(1)	一般用	事業用	配電	使用前自主検査を実施し
(2)	一般用	一般用	発電	使用の開始の後，遅滞なく
(3)	自家用	事業用	配電	使用の開始の後，遅滞なく
(4)	自家用	一般用	発電	使用の開始の後，遅滞なく
(5)	一般用	一般用	配電	使用前自主検査を実施し

解10 解答 (2)

aおよびbの文章は，電気事業法第38条第2項および第3項，cの文章は第53条（自家用電気工作物の使用の開始）からの出題で，それぞれ次のように規定されている．

電気事業法第38条

2　この法律において「事業用電気工作物」とは，一般用電気工作物以外の電気工作物をいう．

3　この法律において「自家用電気工作物」とは，次に掲げる事業の用に供する電気工作物及び一般用電気工作物以外の電気工作物をいう．

一　一般送配電事業

二　送電事業

三　配電事業

四　特定送配電事業

五　発電事業であって，その事業の用に供する発電用の電気工作物が主務省令で定める要件に該当するもの

電気事業法第53条（自家用電気工作物の使用の開始）

自家用電気工作物を設置する者は，その自家用電気工作物の使用の開始の後，遅滞なく，その旨を主務大臣に届け出なければならない．ただし，第47条第1項の認可又は第46条第1項，第47条第4項，第48条第1項若しくは第51条の2第3項の規定による届出に係る自家用電気工作物を使用する場合及び主務省令で定める場合は，この限りでない．

問11 Check! ☐☐☐

電気工作物に起因する供給支障事故について，次の(a)及び(b)の問に答えよ．

(a) 次の記述中の空白箇所(ア)～(エ)に当てはまる組合せとして，正しいものを次の(1)～(5)のうちから一つ選べ．

① 電気事業法第39条（事業用電気工作物の維持）において，事業用電気工作物の損壊により (ア) 者又は配電事業者の電気の供給に著しい支障を及ぼさないようにすることが規定されている．

② 「電気関係報告規則」において， (イ) を設置する者は， (ア) ，配電事業又は特定送配電事業の用に供する電気工作物と電気的に接続されている電圧 (ウ) V以上の (イ) の破損又は (イ) の誤操作若しくは (イ) を操作しないことにより (ア) 者，配電事業者又は特定送配電事業者に供給支障を発生させた場合，電気工作物の設置の場所を管轄する産業保安監督部長に事故報告をしなければならないことが規定されている．

③ 図1に示す高圧配電系統により高圧需要家が受電している．事故点1，事故点2又は事故点3のいずれかで短絡等により高圧配電系統に供給支障が発した場合，②の報告対象となるのは (エ) である．

	(ア)	(イ)	(ウ)	(エ)
(1)	一般送配電事業	自家用電気工作物	6 000	事故点1又は事故点2
(2)	送電事業	事業用電気工作物	3 000	事故点1又は事故点3
(3)	一般送配電事業	事業用電気工作物	6 000	事故点2又は事故点3
(4)	送電事業	事業用電気工作物	6 000	事故点1又は事故点2
(5)	一般送配電事業	自家用電気工作物	3 000	事故点2又は事故点3

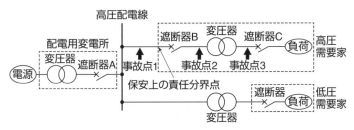

図1　高圧配電系統図（概略図）

(b)　次の記述中の空白箇所(ア)〜(エ)に当てはまる組合せとして，正しいものを次の(1)〜(5)のうちから一つ選べ．

①　受電設備を含む配電系統において，過負荷又は短絡あるいは地絡が生じたとき，供給支障の拡大を防ぐため，事故点直近上位の遮断器のみが動作し，他の遮断器は動作しないとき，これらの遮断器の間では　(ア)　がとられているという．

②　図2は，図1の高圧需要家の事故点2又は事故点3で短絡が発生した場合の過電流と遮断器（遮断器A及び遮断器B）の継電器動作時間の関係を示したものである．　(ア)　がとられている場合，遮断器Bの継電器動作特性曲線は，　(イ)　である．

③　図3は，図1の高圧需要家の事故点2で地絡が発生した場合の零相電流と遮断器（遮断器A及び遮断器B）の継電器動作時間の関係を示したものである．　(ア)　がとられている場合，遮断器Bの継電器動作特性曲線は，　(ウ)　である．また，地絡の発生箇所が零相変流器より負荷側か電源側かを判別するため　(エ)　の使用が推奨されている．

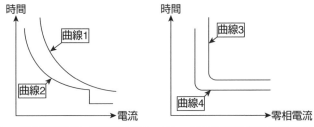

図2　過電流継電器−連動遮断特性　　図3　地絡継電器−連動遮断特性

	(ア)	(イ)	(ウ)	(エ)
(1)	同期協調	曲線 2	曲線 3	地絡距離継電器
(2)	同期協調	曲線 1	曲線 3	地絡方向継電器
(3)	保護協調	曲線 1	曲線 4	地絡距離継電器
(4)	保護協調	曲線 2	曲線 4	地絡方向継電器
(5)	保護協調	曲線 2	曲線 3	地絡距離継電器

解11 解答 (a)−(5), (b)−(4)

(a) ① 電気事業法第39条（事業用電気工作物の維持）第2項第三号で次のように規定されている.

> 三 事業用電気工作物の損壊により**一般送配電事業**者又は配電事業者の電気の供給に著しい支障を及ぼさないようにすること.

② 電気関係報告規則第3条（事故報告）第1項第十二号で，電気工作物の設置の場所を管轄する産業保安監督部長に報告すべき事故として，次のように規定されている.

> 十二 一般送配電事業者の一般送配電事業の用に供する電気工作物，配電事業者の配電事業の用に供する電気工作物又は特定送配電事業者の特定送配電事業の用に供する電気工作物と電気的に接続されている電圧3 000 V以上の**自家用電気工作物**の破損又は自家用電気工作物の誤操作若しくは自家用電気工作物を操作しないことにより一般送配電事業者，配電事業者又は特定送配電事業者に供給支障を発生させた事故

③ 事故点1は高圧需要家の保安上の責任分界点より電源側にあるので，高圧需要家の責任範囲外となり，報告対象ではない．これに対し，**事故点2**および**事故点3**は保安上の責任分界点より負荷側にあるため，高圧需要家の責任範囲内にあり，報告対象となる.

(b) ① 受電設備を含む配電系統において，過負荷または短絡あるいは地絡が生じたとき，供給支障の拡大を防ぐため，事故点直近上位の遮断器のみが動作し，他の遮断器は動作しないとき，これらの遮断器の間では**保護協調**がとられているという.

② 高圧需要家の事故点2または事故点3で短絡が発生した場合，遮断器Bが遮断器Aより早く動作する必要がある．このため，遮断器Bの継電器は遮断器Aのそれに比べ小さい電流かつ早い時間で動作する必要があり，遮断器Bの継電器動作特性曲線は**曲線2**となる.

③ 高圧需要家の事故点2で地絡が発生した場合も②の場合と同様に遮断器Bが遮断器Aより早く動作する必要がある．このため，遮断器Bの継電器は遮断器Aのそれに比べ小さい電流かつ早い時間で動作する必要があり，遮断器Bの継電器動作特性曲線は**曲線4**となる.

また，地絡の発生箇所が零相変流器より負荷側か電源側かを判別するためには**地絡方向継電器**の使用が推奨されている.

問12 Check! ☐☐☐

（令和2年 ⒝問題11）

電気工作物に起因する供給支障事故について，次の(a)及び(b)の問に答えよ.

(a) 次の記述中の空白箇所(ア)～(エ)に当てはまる組合せとして，正しいものを次の(1)～(5)のうちから一つ選べ.

① 電気事業法第39条（事業用電気工作物の維持）において，事業用電気工作物の損壊により ［ア］ 者又は配電事業者の電気の供給に著しい支障を及ぼさないようにすることが規定されている.

② 「電気関係報告規則」において， ［イ］ を設置する者は， ［ア］ の用に供する電気工作物と電気的に接続されている電圧 ［ウ］ V以上の ［イ］ の破損又は ［イ］ の誤操作若しくは ［イ］ を操作しないことにより ［ア］ 者に供給支障を発生させた場合，電気工作物の設置の場所を管轄する産業保安監督部長に事故報告をしなければならないことが規定されている.

③ 図1に示す高圧配電系統により高圧需要家が受電している. 事故点1，事故点2又は事故点3のいずれかで短絡等により高圧配電系統に供給支障が発した場合，②の報告対象となるのは ［エ］ である.

	(ア)	(イ)	(ウ)	(エ)
(1)	一般送配電事業	自家用電気工作物	6 000	事故点1又は事故点2
(2)	送電事業	事業用電気工作物	3 000	事故点1又は事故点3
(3)	一般送配電事業	事業用電気工作物	6 000	事故点2又は事故点3
(4)	送電事業	事業用電気工作物	6 000	事故点1又は事故点2
(5)	一般送配電事業	自家用電気工作物	3 000	事故点2又は事故点3

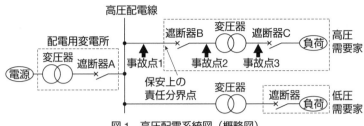

図1　高圧配電系統図（概略図）

(b) 次の記述中の空白箇所(ア)〜(エ)に当てはまる組合せとして，正しいものを次の(1)〜(5)のうちから一つ選べ．

① 受電設備を含む配電系統において，過負荷又は短絡あるいは地絡が生じたとき，供給支障の拡大を防ぐため，事故点直近上位の遮断器のみが動作し，他の遮断器は動作しないとき，これらの遮断器の間では　(ア)　がとられているという．

② 図2は，図1の高圧需要家の事故点2又は事故点3で短絡が発生した場合の過電流と遮断器（遮断器A及び遮断器B）の継電器動作時間の関係を示したものである．　(ア)　がとられている場合，遮断器Bの継電器動作特性曲線は，　(イ)　である．

③ 図3は，図1の高圧需要家の事故点2で地絡が発生した場合の零相電流と遮断器（遮断器A及び遮断器B）の継電器動作時間の関係を示したものである．　(ア)　がとられている場合，遮断器Bの継電器動作特性曲線は，　(ウ)　である．また，地絡の発生箇所が零相変流器より負荷側か電源側かを判別するため　(エ)　の使用が推奨されている．

	(ア)	(イ)	(ウ)	(エ)
(1)	同期協調	曲線2	曲線3	地絡距離継電器
(2)	同期協調	曲線1	曲線3	地絡方向継電器
(3)	保護協調	曲線1	曲線4	地絡距離継電器
(4)	保護協調	曲線2	曲線4	地絡方向継電器
(5)	保護協調	曲線2	曲線3	地絡距離継電器

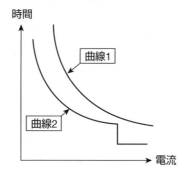

図2　過電流継電器－連動遮断特性

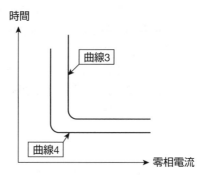

図3　地絡継電器－連動遮断特性

解12 解答 (a)−(5), (b)−(4)

(a) ① 電気事業法第39条（事業用電気工作物の維持）第2項第三号で次のように規定されている.

　三　事業用電気工作物の損壊により**一般送配電事業者**又は配電事業者の電気の供給に著しい支障を及ぼさないようにすること.

② 電気関係報告規則第3条（事故報告）第1項第十一号で，電気工作物の設置の場所を管轄する産業保安監督部長に事故報告すべき事故として，次のように規定されている.

　十二　一般送配電事業者の一般送配電事業の用に供する電気工作物，配電事業者の配電事業の用に供する電気工作物又は特定送配電事業者の特定送配電事業の用に供する電気工作物と電気的に接続されている電圧3 000 V以上の**自家用電気工作物の破損**又は**自家用電気工作物の誤操作**若しくは**自家用電気工作物を操作しないこと**により**一般送配電事業者**，配電事業者又は特定送配電事業者に供給支障を発生させた事故

③ 事故点1は高圧需要家の保安上の責任分界点より電源側にあるので，高圧需要家の責任範囲外となり，報告対象ではない．これに対し，事故点2および3は保安上の責任分界点より負荷側にあるため，高圧需要家の責任範囲内にあり，報告対象となる.

(b) ① 受電設備を含む配電系統において，過負荷または短絡あるいは地絡が生じたとき，供給支障の拡大を防ぐため，事故点直近上位の遮断器のみが動作し，他の遮断器は動作しないとき，これらの遮断器の間では**保護協調**がとられているという.

② 高圧需要家の事故点2または事故点3で短絡が発生した場合，遮断器Bが遮断器Aより早く動作する必要がある．このため，遮断器Bの継電器は遮断器Aのそれに比べ小さい電流かつ早い時間で動作する必要があり，遮断器Bの継電器動作特性曲線は**曲線2**となる.

③ 高圧需要家の事故点2で地絡が発生した場合も②の場合と同様に遮断器Bが遮断器Aより早く動作する必要がある．このため，遮断器Bの継電器は遮断器Aのそれに比べ小さい電流かつ早い時間で動作する必要があり，遮断器Bの継電器動作特性曲線は**曲線4**となる.

　また，地絡の発生箇所が零相変流器より負荷側か電源側かを判別するためには**地絡方向継電器**の使用が推奨されている.

問13 Check! □□□

（令和4年⬇ Ⓐ 問題2）

電気設備の安全を確保するためには，「電気設備技術基準」への適合を確認する必要がある．「電気設備技術基準」に規定されているものとして，正しいものを次の(1)〜(5)のうちから一つ選べ．

(1) 船舶の客室屋内配線

(2) 乾電池使用の EMS（電気的筋肉刺激器）

(3) 航空機に搭載される発電機

(4) 電気浴器

(5) 自動車の 24 V オルタネータ（交流発電機）

解13 　解答 (4)

「電気工作物」とは，発電，送電，配電等で使用される電気の使用のために設置する電気設備である．

電気事業法において，事業用電気工作物および一般用電気工作物は，経済産業省令で定める技術基準に適合させる必要がある．

ただし，電気事業法第2条において，電気工作物から除外されるものがある．

電気事業法第2条（定義）

この法律において，次の各号に掲げる用語の意義は，当該各号に定めるところによる．

中略

十八　電気工作物　発電，蓄電，変電，送電若しくは配電又は電気の使用のために設置する機械，器具，ダム，水路，貯水池，電線路その他の工作物（船舶，車両又は航空機に設置されるものその他の政令で定めるものを除く．）をいう．

上記の政令で定めるものとして，電気事業法施行令第1条に定められている．

電気事業法施行令第1条（電気工作物から除かれる工作物）

電気事業法第2条第1項第十八号の政令で定める工作物は，次のとおりとする．

一　鉄道営業法（明治33年法律第65号），軌道法（大正10年法律第76号）若しくは鉄道事業法（昭和61年法律第92号）が適用され若しくは準用される車両若しくは搬器，船舶安全法（昭和8年法律第11号）が適用される船舶，陸上自衛隊の使用する船舶（水陸両用車両を含む．）若しくは海上自衛隊の使用する船舶又は道路運送車両法（昭和26年法律第185号）第2条第2項に規定する自動車に設置される工作物であって，これらの車両，搬器，船舶及び自動車以外の場所に設置される電気的設備に電気を供給するためのもの以外のもの

二　航空法（昭和27年法律第231号）第2条第1項に規定する航空機に設置される工作物

三　前二号に掲げるもののほか，電圧30V未満の電気的設備であって，電圧30V以上の電気的設備と電気的に接続されていないもの

以上から船舶，電池使用器具，航空機，自動車等は対象外となる．

Check! ☐☐☐　　　　　　　（令和6年㊤ ❹ 問題1）

　次の文章は，「電気事業法」における事業用電気工作物の技術基準への適合に関する記述の一部である．

a)　事業用電気工作物を設置する者は，事業用電気工作物を主務省令で定める技術基準に適合するように ｜ (ア) ｜ しなければならない．

b)　上記 a) の主務省令で定める技術基準では，次に掲げるところによらなければならない．

　① 　事業用電気工作物は，人体に危害を及ぼし，又は物件に損傷を与えないようにすること．

　② 　事業用電気工作物は，他の電気的設備その他の物件の機能に電気的又は ｜ (イ) ｜ 的な障害を与えないようにすること．

　③ 　事業用電気工作物の損壊により一般送配電事業者又は配電事業者の電気の供給に著しい支障を及ぼさないようにすること．

　④ 　事業用電気工作物が一般送配電事業又は配電事業の用に供される場合にあつては，その事業用電気工作物の損壊によりその一般送配電事業又は配電事業に係る電気の供給に著しい支障を生じないようにすること．

c)　主務大臣は，事業用電気工作物が上記 a) の主務省令で定める技術基準に適合していないと認めるときは，事業用電気工作物を設置する者に対し，その技術基準に適合するように事業用電気工作物を修理し，改造し，若しくは移転し，若しくはその使用を ｜ (ウ) ｜ すべきことを命じ，又はその使用を制限することができる．

　上記の記述中の空白箇所(ア)〜(ウ)に当てはまる組合せとして，正しいものを次の(1)〜(5)のうちから一つ選べ．

	(ア)	(イ)	(ウ)
(1)	設置	磁気	一時停止
(2)	維持	磁気	一時停止
(3)	設置	熱	禁止
(4)	維持	熱	禁止
(5)	設置	熱	一時停止

解14 解答 (2)

　電気事業法第39条（事業用電気工作物の維持）および第40条（技術基準適合命令）からの出題で，それぞれ次のように規定されている.

第39条　事業用電気工作物を設置する者は，事業用電気工作物を主務省令で定める技術基準に適合するように**維持**しなければならない.

2　前項の主務省令は，次に掲げるところによらなければならない.

　　一　事業用電気工作物は，人体に危害を及ぼし，又は物件に損傷を与えないようにすること.

　　二　事業用電気工作物は，他の電気的設備その他の物件の機能に電気的又は**磁気的**な障害を与えないようにすること.

　　三　事業用電気工作物の損壊により一般送配電事業者又は配電事業者の電気の供給に著しい支障を及ぼさないようにすること.

　　四　事業用電気工作物が一般送配電事業又は配電事業の用に供される場合にあっては，その事業用電気工作物の損壊によりその一般送配電事業又は配電事業に係る電気の供給に著しい支障を生じないようにすること.

第40条　主務大臣は，事業用電気工作物が前条第1項の主務省令で定める技術基準に適合していないと認めるときは，事業用電気工作物を設置する者に対し，その技術基準に適合するように事業用電気工作物を修理し，改造し，若しくは移転し，若しくはその使用を**一時停止**すべきことを命じ，又はその使用を制限することができる.

問15 **Check!** □□□ (平成29年 **Ⓐ** 問題1)

次の文章は，「電気事業法」における事業用電気工作物の技術基準への適合に関する記述の一部である．

a 事業用電気工作物を設置する者は，事業用電気工作物を主務省令で定める技術基準に適合するように ［(ア)］ しなければならない．

b 上記 a の主務省令で定める技術基準では，次に掲げるところによらなければならない．

① 事業用電気工作物は，人体に危害を及ぼし，又は物件に損傷を与えないようにすること．

② 事業用電気工作物は，他の電気的設備その他の物件の機能に電気的又は ［(イ)］ 的な障害を与えないようにすること．

③ 事業用電気工作物の損壊により一般送配電事業者又は配電事業者の電気の供給に著しい支障を及ぼさないようにすること．

④ 事業用電気工作物が一般送配電事業又は配電事業の用に供される場合にあっては，その事業用電気工作物の損壊によりその一般送配電事業又は配電事業に係る電気の供給に著しい支障を生じないようにすること．

c 主務大臣は，事業用電気工作物が上記 a の主務省令で定める技術基準に適合していないと認めるときは，事業用電気工作物を設置する者に対し，その技術基準に適合するように事業用電気工作物を修理し，改造し，若しくは移転し，若しくはその使用を ［(ウ)］ すべきことを命じ，又はその使用を制限することができる．

上記の記述中の空白箇所(ア)，(イ)及び(ウ)に当てはまる組合せとして，正しいものを次の(1)〜(5)のうちから一つ選べ．

	(ア)	(イ)	(ウ)
(1)	設置	磁気	一時停止
(2)	維持	熱	禁止
(3)	設置	熱	禁止
(4)	維持	磁気	一時停止
(5)	設置	熱	一時停止

解15　解答 (4)

電気事業法第 39 条（事業用電気工作物の維持）および第 40 条（技術基準適合命令）からの出題で，それぞれ次のように規定されている．

電気事業法第 39 条

　事業用電気工作物を設置する者は，事業用電気工作物を主務省令で定める技術基準に適合するように維持しなければならない．

2　前項の主務省令は，次に掲げるところによらなければならない．

一　事業用電気工作物は，人体に危害を及ぼし，又は物件に損傷を与えないようにすること．

二　事業用電気工作物は，他の電気的設備その他の物件の機能に電気的又は磁気的な障害を与えないようにすること．

三　事業用電気工作物の損壊により一般送配電事業者又は配電事業者の電気の供給に著しい支障を及ぼさないようにすること．

四　事業用電気工作物が一般送配電事業又は配電事業の用に供される場合にあっては，その事業用電気工作物の損壊によりその一般送配電事業又は配電事業に係る電気の供給に著しい支障を生じないようにすること．

電気事業法第 40 条

　主務大臣は，事業用電気工作物が前条第 1 項の主務省令で定める技術基準に適合していないと認めるときは，事業用電気工作物を設置する者に対し，その技術基準に適合するように事業用電気工作物を修理し，改造し，若しくは移転し，若しくはその使用を一時停止すべきことを命じ，又はその使用を制限することができる．

Check! ☐☐☐ —·—·—·—·—·—·—·—·— （平成23年 Ⓐ問題2㊵）

次の文章は，「電気事業法」における，技術基準適合命令に関する記述の一部である．

　　□(ア)□は，事業用電気工作物が主務省令で定める技術基準に適合していないと認めるときは，事業用電気工作物を□(イ)□に対し，その技術基準に適合するように事業用電気工作物を□(ウ)□し，改造し，若しくは□(エ)□し，若しくはその使用を一時停止すべきことを命じ，又はその使用を□(オ)□することができる．

　　上記の記述中の空白箇所(ア)，(イ)，(ウ)，(エ)及び(オ)に当てはまる組合せとして，正しいものを次の(1)～(5)のうちから一つ選べ．

	(ア)	(イ)	(ウ)	(エ)	(オ)
(1)	経済産業局長	運用する者	変更	撤去	禁止
(2)	主務大臣	設置する者	修理	移転	制限
(3)	産業保安監督部長	運用する者	変更	撤去	制限
(4)	主務大臣	設置する者	修理	撤去	禁止
(5)	経済産業局長	管理する者	変更	移転	制限

解16 解答 (2)

電気事業法第40条（技術基準適合命令）からの出題で，次のように規定されている．

主務大臣は，事業用電気工作物が前条第1項の主務省令で定める技術基準に適合していないと認めるときは，事業用電気工作物を設置する者に対し，その技術基準に適合するように事業用電気工作物を修理し，改造し，若しくは移転し，若しくはその使用を一時停止すべきことを命じ，又はその使用を制限することができる．

問17　Check! □□□

　　次の文章は，「電気事業法施行規則」に基づく自家用電気工作物を設置する者が保安規程に定めるべき事項の一部に関しての記述である．

a)　自家用電気工作物の工事，維持又は運用に関する業務を管理する者の　[ア]　に関すること．

b)　自家用電気工作物の工事，維持又は運用に従事する者に対する　[イ]　に関すること．

c)　自家用電気工作物の工事，維持及び運用に関する保安のための　[ウ]　及び検査に関すること．

d)　自家用電気工作物の運転又は操作に関すること．

e)　発電所又は蓄電所の運転を相当期間停止する場合における保全の方法に関すること．

f)　災害その他非常の場合に採るべき　[エ]　に関すること．

g)　自家用電気工作物の工事，維持及び運用に関する保安についての　[オ]　に関すること．

　　上記の記述中の空白箇所(ア)～(オ)に当てはまる組合せとして，正しいものを次の(1)～(5)のうちから一つ選べ．

	(ア)	(イ)	(ウ)	(エ)	(オ)
(1)	権限及び義務	勤務体制	巡視，点検	指揮命令	記録
(2)	職務及び組織	勤務体制	整備，補修	措置	届出
(3)	権限及び義務	保安教育	整備，補修	指揮命令	届出
(4)	職務及び組織	保安教育	巡視，点検	措置	記録
(5)	権限及び義務	勤務体制	整備，補修	指揮命令	記録

解17 解答 (4)

　電気事業法施行規則第50条（保安規程）第3項第一号～第七号からの出題で，次のように規定されている．ただし，問題では自家用電気工作物についての規定を問うているが，自家用電気工作物は事業用電気工作物に含まれることに注意する．

3　第1項第二号に掲げる事業用電気工作物を設置する者は，法第42条第1項の保安規程において，次の各号に掲げる事項を定めるものとする．ただし，鉱山保安法（昭和24年法律第70号），鉄道営業法（明治33年法律第65号），軌道法（大正10年法律第76号）又は鉄道事業法（昭和61年法律第92号）が適用され又は準用される自家用電気工作物については発電所，蓄電所，変電所及び送電線路に係る次の事項について定めることをもって足りる．

一　事業用電気工作物の工事，維持又は運用に関する業務を管理する者の**職務及び組織**に関すること．

二　事業用電気工作物の工事，維持又は運用に従事する者に対する**保安教育**に関すること．

三　事業用電気工作物の工事，維持及び運用に関する保安のための**巡視，点検**及び検査に関すること．

四　事業用電気工作物の運転又は操作に関すること．

五　発電所又は蓄電所の運転を相当期間停止する場合における保全の方法に関すること．

六　災害その他非常の場合に採るべき**措置**に関すること．

七　事業用電気工作物の工事，維持及び運用に関する保安についての**記録**に関すること．

問18 Check! ☐☐☐ (平成28年 Ⓐ 問題10)

次の文章は,「電気事業法施行規則」に基づく自家用電気工作物を設置する者が保安規程に定めるべき事項の一部に関しての記述である.

a 自家用電気工作物の工事,維持又は運用に関する業務を管理する者の ア に関すること.

b 自家用電気工作物の工事,維持又は運用に従事する者に対する イ に関すること.

c 自家用電気工作物の工事,維持及び運用に関する保安のための ウ 及び検査に関すること.

d 自家用電気工作物の運転又は操作に関すること.

e 発電所又は蓄電所の運転を相当期間停止する場合における保全の方法に関すること.

f 災害その他非常の場合に採るべき エ に関すること.

g 自家用電気工作物の工事,維持及び運用に関する保安についての オ に関すること.

上記の記述中の空白箇所(ア), (イ), (ウ), (エ)及び(オ)に当てはまる組合せとして,正しいものを次の(1)～(5)のうちから一つ選べ.

	(ア)	(イ)	(ウ)	(エ)	(オ)
(1)	権限及び義務	勤務体制	巡視, 点検	指揮命令	記録
(2)	職務及び組織	勤務体制	整備, 補修	措置	届出
(3)	権限及び義務	保安教育	整備, 補修	指揮命令	届出
(4)	職務及び組織	保安教育	巡視, 点検	措置	記録
(5)	権限及び義務	勤務体制	整備, 補修	指揮命令	記録

解18 解答 (4)

電気事業法施行規則第50条（保安規程）第3項第一号～第七号からの出題で，次のように規定されている．

第1項第二号に掲げる事業用電気工作物を設置する者は，法第42条第1項の保安規程において，次の各号に掲げる事項を定めるものとする．ただし，鉱山保安法（昭和24年法律第70号），鉄道営業法（明治33年法律第65号），軌道法（大正10年法律第76号）又は鉄道事業法（昭和61年法律第92号）が適用され又は準用される自家用電気工作物については発電所，蓄電所，変電所及び送電線路に係る次の事項について，定めることをもって足りる．

一　事業用電気工作物の工事，維持又は運用に関する業務を管理する者の職務及び組織に関すること．

二　事業用電気工作物の工事，維持又は運用に従事する者に対する保安教育に関すること．

三　事業用電気工作物の工事，維持及び運用に関する保安のための巡視，点検及び検査に関すること．

四　事業用電気工作物の運転又は操作に関すること．

五　発電所又は蓄電所の運転を相当期間停止する場合における保全の方法に関すること．

六　災害その他非常の場合に採るべき措置に関すること．

七　事業用電気工作物の工事，維持及び運用に関する保安についての記録に関すること．

問19 Check! ☐☐☐

(令和4年⑤ Ⓐ 問題1)

次の文章は，電気事業法に基づく保安規程に関する記述である．

保安規程は，電気設備規模等によって記載内容が異なり，特定発電用電気工作物の小売電気事業等用接続最大電力の合計が ⑦ 万kW（沖縄電力株式会社の供給域内にあっては10万kW）を超える大規模な事業者の場合には保安規程に記載すべき事項が多くなっている．

空欄⑦と上記の大規模な事業者のみが保安規程に記載すべき事項の組合せとして，正しいものを次の(1)～(5)のうちから一つ選べ．

	(⑦)	大規模な事業者のみが保安規程に記載すべき事項
(1)	100	発電所の運転を相当期間停止する場合における保全の方法に関すること．
(2)	200	保安規程の定期的な点検及びその必要な改善に関すること．
(3)	100	事業用電気工作物の工事，維持又は運用に関する業務を管理する者の職務及び組織に関すること．
(4)	60	発電所の運転を相当期間停止する場合における保全の方法に関すること．
(5)	200	事業用電気工作物の工事，維持又は運用に関する業務を管理する者の職務及び組織に関すること．

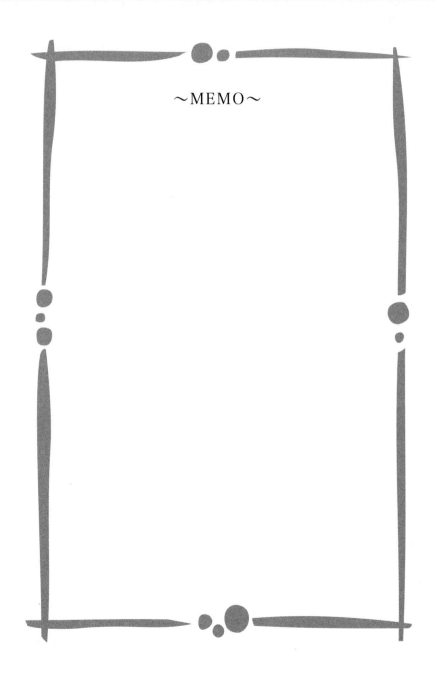

~MEMO~

解19 解答 (2)

題意にある特定発電用電気工作物の小売電気事業等については，電気事業法施行規則に以下のように定められている．

電気事業法施行規則第48条の2 法第38条第3項第五号の主務省令で定める要件は，次の各号のいずれかに該当することとする．

　一　特定発電用電気工作物の小売電気事業等用接続最大電力の合計が200万kW（沖縄電力株式会社の供給区域にあっては，10万kW）を超えること．

　二　一般送配電事業者が離島等供給の用に供するため又はその供給する電気の電圧及び周波数の値を一定の値に維持するため，当該一般送配電事業者が維持し，及び運用するものであること．

電気工作物を設置する者は，保安規程を下記の法令に基づき届け出る必要がある．

電気事業法第42条（保安規程）　事業用電気工作物を設置する者は，事業用電気工作物の工事，維持及び運用に関する保安を確保するため，主務省令で定めるところにより，保安を一体的に確保することが必要な事業用電気工作物の組織ごとに保安規程を定め，当該組織における事業用電気工作物の使用の開始前に，主務大臣に届け出なければならない．

保安規程を定める内容については，電気事業法施行規則第50条に定められている．

電気事業法施行規則第50条　法第42条第1項の保安規程は，次の各号に掲げる事業用電気工作物の種類ごとに定めるものとする．

　一　事業用電気工作物であって，一般送配電事業，送電事業，配電事業又は発電事業（法第38条第3項第五号に掲げる事業に限る．次項において同じ．）の用に供するもの

　二　事業用電気工作物であって，前号に掲げるもの以外のもの

上記の2種類によって保安規程に記載する内容が異なる．

今回の問題に関する内容は，電気事業法38条第3項第五号に対し，定めた内容であるので，同条を確認する．

電気事業法第38条　この法律において「一般用電気工作物」とは，次に掲げる電気工作物をいう．ただし，小出力発電設備（経済産業省令で定める電圧以下の電気の発電用の電気工作物であって，経済産業省令で定めるものをいう．以下同じ．）以外の発電用の電気工作物と同一の構内（これに準ずる区域内を含む．

以下同じ.）に設置するもの又は爆発性若しくは引火性の物が存在するため電気工作物による事故が発生するおそれが多い場所であって，経済産業省令で定めるものに設置するものを除く.

中略

3　この法律において「自家用電気工作物」とは，次に掲げる事業の用に供する電気工作物及び一般用電気工作物以外の電気工作物をいう.

一　一般送配電事業

二　送電事業

三　配電事業

四　特定送配電事業

五　発電事業であって，その事業の用に供する発電用の電気工作物が主務省令で定める要件に該当するもの

　以上から特定発電用電気工作物の小売電気事業等の保安規程は，電気事業法施行規則第 50 条第 1 項第一号の保安規程となる.

　電気事業法施行規則第 50 条第 2 項第十四号において次のように規定されている.

2　前項第一号に掲げる事業用電気工作物を設置する者は，法第 42 条第 1 項の保安規程において，次の各号（その者が発電事業（その事業の用に供する発電用の電気工作物が第 48 条の 2 第一号に掲げる要件に該当するものに限る.）を営むもの以外の者である場合にあっては，第五号から第七号まで及び第十一号を除く.）に掲げる事項を定めるものとする.

十四　保安規程の定期的な点検及びその必要な改善に関すること.

問20 Check! □□□

次のa，b及びcの文章は，主任技術者に関する記述である．

その記述内容として，「電気事業法」に基づき，適切なものと不適切なものの組合せについて，正しいものを次の(1)～(5)のうちから一つ選べ．

a. 電気事業の用に供する電気工作物を設置する者は，電気事業の用に供する電気工作物の工事，維持及び運用に関する保安の監督をさせるため，主務省令で定めるところにより，主任技術者免状の交付を受けている者のうちから，主任技術者を選任しなければならない．

b. 主任技術者は，事業用電気工作物の工事，維持及び運用に関する保安の監督の職務を誠実に行わなければならない．

c. 事業用電気工作物の工事，維持又は運用に従事する者は，主任技術者がその保安のためにする指示に従わなければならない．

	a	b	c
(1)	不適切	適切	適切
(2)	不適切	不適切	適切
(3)	適切	不適切	不適切
(4)	適切	適切	適切
(5)	適切	適切	不適切

解20 解答 (4)

a. 電気事業法第43条第1項で,「事業用電気工作物を設置する者は, 事業用電気工作物の工事, 維持及び運用に関する保安の監督をさせるため, 主務省令で定めるところにより, 主任技術者免状の交付を受けている者のうちから, 主任技術者を選任しなければならない.」と定めている. また, 同法第43条第2項で,「自家用電気工作物 (小規模事業用電気工作物を除く.) を設置する者は, 前項の規定にかかわらず, 主務大臣の許可を受けて, 主任技術者免状の交付を受けていない者を主任技術者として選任することができる.」と定めている (許可主任技術者).

　本問では,「電気事業の用に供する電気工作物の主任技術者」について述べているが, "電気事業の用に供する電気工作物" は自家用電気工作物ではないので, 許可主任技術者を選任することができない. したがって, "主任技術者免状の交付を受けている者" から主任技術者を選任しなければならない. よって, 適切.

b. 電気事業法第43条第4項で, 問題文のとおり定めている. よって, 適切.

c. 電気事業法第43条第5項で, 問題文のとおり定めている. よって, 適切.

Check! □□□

(平成28年 Ⓐ 問題1)

次の文章は，「電気事業法」及び「電気事業法施行規則」に基づく主任技術者の選任等に関する記述である．

自家用電気工作物を設置する者は，自家用電気工作物の工事，維持及び運用に関する保安の監督をさせるため主任技術者を選任しなければならない．

ただし，一定の条件を満たす自家用電気工作物に係る事業場のうち，当該自家用電気工作物の工事，維持及び運用に関する保安の監督に係る業務を委託する契約が，電気事業法施行規則で規定した要件に該当する者と締結されているものであって，保安上支障のないものとして経済産業大臣（事業場が一の産業保安監督部の管轄区域内のみにある場合は，その所在地を管轄する産業保安監督部長）の承認を受けたものについては，電気主任技術者を選任しないことができる．

下記 a ～ d のうち，上記の記述中の下線部の「一定の条件を満たす自家用電気工作物に係る事業場」として，適切なものと不適切なものの組合せとして，正しいものを次の(1)～(5)のうちから一つ選べ．

a 電圧 22 000 V で送電線路と連系をする出力 2 000 kW の内燃力発電所

b 電圧 6 600 V で送電する出力 3 000 kW の水力発電所

c 電圧 6 600 V で配電線路と連系をする出力 500 kW の太陽電池発電所

d 電圧 6 600 V で受電する需要設備

	a	b	c	d
(1)	適切	不適切	適切	適切
(2)	不適切	不適切	適切	適切
(3)	適切	不適切	不適切	適切
(4)	不適切	適切	適切	不適切
(5)	適切	適切	不適切	不適切

解21 解答 (2)

電気事業法第 43 条（主任技術者）第 1 項および電気事業法施行規則第 52 条（主任技術者の選任等）第 2 項からの出題で，主任技術者の選任と不選任について，次のように規定されている．

電気事業法第 43 条第 1 項

事業用電気工作物を設置する者は，事業用電気工作物の工事，維持及び運用に関する保安の監督をさせるため，主務省令で定めるところにより，主任技術者免状の交付を受けている者のうちから，主任技術者を選任しなければならない．

電気事業法施行規則第 52 条第 2 項

次の各号のいずれかに掲げる自家用電気工作物に係る当該各号に定める事業場のうち，当該自家用電気工作物の工事，維持及び運用に関する保安の監督に係る業務（以下「保安管理業務」という．）を委託する契約（以下「委託契約」という．）が次条に規定する要件に該当する者と締結されているものであって，保安上支障がないものとして経済産業大臣（事業場が一の産業保安監督部の管轄区域内のみにある場合は，その所在地を管轄する産業保安監督部長．次項並びに第 53 条第 1 項，第 2 項及び第 5 項において同じ．）の承認を受けたもの並びに発電所，蓄電所，変電所及び送電線路以外の自家用電気工作物であって鉱山保安法が適用されるもののみに係る前項の表第三号又は第六号の事業場については，同項の規定にかかわらず，電気主任技術者を選任しないことができる．

一　出力 5 000 kW 未満の太陽電池発電所又は蓄電所であって電圧 7 000 V 以下で連系等をするもの　前項の表第三号又は第六号の事業場

二　出力 2 000 kW 未満の発電所（水力発電所，火力発電所，太陽電池発電所及び風力発電所に限る．）であって電圧 7 000 V 以下で連系等をするもの　前項の表第一号，第二号又は第六号の事業場

三　出力 1 000 kW 未満の発電所（前号に掲げるものを除く．）であって電圧 7 000 V 以下で連系等をするもの　前項の表第三号又は第六号の事業場

四　電圧 7 000 V 以下で受電する需要設備　前項の表第三号又は第六号の事業場

五　電圧 600 V 以下の配電線路　当該配電線路を管理する事業場

したがって，a の記述にある「電圧 22 000 V で送電線路と連系をする出力 2 000 kW の内燃力発電所」及び b の記述にある「電圧 6 600 V で送電する出力 3 000 kW の水力発電所」は施行規則第 52 条第 2 項で規定する範囲を超えた自家用電気工作物となるので，不適切となる．

問22 Check! ☐ ☐ ☐

(令和2年 Ⓐ 問題1)

次の文章は,「電気事業法」及び「電気事業法施行規則」に基づく主任技術者に関する記述である.

a) 主任技術者は,事業用電気工作物の工事,維持及び運用に関する保安の ［(ア)］ の職務を誠実に行わなければならない.

b) 事業用電気工作物の工事,維持及び運用に ［(イ)］ する者は,主任技術者がその保安のためにする指示に従わなければならない.

c) 第3種電気主任技術者免状の交付を受けている者が保安について ［(ア)］ をすることができる事業用電気工作物の工事,維持及び運用の範囲は,一部の水力設備,火力設備等を除き,電圧 ［(ウ)］ 万V未満の事業用電気工作物(出力 ［(エ)］ kW以上の発電所又は蓄電所を除く.)とする.

上記の記述中の空白箇所(ア)〜(エ)に当てはまる組合せとして,正しいものを次の(1)〜(5)のうちから一つ選べ.

	(ア)	(イ)	(ウ)	(エ)
(1)	作業,検査等	従事	5	5 000
(2)	監督	関係	3	2 000
(3)	作業,検査等	関係	3	2 000
(4)	監督	従事	5	5 000
(5)	作業,検査等	従事	3	2 000

解22 解答 (4)

電気事業法第43条（主任技術者）第4項，第5項および電気事業法施行規則第56条（免状の種類による監督の範囲）からの出題で，それぞれ次のように規定されている.

a) 電気事業法第43条第4項

　4　主任技術者は，事業用電気工作物の工事，維持及び運用に関する保安の**監督**の職務を誠実に行わなければならない.

b) 電気事業法第43条第5項

　5　事業用電気工作物の工事，維持又は運用に**従事**する者は，主任技術者がその保安のためにする指示に従わなければならない.

c) 電気事業法施行規則第56条

　三　第3種電気主任技術者免状

　　電圧5万V未満の事業用電気工作物（出力5 000 kW以上の発電所又は蓄電所を除く.）の工事，維持及び運用（第1種ダム水路主任技術者又は第1種ボイラー・タービン主任技術者が保安の監督をする電気工作物を除く.）

問23 Check! ☐☐☐

　次のaからcの文章は，自家用電気工作物を設置するX社が，需要設備又は変電所のみを直接統括する同社のA，B，C及びD事業場ごとに行う電気主任技術者の選任等に関する記述である．ただし，A～Dの各事業場は，すべてY産業保安監督部の管轄区域内のみにある．

　「電気事業法」及び「電気事業法施行規則」に基づき，適切なものと不適切なものの組合せとして，正しいものを次の(1)～(5)のうちから一つ選べ．

a. 受電電圧 33〔kV〕，最大電力 12 000〔kW〕の需要設備を直接統括するA事業場に，X社の従業員で第三種電気主任技術者免状の交付を受けている者のうちから，電気主任技術者を選任し，遅滞なく，その旨をY産業保安監督部長に届け出た．

b. 最大電力 400〔kW〕の需要設備を直接統括するB事業場には，X社の従業員で第一種電気工事士試験に合格している者をあてることとして，保安上支障がないと認められたため，Y産業保安監督部長の許可を受けてその者を電気主任技術者に選任した．その後，その電気主任技術者を電圧 6 600〔V〕の変電所を直接統括するC事業場の電気主任技術者として兼任させた．その際，B事業場への選任の許可を受けているので，Y産業保安監督部長の承認は求めなかった．

c. 受電電圧 6 600〔V〕の需要設備を直接統括するD事業場については，その需要設備の工事，維持及び運用に関する保安の監督に係る業務を委託する契約をZ法人（電気保安法人）と締結し，保安上支障がないものとしてY産業保安監督部長の承認を受けたので，電気主任技術者を選任しないこととした．

	a	b	c
(1)	不適切	適切	適切
(2)	適切	不適切	適切
(3)	適切	適切	不適切
(4)	不適切	適切	不適切
(5)	適切	不適切	不適切

解23 解答 (2)

電気事業法第 43 条（主任技術者）第 1 項，第 2 項および第 3 項に関する出題である．

a および c の記述は適切であるが，b の記述は不適切である．

第 1 種電気工事士試験合格者は最大電力 500 〔kW〕未満の需要設備の主任技術者として選任されることができる（許可主任技術者）が，他の事業場の電気主任技術者として兼任することは認められていない．

2 以上の事業場または設備の電気主任技術者を兼任することができるのは，第 1 種電気主任技術者免状，第 2 種電気主任技術者免状または第 3 種電気主任技術者免状の交付を受けている者のみである．

なお，主任技術者を選任したときの届け出先は，電気事業法においては「主務大臣」となっているが，手続きは所管の産業保安監督部長に対して行う．したがって，a の記述は誤りとはいえないが，法規の問題としては少々疑問の残るところである．

問24 Check! ☐☐☐ （平成 25 年 Ⓐ 問題 2 改）

「電気事業法」及び「電気事業法施行規則」に基づき，事業用電気工作物の設置又は変更の工事の計画には主務大臣に事前届出を要するものがある．次の工事を計画するとき，事前届出の対象となるものを(1)〜(5)のうちから一つ選べ．

(1) 受電電圧 6 600 〔V〕で最大電力 2 000 〔kW〕の需要設備を設置する工事

(2) 受電電圧 6 600 〔V〕の既設需要設備に使用している受電用遮断器を新しい遮断器に取り替える工事

(3) 受電電圧 6 600 〔V〕の既設需要設備に使用している受電用遮断器の遮断電流を 25 〔%〕変更する工事

(4) 受電電圧 22 000 〔V〕の既設需要設備に使用している受電用遮断器を新しい遮断器に取り替える工事

(5) 受電電圧 22 000 〔V〕の既設需要設備に使用している容量 5 000 〔kV·A〕の変圧器を同容量の新しい変圧器に取り替える工事

解24 解答 (4)

電気事業法第48条第1項で「事業用電気工作物の設置又は変更の工事であって，主務省令で定めるものをしようとする者は，その工事の計画を主務大臣に届け出なければならない．その工事の計画の変更をしようとするときも，同様とする．」と定めている．

"主務省令（経済産業省令）で定めるもの"について，電気事業法施行規則の第65条と別表第2で工事の種類と内容を定めており，"受電電圧 10 000〔V〕以上の需要設備"について"設置の工事"と"変更の工事（遮断器，電力貯蔵設備など）"が対象となっている．したがって，(4)受電電圧 22 000〔V〕の受電用遮断器の取り替えは主務大臣への事前届出に該当する．

別表第2では，"変更の工事（遮断器，電力貯蔵設備以外の機器）"について"電圧 10 000〔V〕以上であって容量 10 000〔kV·A〕以上のもののうち，20〔%〕以上の電圧若しくは容量の変更"が対象となると定めているが，(5)受電電圧 22 000〔V〕・容量 5 000〔kV·A〕の変圧器の取り替えは容量がこの規定より小さいので事前届出の対象ではない．

問25 Check! □□□

次の文章は，「電気事業法」及び「電気事業法施行規則」に基づき，事業用電気工作物を設置する者が行う検査に関しての記述である．

a ［ ア ］以上の需要設備を設置する者は，主務省令で定めるところにより，その使用の開始前に，当該事業用電気工作物について自主検査を行い，その結果を記録し，これを保存しなければならない．（以下，この検査を使用前自主検査という．）

b 使用前自主検査においては，その事業用電気工作物が次の①及び②のいずれにも適合していることを確認しなければならない．

① その工事が電気事業法の規定による［ イ ］をした工事の計画に従って行われたものであること．

② 電気設備技術基準に適合するものであること．

c 使用前自主検査を行う事業用電気工作物を設置する者は，使用前自主検査に係る体制について，［ ウ ］が行う審査を受けなければならない．この審査は事業用電気工作物の［ エ ］を旨として，使用前自主検査の実施に係る組織，検査の方法，工程管理その他主務省令で定める事項について行う．

上記の記述中の空白箇所(ア)，(イ)，(ウ)及び(エ)に当てはまる組合せとして，正しいものを次の(1)～(5)のうちから一つ選べ．

	(ア)	(イ)	(ウ)	(エ)
(1)	受電電圧 1 万 V	申請	電気主任技術者	安全管理
(2)	容量 2 000 kW	届出	主務大臣	自己確認
(3)	受電電圧 1 万 V	届出	主務大臣	安全管理
(4)	容量 2 000 kW	申請	電気主任技術者	自己確認
(5)	容量 2 000 kW	申請	主務大臣	安全管理

解25 解答 (3)

電気事業法第51条（使用前安全管理検査），第48条第1項，電気事業法施行規則第65条（工事計画の事前届出）第1項第一号および別表第2（需要設備（一）設置の工事）からの出題で，それぞれ，次のように規定されている.

① 電気事業法第51条（使用前安全管理検査）

第48条第1項の規定による届出をして設置又は変更の工事をする事業用電気工作物であって，主務省令で定めるものを設置する者は，主務省令で定めるところにより，その使用の開始前に，当該事業用電気工作物について自主検査を行い，その結果を記録し，これを保存しなければならない.

2 前項の自主検査（以下「使用前自主検査」という.）においては，その事業用電気工作物が次の各号のいずれにも適合していることを確認しなければならない.

一 その工事が第48条第1項の規定による**届出**をした工事の計画（同項後段の主務省令で定める軽微な変更をしたものを含む.）に従って行われたものであること.

二 第39条第1項の主務省令で定める技術基準に適合するものであること.

3 使用前自主検査を行う事業用電気工作物を設置する者は，使用前自主検査の実施に係る体制について，主務省令で定める時期に，事業用電気工作物（原子力を原動力とする発電用のものを除く.）であって経済産業省令で定めるものを設置する者にあっては経済産業大臣の登録を受けた者が，その他の者にあっては**主務大臣**が行う審査を受けなければならない.

4 前項の審査は，事業用電気工作物の**安全管理**を旨として，使用前自主検査の実施に係る組織，検査の方法，工程管理その他主務省令で定める事項について行う.

② 電気事業法第48条第1項

事業用電気工作物の設置又は変更の工事であって，主務省令で定めるものをしようとする者は，その工事の計画を主務大臣に届け出なければならない. その工事の計画の変更をしようとするときも，同様とする.

③ 電気事業法施行規則第65条（工事計画の事前届出）第1項第一号

法第48条第1項の主務省令で定めるものは，次のとおりとする.

一 事業用電気工作物の設置又は変更の工事であって，別表第2の左欄に掲げる工事の種類に応じてそれぞれ同表の右欄に掲げるもの

④ 別表第2 需要設備（一）設置の工事

受電電圧1万V以上の需要設備の設置

問26 Check! ☐☐☐　　　　　　　　　　　　（令和3年 Ⓐ 問題1）

　次の文章は，「電気事業法」に基づく調査の義務及びこれに関連する「電気設備技術基準の解釈」に関する記述である．

a） 一般用電気工作物と直接に電気的に接続する電線路を維持し，及び運用する者（以下，「 ㋐ 」という．）は，その一般用電気工作物が経済産業省令で定める技術基準に適合しているかどうかを調査しなければならない．ただし，その一般用電気工作物の設置の場所に立ち入ることにつき，その所有者又は ㋑ の承諾を得ることができないときは，この限りでない．

b） ㋐ 又はその ㋐ から委託を受けた登録調査機関は，上記 a）の規定による調査の結果，電気工作物が技術基準に適合していないと認めるときは，遅滞なく，その技術基準に適合するようにするためとるべき ㋒ 及びその ㋒ をとらなかった場合に生ずべき結果をその所有者又は ㋑ に通知しなければならない．

c） 低圧屋内電路の絶縁性能は，開閉器又は過電流遮断器で区切ることができる電路ごとに，絶縁抵抗測定が困難な場合においては，当該電路の使用電圧が加わった状態における漏えい電流が ㋓ mA 以下であること．

　上記の記述中の空白箇所㋐～㋓に当てはまる組合せとして，正しいものを次の(1)～(5)のうちから一つ選べ．

	(㋐)	(㋑)	(㋒)	(㋓)
(1)	一般送配電事業者等	占有者	措置	2
(2)	電線路維持運用者	使用者	工事方法	1
(3)	一般送配電事業者等	使用者	措置	1
(4)	電線路維持運用者	占有者	措置	1
(5)	電線路維持運用者	使用者	工事方法	2

解26 解答 (4)

電気事業法第 57 条（調査の義務），第 57 条の 2（調査業務の委託）および電気設備技術基準の解釈第 14 条（低圧電路の絶縁性能）からの出題で，次のように規定されている．

a) 電気事業法第 57 条（調査の義務）　一般用電気工作物と直接に電気的に接続する電線路を維持し，及び運用する者（以下この条，次条及び第 89 条において「**電線路維持運用者**」という．）は，経済産業省令で定める場合を除き，経済産業省令で定めるところにより，その一般用電気工作物が前条第 1 項の経済産業省令で定める技術基準に適合しているかどうかを調査しなければならない．ただし，その一般用電気工作物の設置の場所に立ち入ることにつき，その所有者又は**占有者**の承諾を得ることができないときは，この限りでない．

2 **電線路維持運用者**は，前項の規定による調査の結果，一般用電気工作物が前条第 1 項の経済産業省令で定める技術基準に適合していないと認めるときは，遅滞なく，その技術基準に適合するようにするためとるべき**措置及びその措置**をとらなかつた場合に生ずべき結果をその所有者又は**占有者**に通知しなければならない．

b) 電気事業法第 57 条の 2（調査業務の委託）　電線路維持運用者は，経済産業大臣の登録を受けた者（以下「登録調査機関」という．）に，その電線路維持運用者が維持し，及び運用する電線路と直接に電気的に接続する一般用電気工作物について，その一般用電気工作物が第 56 条第 1 項の経済産業省令で定める技術基準に適合しているかどうかを調査すること並びにその調査の結果その一般用電気工作物がその技術基準に適合していないときは，その技術基準に適合するようにするためとるべき措置及びその措置をとらなかった場合に生ずべき結果をその所有者又は占有者に通知すること（以下「調査業務」という．）を委託することができる．

c) 電気設備技術基準の解釈第 14 条（低圧電路の絶縁性能）　電気使用場所における使用電圧が低圧の電路（第 13 条各号に掲げる部分，第 16 条に規定するもの，第 189 条に規定する遊戯用電車内の電路及びこれに電気を供給するための接触電線，直流電車線並びに鋼索鉄道の電車線を除く．）は，第 147 条から第 149 条までの規定により施設する開閉器又は過電流遮断器で区切ることのできる電路ごとに，次の各号のいずれかに適合する絶縁性能を有すること．

一　省略

二　絶縁抵抗測定が困難な場合においては，当該電路の使用電圧が加わった状態における漏えい電流が，1 mA 以下であること．

問27　Check! ☐☐☐

(令和4年㊤　Ⓐ問題1)

次の図は，「電気事業法」に基づく一般用電気工作物及び自家用電気工作物のうち受電電圧 7 000 V 以下の需要設備の保安体系に関する記述を表したものである．ただし，除外事項，限度事項等の記述は省略している．

なお，この問において，技術基準とは電気設備技術基準のことをいう．

図中の空白箇所(ア)～(エ)に当てはまる組合せとして，正しいものを次の(1)～(5)のうちから一つ選べ．

	(ア)	(イ)	(ウ)	(エ)
(1)	所有者又は占有者	登録調査機関	検査要領書	提出
(2)	電線路維持運用者	電気主任技術者	検査要領書	作成
(3)	所有者又は占有者	電気主任技術者	保安規程	作成
(4)	電線路維持運用者	登録調査機関	保安規程	提出
(5)	電線路維持運用者	登録調査機関	検査要領書	作成

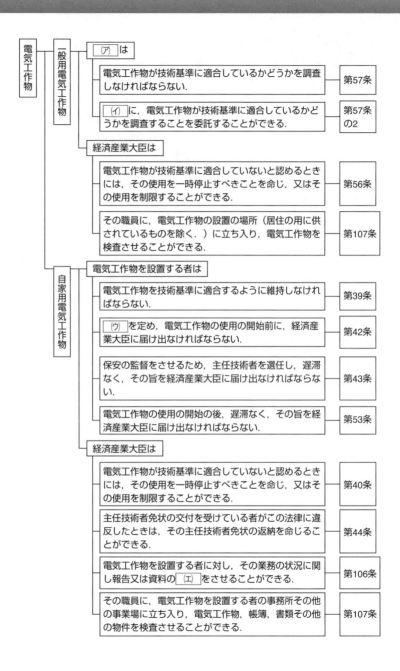

電気工作物

一般用電気工作物

[ア] は

電気工作物が技術基準に適合しているかどうかを調査しなければならない. — 第57条

[イ] に, 電気工作物が技術基準に適合しているかどうかを調査することを委託することができる. — 第57条の2

経済産業大臣は

電気工作物が技術基準に適合していないと認めるときには, その使用を一時停止すべきことを命じ, 又はその使用を制限することができる. — 第56条

その職員に, 電気工作物の設置の場所（居住の用に供されているものを除く.）に立ち入り, 電気工作物を検査させることができる. — 第107条

自家用電気工作物

電気工作物を設置する者は

電気工作物を技術基準に適合するように維持しなければならない. — 第39条

[ウ] を定め, 電気工作物の使用の開始前に, 経済産業大臣に届け出なければならない. — 第42条

保安の監督をさせるため, 主任技術者を選任し, 遅滞なく, その旨を経済産業大臣に届け出なければならない. — 第43条

電気工作物の使用の開始の後, 遅滞なく, その旨を経済産業大臣に届け出なければならない. — 第53条

経済産業大臣は

電気工作物が技術基準に適合していないと認めるときには, その使用を一時停止すべきことを命じ, 又はその使用を制限することができる. — 第40条

主任技術者免状の交付を受けている者がこの法律に違反したときは, その主任技術者免状の返納を命じることができる. — 第44条

電気工作物を設置する者に対し, その業務の状況に関し報告又は資料の [エ] をさせることができる. — 第106条

その職員に, 電気工作物を設置する者の事務所その他の事業場に立ち入り, 電気工作物, 帳簿, 書類その他の物件を検査させることができる. — 第107条

解27　解答 (4)

電気事業法第 57 条(調査の義務)第 1 項,第 57 条の 2(調査義務の委託)第 1 項,第 42 条(保安規程)第 1 項および第 106 条(報告の徴収)第 3 項からの出題である.

一般用電気工作物の保安体制は,「**電線路維持運用者**」に技術基準に適合しているかを調査させることを定めている(第 57 条第 1 項より).調査業務を経済産業大臣の登録を受けた者(**登録調査機関**)に委託することができる(第 57 条の 2 第 1 項より).

第 42 条第 1 項

事業用電気工作物を設置する者は,事業用電気工作物の工事,維持及び運用に関する保安を確保するため,主務省令で定めるところにより,保安を一体的に確保することが必要な事業用電気工作物の組織ごとに**保安規程**を定め,当該組織における事業用電気工作物の使用の開始前に,主務大臣に届け出なければならない.

第 106 条第 3 項

(省略)その業務又は経理の状況に関し報告又は資料の**提出**をさせることができる.

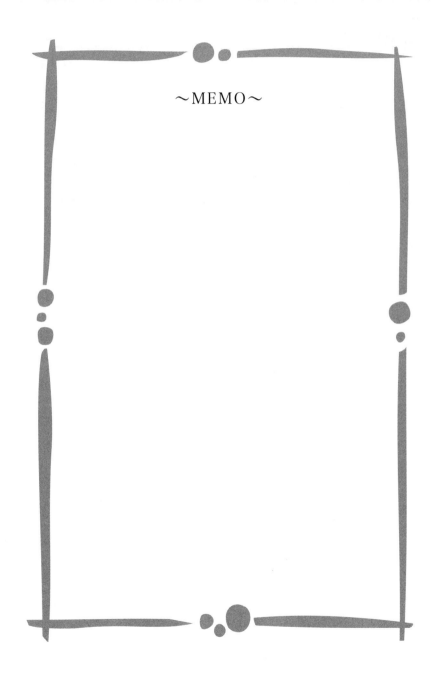

～MEMO～

問28 Check! ☐☐☐

(平成24年 ❹ 問題2㊂)

次の文章は,「電気事業法」に基づく,立入検査に関する記述の一部である.

経済産業大臣は, ［ （ア） ］に必要な限度において,経済産業省の職員に,電気事業者の営業所,事業所,その他の事業場に立ち入り,業務の状況,電気工作物,書類その他の物件を検査させることができる.また,一般送配電事業者,送電事業者又は配電事業者の特定関係事業者の営業所,事務所その他の事業場に立ち入り,業務の状況又は帳簿,書類その他の物件を検査させることができる.

立入検査をする職員は,その［ （イ） ］を示す証明書を携帯し,関係人の請求があったときは,これを提示しなければならない.

立入検査の権限は［ （ウ） ］のために認められたものと解釈してはならない.

上記の記述中の空白箇所(ア),(イ)及び(ウ)に当てはまる組合せとして,正しいものを次の(1)～(5)のうちから一つ選べ.

	(ア)	(イ)	(ウ)
(1)	電気事業法の施行	理由	行政処分
(2)	緊急時	身分	犯罪捜査
(3)	緊急時	理由	行政処分
(4)	電気事業法の施行	身分	犯罪捜査
(5)	緊急時	身分	行政処分

解28 解答 (4)

電気事業法第107条（立入検査）からの出題で，次のように規定されている.

主務大臣は，第39条，第40条，第47条，第49条及び第50条の規定の施行に必要な限度において，その職員に，原子力発電工作物を設置する者又はボイラー等（原子力発電工作物に係るものに限る.）の溶接をする者の工場又は営業所，事務所その他の事業場に立ち入り，原子力発電工作物，帳簿，書類その他の物件を検査させることができる.

2　経済産業大臣は，前項の規定による立入検査のほか，この法律の施行に必要な限度において，その職員に，電気事業者の営業所，事務所その他の事業場に立ち入り，業務若しくは経理の状況又は電気工作物，帳簿，書類その他の物件を検査させることができる.

3　経済産業大臣は，第22条の3から第23条の3まで又は第27条の11の3から第27条の11の6まで又は第27条の12の13において準用する第22条の3，第23条（第4項を除く.），第23条の2若しくは第23条の3の規定の施行に必要な限度において，その職員に，一般送配電事業者の特定関係事業者，送電事業者の特定関係事業者又は配電事業者の特定関係事業者の営業所，事務所その他の事業場に立ち入り，業務若しくは経理の状況又は，帳簿，書類その他の物件を検査させることができる.

11　前各項の規定により立入検査をする職員は，その身分を示す証明書を携帯し，関係人の請求があったときは，これを提示しなければならない.

14　第1項から第10項までの規定による権限は，犯罪捜査のために認められたものと解釈してはならない.

問29 Check! ☐☐☐

「電気関係報告規則」に基づく，事故報告に関して，受電電圧6 600 Vの自家用電気工作物を設置する事業場における事故事例のうち，事故報告に該当しないものを次の(1)～(5)のうちから一つ選べ．

(1) 自家用電気工作物の破損事故に伴う構内1号柱の倒壊により，第三者の家屋に損傷を与えた．

(2) 保修作業員が，作業中誤って分電盤内の低圧200 Vの端子に触れて感電負傷し，病院に入院した．

(3) 電圧100 Vの屋内配線の漏電により火災が発生し，建屋が半焼した．

(4) 従業員が，操作を誤って高圧の誘導電動機を損壊させた．

(5) 落雷により高圧負荷開閉器が破損し，一般送配電事業者に供給支障を発生させたが，電気火災は発生せず，また，感電死傷者は出なかった．

解29 解答 (4)

電気関係報告規則第3条（事故報告）からの出題で，本条に該当しない事故事例は(4)の事例である．

(1)～(3)および(5)の事例は，次の各号に規定された報告規則に該当する．

一　感電又は電気工作物の破損若しくは電気工作物の誤操作若しくは電気工作物を操作しないことにより人が死傷した事故（死亡又は病院若しくは診療所に入院した場合に限る．）

二　電気火災事故（工作物にあっては，その半焼以上の場合に限る．）

三　電気工作物の破損又は電気工作物の誤操作若しくは電気工作物を操作しないことにより，他の物件に損傷を与え，又はその機能の全部又は一部を損なわせた事故

十二　一般送配電事業者の一般送配電事業の用に供する電気工作物，配電事業者の配電事業の用に供する電気工作物又は特定送配電事業者の特定送配電事業の用に供する電気工作物と電気的に接続されている電圧3 000 V以上の自家用電気工作物の破損又は自家用電気工作物の誤操作若しくは自家用電気工作物を操作しないことにより一般送配電事業者，配電事業者又は特定送配電事業者に供給支障を発生させた事故

問30 Check! ☐☐☐

「電気関係報告規則」に基づく，事故報告に関して，受電電圧 6 600〔V〕の自家用電気工作物を設置する事業場における下記(1)から(5)の事故事例のうち，事故報告に該当しないものはどれか．

(1) 自家用電気工作物の破損事故に伴う構内 1 号柱の倒壊により道路をふさぎ，長時間の交通障害を起こした．

(2) 保修作業員が，作業中誤って分電盤内の低圧 200〔V〕の端子に触れて感電負傷し，治療のため 3 日間入院した．

(3) 電圧 100〔V〕の屋内配線の漏電により火災が発生し，建屋が全焼した．

(4) 従業員が，操作を誤って高圧の誘導電動機を損壊させた．

(5) 落雷により高圧負荷開閉器が破損し，電気事業者に供給支障を発生させたが，電気火災は発生せず，また，感電死傷者は出なかった．

解30 解答 (4)

(4)の記述が誤りである．電気関係報告規則第3条（事故報告）第1項の表第一号，第二号，第三号および第十二号に関する出題で，それぞれ次のように規定されている．

一　感電又は電気工作物の破損若しくは電気工作物の誤操作若しくは電気工作物を操作しないことにより人が死傷した事故（死亡又は病院若しくは診療所に入院した場合に限る．）

二　電気火災事故（工作物にあっては，その半焼以上の場合に限る．）

三　電気工作物の破損又は電気工作物の誤操作若しくは電気工作物を操作しないことにより，他の物件に損傷を与え，又はその機能の全部又は一部を損なわせた事故

十二　一般送配電事業者の一般送配電事業の用に供する電気工作物，配電事業者の配電事業の用に供する電気工作物又は特定送配電事業者の特定送配電事業の用に供する電気工作物と電気的に接続されている電圧3 000 V以上の自家用電気工作物の破損又は自家用電気工作物の誤操作若しくは自家用電気工作物を操作しないことにより一般送配電事業者，配電事業者又は特定送配電事業者に供給支障を発生させた事故

(1)の記述は第三号，(2)の記述は第一号，(3)の記述は第二号，(5)の記述は第十二号に該当するが，(4)の記述は事故報告に該当しない．

問31 Check! ☐☐☐ (令和5年⊕ Ⓐ問題2)

次の文章は，「電気関係報告規則」に基づく事故の定義及び事故報告に関する記述である．

a) 「電気火災事故」とは，漏電，短絡，　(ア)　，その他の電気的要因により建造物，車両その他の工作物（電気工作物を除く．），山林等に火災が発生することをいう．

b) 「破損事故」とは，電気工作物の変形，損傷若しくは破壊，火災又は絶縁劣化若しくは絶縁破壊が原因で，当該電気工作物の機能が低下又は喪失したことにより，　(イ)　，その運転が停止し，若しくはその運転を停止しなければならなくなること又はその使用が不可能となり，若しくはその使用を中止することをいう．

c) 「供給支障事故」とは，破損事故又は電気工作物の誤　(ウ)　若しくは電気工作物を　(ウ)　しないことにより電気の使用者（当該電気工作物を管理する者を除く．）に対し，電気の供給が停止し，又は電気の使用を緊急に制限することをいう．ただし，電路が自動的に再閉路されることにより電気の供給の停止が終了した場合を除く．

d) 感電により人が病院　(エ)　した場合は事故報告をしなければならない．

上記の記述中の空白箇所(ア)～(エ)に当てはまる組合せとして，正しいものを次の(1)～(5)のうちから一つ選べ．

	(ア)	(イ)	(ウ)	(エ)
(1)	せん絡	直ちに	停止	で治療
(2)	絶縁低下	制御できず	操作	に入院
(3)	せん絡	制御できず	停止	で治療
(4)	せん絡	直ちに	操作	に入院
(5)	絶縁低下	制御できず	停止	で治療

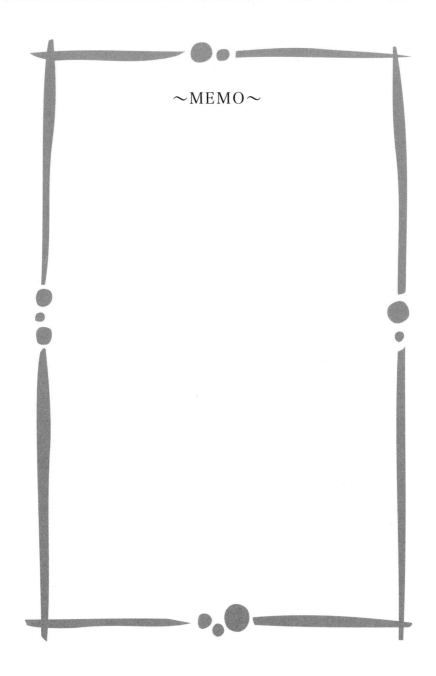

~MEMO~

解31 解答 (4)

電気関係報告規則第1条（定義）および第3条（事故報告）からの出題である．

電気関係報告規則第1条（定義）において，a)，b) および c) の項目について定められている．また，電気関係報告規則第3条（事故報告）において，d) の項目の定めがある．

第1条（定義）　この省令において使用する用語は，電気事業法，電気事業法施行令及び電気事業法施行規則において使用する用語の例による．

中略

四　「電気火災事故」とは，漏電，短絡，**せん絡**，その他の電気的要因により建造物，車両その他の工作物（電気工作物を除く．），山林等に火災が発生することをいう．

五　「破損事故」とは，電気工作物の変形，損傷若しくは破壊，火災又は絶縁劣化若しくは絶縁破壊が原因で，当該電気工作物の機能が低下又は喪失したことにより，**直ちに**，その運転が停止し，若しくはその運転を停止しなければならなくなること又はその使用が不可能となり，若しくはその使用を中止することをいう．

六　「主要電気工作物の破損事故」とは，別に告示する主要電気工作物を構成する設備の破損事故（部品の交換等により当該設備の機能を従前の状態までに容易に復旧する見込みのある場合を除く．）をいう．

七　「供給支障事故」とは，破損事故又は電気工作物の誤**操作**若しくは電気工作物を**操作**しないことにより電気の使用者（当該電気工作物を管理する者を除く．以下この条において同じ．）に対し，電気の供給が停止し，又は電気の使用を緊急に制限することをいう．ただし，電路が自動的に再閉路されることにより電気の供給の停止が終了した場合を除く．

以下省略

第3条（事故報告）　電気事業者又は自家用電気工作物を設置する者は，電気事業者にあっては電気事業の用に供する電気工作物（原子力発電工作物及び小規模事業用電気工作物を除く．以下この項において同じ．）に関して，自家用電気工作物を設置する者にあっては自家用電気工作物（鉄道営業法，軌道法又は鉄道事業法が適用され又は準用される自家用電気工作物であって，発電所，蓄電所，変電所又は送電線路（電気鉄道の専用敷地内に設置されるものを除く．）に属するもの（変電所の直流き電側設備又は交流き電側設備を除く．）以外の

もの，原子力発電工作物及び小規模事業用電気工作物を除く．）に関して，次の表の事故の欄に掲げる事故が発生したときは，それぞれ同表の報告先の欄に掲げる者に報告しなければならない．この場合において，2以上の号に該当する事故であって報告先の欄に掲げる者が異なる事故は，経済産業大臣に報告しなければならない．

事　故	報告先	
	電気事業者	自家用電気工作物を設置する者
一　感電又は電気工作物の破損若しくは電気工作物の誤操作若しくは電気工作物を操作しないことにより人が死傷した事故（死亡又は病院若しくは診療所に入院した場合に限る．） 二　電気火災事故（工作物にあっては，その半焼以上の場合に限る．） 三　電気工作物の破損又は電気工作物の誤操作若しくは電気工作物を操作しないことにより，他の物件に損傷を与え，又はその機能の全部又は一部を損なわせた事故 以下省略	電気工作物の設置の場所を管轄する産業保安監督部長	電気工作物の設置の場所を管轄する産業保安監督部長

Check! ☐☐☐ （令和2年 Ⓐ 問題2）

　　自家用電気工作物の事故が発生したとき，その自家用電気工作物を設置する者は，「電気関係報告規則」に基づき，自家用電気工作物の設置の場所を管轄する産業保安監督部長に報告しなければならない．次の文章は，かかる事故報告に関する記述である．

a)　感電又は電気工作物の破損若しくは電気工作物の誤操作若しくは電気工作物を操作しないことにより人が死傷した事故（死亡又は病院若しくは診療所 ⎡（ア）⎦ した場合に限る．）が発生したときは，報告をしなければならない．

b)　電気工作物の破損又は電気工作物の誤操作若しくは電気工作物を操作しないことにより， ⎡（イ）⎦ に損傷を与え，又はその機能の全部又は一部を損なわせた事故が発生したときは，報告をしなければならない．

c)　上記 a) 又は b) の報告は，事故の発生を知ったときから ⎡（ウ）⎦ 時間以内可能な限り速やかに電話等の方法により行うとともに，事故の発生を知った日から起算して 30 日以内に報告書を提出して行わなければならない．

　　上記の記述中の空白箇所(ア)〜(ウ)に当てはまる組合せとして，正しいものを次の(1)〜(5)のうちから一つ選べ．

	（ア）	（イ）	（ウ）
(1)	に入院	公共の財産	24
(2)	で治療	他の物件	48
(3)	に入院	公共の財産	48
(4)	に入院	他の物件	24
(5)	で治療	公共の財産	48

解32 解答 (4)

電気関係報告規則第3条（事故報告）からの出題で，それぞれ次のように規定されている．

a), b)　電気関係報告規則第3条第1項

　　一　感電又は電気工作物の破損若しくは電気工作物の誤操作若しくは電気工作物を操作しないことにより人が死傷した事故（死亡又は病院若しくは診療所に入院した場合に限る．）

　　三　電気工作物の破損又は電気工作物の誤操作若しくは電気工作物を操作しないことにより，**他の物件**に損傷を与え，又はその機能の全部又は一部を損なわせた事故

c)　電気関係報告規則第3条第2項

　　2　前項の規定による報告は，事故の発生を知った時から24時間以内可能な限り速やかに事故の発生の日時及び場所，事故が発生した電気工作物並びに事故の概要について，電話等の方法により行うとともに，事故の発生を知った日から起算して30日以内に様式第13の報告書を提出して行わなければならない．

次の文章は，「電気関係報告規則」に基づく，自家用電気工作物を設置する者の報告に関する記述である．

自家用電気工作物（原子力発電工作物及び小規模事業用電気工作物を除く．）を設置する者は，次の場合は，遅滞なく，その旨を当該自家用電気工作物の設置の場所を管轄する産業保安監督部長に報告しなければならない．

a. 発電所，蓄電所若しくは変電所の ［ ⑦ ］ 又は送電線路若しくは配電線路の ［ ⑦ ］ を変更した場合（電気事業法の規定に基づく，工事計画の認可を受け，又は工事計画の届出をした工事に伴い変更した場合を除く．）

b. 発電所，蓄電所，変電所その他の自家用電気工作物を設置する事業場又は送電線路若しくは配電線路を ［ ⑦ ］ した場合

上記の記述中の空白箇所⑦，⑦及び⑦に当てはまる組合せとして，正しいものを次の(1)～(5)のうちから一つ選べ．

	(ア)	(イ)	(ウ)
(1)	出力	こう長	廃止
(2)	位置	電圧	譲渡
(3)	出力	こう長	譲渡
(4)	位置	こう長	移設
(5)	出力	電圧	廃止

解33 解答 (5)

電気関係報告規則第5条（自家用電気工作物を設置する者の発電所の出力の変更等の報告）からの出題で，次のように規定されている．

自家用電気工作物（原子力発電工作物及び小規模事業用電気工作物を除く．）を設置する者は，次の場合は，遅滞なく，その旨を当該自家用電気工作物の設置の場所を管轄する産業保安監督部長に報告しなければならない．

一 発電所，蓄電所若しくは変電所の出力又は送電線路若しくは配電線路の電圧を変更した場合（法第47条第1項若しくは第2項の認可を受け，又は法第48条第1項の規定による届出をした工事に伴い変更した場合を除く．）

二 発電所，蓄電所，変電所その他の自家用電気工作物を設置する事業場又は送電線路若しくは配電線路を廃止した場合

問34 Check! ☐☐☐

次の文章は，電気の需給状況が悪化した場合における電気事業法に基づく対応に関する記述である．

電力広域的運営推進機関（OCCTO）は，会員である小売電気事業者，一般送配電事業者，配電事業者又は特定送配電事業者の電気の需給の状況が悪化し，又は悪化するおそれがある場合において，必要と認めるときは，当該電気の需給の状況を改善するために，電力広域的運営推進機関の ⎡(ア)⎤ で定めるところにより， ⎡(イ)⎤ に対し，相互に電気の供給をすることや電気工作物を共有することなどの措置を取るように指示することができる．

また，経済産業大臣は，災害等により電気の安定供給の確保に支障が生じたり，生じるおそれがある場合において，公共の利益を確保するために特に必要があり，かつ適切であると認めるときは ⎡(ウ)⎤ に対し，電気の供給を他のエリアに行うことなど電気の安定供給の確保を図るために必要な措置をとることを命ずることができる．

上記の記述中の空白箇所(ア)～(ウ)に当てはまる組合せとして，適切なものを次の(1)～(5)のうちから一つ選べ．

	(ア)	(イ)	(ウ)
(1)	保安規程	会員	電気事業者
(2)	保安規程	事業者	一般送配電事業者
(3)	送配電等業務指針	特定事業者	特定自家用電気工作物設置者
(4)	業務規程	事業者	特定自家用電気工作物設置者
(5)	業務規程	会員	電気事業者

解34 解答 (5)

電気事業法第 28 条の 44(推進機関の指示)および第 31 条(供給命令等)からの出題である.

第 28 条の 44(推進機関の指示)

推進機関は,小売電気事業者である会員が営む小売電気事業,一般送配電事業者である会員が営む一般送配電事業,配電事業者である会員が営む配電事業又は特定送配電事業者である会員が営む特定送配電事業に係る電気の需給の状況が悪化し,又は悪化するおそれがある場合において,当該電気の需給の状況を改善する必要があると認めるときは,**業務規程**で定めるところにより,**会員**に対し,次に掲げる事項を指示することができる.ただし,第一号に掲げる事項は送電事業者である会員に対して,第二号に掲げる事項は小売電気事業者である会員,発電事業者である会員及び特定卸供給事業者である会員に対して,第三号に掲げる事項は送電事業者である会員,発電事業者である会員及び特定卸供給事業者である会員に対しては,指示することができない.

(省略)

第 31 条(供給命令等)

経済産業大臣は,電気の安定供給の確保に支障が生じ,又は生ずるおそれがある場合において公共の利益を確保するため特に必要があり,かつ,適切であると認めるときは**電気事業者**に対し,次に掲げる事項を命ずることができる.ただし,第一号に掲げる事項は送電事業者に対して,第二号に掲げる事項は小売電気事業者,発電事業者及び特定卸供給事業者に対して,第三号に掲げる事項は送電事業者,発電事業者及び特定卸供給事業者に対しては,命ずることができない.

問35　Check! ☐☐☐

(令和4年⑤　Ａ問題10)

次の文章は，電気事業法及び電気事業法施行規則に基づく広域的運営に関する記述である．

電気事業者は，毎年度，電気の供給並びに電気工作物の設置及び運用についての ア を作成し，電力広域的運営推進機関（OCCTO）を経由して経済産業大臣に届け出なければならない．

具体的には，直近年における イ 見通し，発電，受電（融通を含む．）等の短期的な内容に関するものと，長期 イ 見通し，電気工作物の ウ 及びその概要，あるいは他者の電源からの長期安定的な調達等長期的な内容に関するものとがある．

また，電気事業者は，電源開発の実施，電気の供給等その事業の遂行に当たり，広域的運営による電気の エ のために，相互に協調しなければならないことが定められている．

広域的運営による相互協調の具体的な例として，A地方に太陽電池発電や風力発電などの発電量を調整できない再生可能エネルギーが大量に導入された場合において，A地方における電圧，周波数を維持する観点から，A地方で消費しきれない電気を隣接するB地方に融通するといった オ 事業者間の広域運営による相互協調がある．

上記の記述中の空白箇所(ア)〜(オ)に当てはまる組合せとして，正しいものを次の(1)〜(5)のうちから一つ選べ．

	(ア)	(イ)	(ウ)	(エ)	(オ)
(1)	供給計画	経営	新増設	コスト低減	一般送配電
(2)	需要計画	需要	新増設	コスト低減	発電
(3)	供給計画	需要	新増設	安定供給	一般送配電
(4)	需要計画	経営	補修計画	コスト低減	発電
(5)	供給計画	需要	補修計画	安定供給	発電

解35 解答 (3)

電気事業法第 28 条，第 29 条および電気事業法施行規則第 46 条からの出題である.

電気事業法第 28 条　電気事業者及び発電用の自家用電気工作物を設置する者(電気事業者に該当するものを除く.) は，電源開発の実施，電気の供給，電気工作物の運用等の遂行に当たり，広域的運営による電気の**安定供給**の確保その他の電気事業の総合的かつ合理的な発達に資するように相互に協調しなければならない.

電気事業法第 29 条　電気事業者は,経済産業省令で定めるところにより,毎年度,当該年度以降経済産業省令で定める期間における電気の供給並びに電気工作物の設置及び運用についての計画 (以下「**供給計画**」という.) を作成し，当該年度の開始前に (電気事業者となった日を含む年度にあっては，電気事業者となった後遅滞なく)，電力広域的運営推進機関 (OCCTO) を経由して経済産業大臣に届け出なければならない. (以下省略)

電気事業法施行規則第 46 条　法第 29 条第 1 項の規定による届出をしようとする者は，次の表の左欄に掲げる者の区分に応じ，同表の中欄に掲げる事項について，同表の右欄に定める期間における計画を記載した様式第 32 の供給計画届出書を提出しなければならない.

一般送配電事業者	一　年度別の最大電力の供給に関すること 二　年度別の電力量の供給に関すること 三　使用を開始し，又は能力を変更する主要な送電線路及び変電所に関すること 四　広域系統整備計画に関すること 五　電気の取引に関すること	初年度以降 10 年間
	月別の最大電力の供給に関すること	初年度及び第 2 年度
	月別の電力量の供給に関すること	初年度

〈一部抜粋〉

2　前項の供給計画届出書には，次の表の左欄に掲げる者の区分に応じ，同表の右欄に掲げる書類を添付しなければならない.

一般送配電事業者	一 様式第36の初年度及び第2年度における電気の取引に関する計画書 二 供給区域内において行う電気の供給に対する需要について記載した様式第33の供給区域需要電力量想定書 三 供給区域における周波数制御，需給調整その他の系統安定化業務に必要となる電源等の能力確保状況について記載した様式第33の2の調整力確保計画書 四 供給区域における周波数制御，需給調整その他の系統安定化業務に必要となる電源等の能力の見込みについて記載した様式第33の3の調整力に関する計画書 五 供給区域における周波数の標準周波数に比した変動の割合について，前年度の実績を記載した様式第37の周波数滞在率実績表 六 様式第38の初年度，第5年度及び第10年度の各年度末における電力系統の状況を記載した書面 七 初年度及び第5年度の最大需要電力発生時における電力潮流の状況を記載した書類 八 様式第38の2の初年度，第5年度及び第10年度の会社間連系線ごとの送電容量並びに最大需要電力発生時における運用容量及び受給電力を記載した書類

　電気事業法施行規則第46条において提出をする様式第32には，様式第32第5表（発電所の開発等についての計画書），様式第32第6の1表（主要送電線路の整備計画表），様式第32第6の2表（主要変電所の整備計画書）及び様式第32第6の3表（広域系統整備計画）により電気工作物の**新増設**の整備計画書を提出する必要がある.

〈一部抜粋〉

電気事業法施行規則第46条の3（広域的運営を図るために必要な措置）　法第29条第6項第五号の経済産業省令で定める措置は，**一般送配電**事業者及び送電事業者に対して行う次に掲げる措置とする.

一　会社間連系線に係る設備を整備すること.

二　主要送電線路（使用電圧が250 kV以上の送電線路及び最上位電圧から2階級までの送電線路（供給区域内の最上位電圧が250 kV未満の場合にあっては，最上位電圧の送電線路に限る.）であって，会社間連系線を除くものをいう.）に係る設備を整備すること.

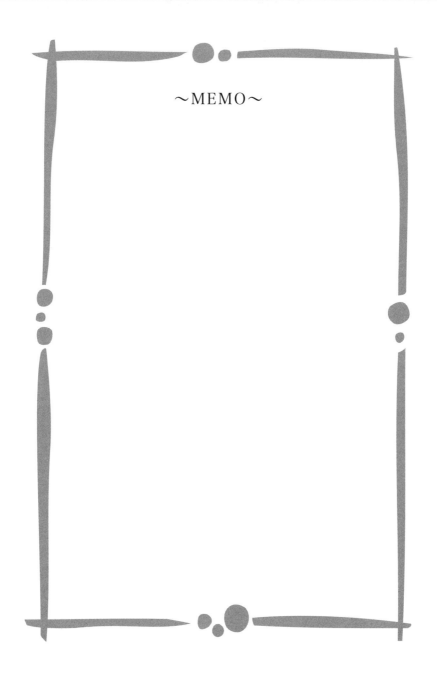

～MEMO～

第2章

工事士法・工事業法・用品安全法

- ・電気工事士法の概要
- ・電気工事業法の概要
- ・電気用品安全法の概要

問1 Check! ☐☐☐　　　　　　　　　　　　　（平成29年 Ⓐ問題2）

　次の文章は，「電気工事士法」及び「電気工事士法施行規則」に基づく，同法の目的，特殊電気工事及び簡易電気工事に関する記述である．

a　この法律は，電気工事の作業に従事する者の資格及び義務を定め，もって電気工事の ☐ア☐ による ☐イ☐ の発生の防止に寄与することを目的とする．

b　この法律における自家用電気工作物に係る電気工事のうち特殊電気工事（ネオン工事又は ☐ウ☐ をいう．）については，当該特殊電気工事に係る特種電気工事資格者認定証の交付を受けている者でなければ，その作業（特種電気工事資格者が従事する特殊電気工事の作業を補助する作業を除く．）に従事することができない．

c　この法律における自家用電気工作物（電線路に係るものを除く．以下同じ．）に係る電気工事のうち電圧 ☐エ☐ V以下で使用する自家用電気工作物に係る電気工事については，認定電気工事従事者認定証の交付を受けている者は，その作業に従事することができる．

　上記の記述中の空白箇所(ア)，(イ)，(ウ)及び(エ)に当てはまる組合せとして，正しいものを次の(1)～(5)のうちから一つ選べ．

	(ア)	(イ)	(ウ)	(エ)
(1)	不良	災害	内燃力発電装置設置工事	600
(2)	不良	事故	内燃力発電装置設置工事	400
(3)	欠陥	事故	非常用予備発電装置工事	400
(4)	欠陥	災害	非常用予備発電装置工事	600
(5)	欠陥	事故	内燃力発電装置設置工事	400

解1　解答（4）

電気工事士法第1条（目的），第3条（電気工事士等）第3項，第4項および電気工事士法施行規則第2条の2（特殊電気工事）および第2条の3（簡易電気工事）からの出題で，それぞれ次のように規定されている．

電気工事士法第1条　この法律は，電気工事の作業に従事する者の資格及び義務を定め，もって電気工事の欠陥による災害の発生の防止に寄与することを目的とする．

電気工事士法第3条第3項，第4項

3　自家用電気工作物に係る電気工事のうち経済産業省令で定める特殊なもの（以下「特殊電気工事」という．）については，当該特殊電気工事に係る特種電気工事資格者認定証の交付を受けている者（以下「特種電気工事資格者」という．）でなければ，その作業（自家用電気工作物の保安上支障がないと認められる作業であって，経済産業省令で定めるものを除く．）に従事してはならない．

4　自家用電気工作物に係る電気工事のうち経済産業省令で定める簡易なもの（以下「簡易電気工事」という．）については，第1項の規定にかかわらず，認定電気工事従事者認定証の交付を受けている者（以下「認定電気工事従事者」という．）は，その作業に従事することができる．

電気工事士施行規則第2条の2　法第3条第3項の自家用電気工作物に係る電気工事のうち経済産業省令で定める特殊なものは，次のとおりとする．

一　ネオン用として設置される分電盤，主開閉器（電源側の電線との接続部分を除く．），タイムスイッチ，点滅器，ネオン変圧器，ネオン管及びこれらの附属設備に係る電気工事（以下「ネオン工事」という．）

二　非常用予備発電装置として設置される原動機，発電機，配電盤（他の需要設備との間の電線との接続部分を除く．）及びこれらの附属設備に係る電気工事（以下「非常用予備発電装置工事」という．）

2　法第3条第3項の自家用電気工作物等の保安上支障がないと認められる作業であって，経済産業省令で定めるものは，特種電気工事資格者が従事する特殊電気工事の作業を補助する作業とする．

電気工事士施行規則第2条の3　法第3条第4項の自家用電気工作物に係る電気工事のうち経済産業省令で定める簡易なものは，電圧 600 V 以下で使用する自家用電気工作物に係る電気工事（電線路に係るものを除く．）とする．

問2 Check! □□□

（平成 26 年 Ⓐ 問題 3）

電圧 6.6 kV で受電し，最大電力 350 kW の需要設備が設置された商業ビルがある．この商業ビルには出力 50 kW の非常用予備発電装置も設置されている．

次の(1)～(5)の文章は，これら電気工作物に係る電気工事の作業（電気工事士法に基づき，保安上支障がないと認められる作業と規定されたものを除く．）に従事する者に関する記述である．その記述内容として，「電気工事士法」に基づき，不適切なものを次の(1)～(5)のうちから一つ選べ．

なお，以下の記述の電気工事によって最大電力は変わらないものとする．

(1) 第一種電気工事士は，この商業ビルのすべての電気工作物について，それら電気工作物を変更する電気工事の作業に従事することができるわけではない．

(2) 第二種電気工事士は，この商業ビルの受電設備のうち低圧部分に限った電気工事の作業であっても従事してはならない．

(3) 非常用予備発電装置工事に係る特種電気工事資格者は，特殊電気工事を行える者であるため，第一種電気工事士免状の交付を受けていなくても，この商業ビルの非常用予備発電装置以外の電気工作物を変更する電気工事の作業に従事することができる．

(4) 認定電気工事従事者は，この商業ビルの需要設備のうち 600 V 以下で使用する電気工作物に係る電気工事の作業に従事することができる．

(5) 電気工事士法に定める資格を持たない者は，この商業ビルの需要設備について，使用電圧が高圧の電気機器に接地線を取り付けるだけの作業であっても従事してはならない．

解2　解答 (3)

電気工事士法に基づき，不適切なものは(3)の記述である．

問題にある受電電圧 6.6〔kV〕，最大電力 350〔kW〕の需要設備は，電気工事士法でいうところの自家用電気工作物に該当し，非常用予備発電装置以外の電気工事は自家用電気工作物に係る電気工事に該当するので，第1種電気工事士免状の交付を受けたものでなければ電気工事の作業に従事することはできない．

また，非常用予備発電装置に係る電気工事は特殊電気工事として電気工事士法施行規則第2条の2第1項第二号に規定されており，電気工事士法第3条（電気工事士等）第3項で，当該特殊電気工事に係る特種電気工事資格者認定証の交付を受けている者でなければその特殊工事に従事してはならないとされている．

問3 **Check!** ☐☐☐ (平成22年 Ⓐ問題2)

　　自家用電気工作物について,「電気事業法」と「電気工事士法」において, 定義が異なっている.

　　電気工事士法に基づく「自家用電気工作物」とは, 電気事業法に規定する自家用電気工作物から, 発電所, 蓄電所, 変電所, ｜ (ア) ｜の需要設備, ｜ (イ) ｜{発電所相互間, 変電所相互間又は発電所と変電所との間の電線路（専ら通信の用に供するものを除く.）及びこれに附属する開閉所その他の電気工作物をいう.} 及び ｜ (ウ) ｜を除いたものをいう.

　　上記の記述中の空白箇所(ア), (イ)及び(ウ)に当てはまる語句として, 正しいものを組み合わせたのは次のうちどれか.

	(ア)	(イ)	(ウ)
(1)	最大電力500〔kW〕以上	送電線路	保安通信設備
(2)	最大電力500〔kW〕未満	配電線路	保安通信設備
(3)	最大電力2000〔kW〕以上	送電線路	小規模発電設備
(4)	契約電力500〔kW〕以上	配電線路	非常用予備発電設備
(5)	契約電力2000〔kW〕以上	送電線路	非常用予備発電設備

問4 **Check!** ☐☐☐ (令和3年 Ⓐ問題2)

　　「電気工事業の業務の適正化に関する法律」に基づく記述として, 誤っているものを次の(1)～(5)のうちから一つ選べ.

(1)　電気工事業とは, 電気事業法に規定する電気工事を行う事業であって, その事業を営もうとする者は, 経済産業大臣の事業許可を受けなければならない.

(2)　登録電気工事業者の登録には有効期間がある.

(3)　電気工事業者は, その営業所ごとに, 絶縁抵抗計その他の経済産業省令で定める器具を備えなければならない.

(4)　電気工事業者は, その営業所及び電気工事の施工場所ごとに, その見やすい場所に, 氏名又は名称, 登録番号その他の経済産業省令で定める事項を記載した標識を掲げなければならない.

(5)　電気工事業者は, その営業所ごとに帳簿を備え, その業務に関し経済産業省令で定める事項を記載し, これを保存しなければならない.

解3 解答 (1)

電気工事士法第2条（用語の定義）および電気工事士法施行規則第1条の2（自家用電気工作物から除かれる電気工作物）からの出題で，それぞれ，次のように規定されている．

① 電気工事士法第2条（用語の定義）第2項

この法律において「自家用電気工作物」とは，電気事業法第38条第4項に規定する自家用電気工作物（発電所，変電所，最大電力500〔kW〕以上の需要設備（電気を使用するために，その使用の場所と同一の構内（発電所又は変電所の構内を除く.）に設置する電気工作物（同法第2条第1項第十八号に規定する電気工作物をいう.）の総合体をいう.）その他の経済産業省令で定めるものを除く.）をいう.

② 電気工事士法施行規則第1条の2（自家用電気工作物から除かれる電気工作物）

法第2条第2項の経済産業省令で定める自家用電気工作物は，発電所，蓄電所，変電所，最大電力500〔kW〕以上の需要設備，送電線路（発電所相互間，変電所相互間又は発電所と変電所との間の電線路（専ら通信の用に供するものを除く.以下同じ.）及びこれに附属する開閉所その他の電気工作物をいう.）及び保安通信設備とする.

解4 解答 (1)

(1)の記述が誤りである．

電気工事業の業務の適正化に関する法律に基づく出題で，(1)の記述に対し，次のように規定されている．

第3条（登録）

1 電気工事業を営もうとする者（第17条の2第1項に規定する者を除く.第3項において同じ.）は，2以上の都道府県の区域内に営業所（電気工事の作業の管理を行わない営業所を除く.以下同じ.）を設置してその事業を営もうとするときは経済産業大臣の，1の都道府県の区域内にのみ営業所を設置してその事業を営もうとするときは当該営業所の所在地を管轄する都道府県知事の登録を受けなければならない.

問5 **Check!** ☐☐☐ (令和5年⊕ Ⓐ 問題2)

次の文章は，「電気工事業の業務の適正化に関する法律」に規定されている電気工事業者に関する記述である．

この法律において，「電気工事業」とは，電気工事士法に規定する電気工事を行う事業をいい，「 (ア) 電気工事業者」とは，経済産業大臣又は (イ) の (ア) を受けて電気工事業を営む者をいう．また，「通知電気工事業者」とは，経済産業大臣又は (イ) に電気工事業の開始の通知を行って， (ウ) に規定する自家用電気工作物のみに係る電気工事業を営む者をいう．

上記の記述中の空白箇所(ア)〜(ウ)に当てはまる組合せとして，正しいものを次の(1)〜(5)のうちから一つ選べ．

	(ア)	(イ)	(ウ)
(1)	承認	都道府県知事	電気工事士法
(2)	許可	産業保安監督部長	電気事業法
(3)	登録	都道府県知事	電気工事士法
(4)	承認	産業保安監督部長	電気事業法
(5)	登録	産業保安監督部長	電気工事士法

解5　解答 (3)

　電気工事業の業務の適正化に関する法律第2条（定義）第2項および第3項，第3条（登録）第1項および第17条の2（自家用電気工事のみに係る電気工事業の開始の通知等）第1項に関する出題で，それぞれの条で次のように規定されている．

第2条（定義）　省略

2　この法律において「電気工事業」とは，電気工事を行なう事業をいう．

3　この法律において「**登録**電気工事業者」とは次条第1項又は第3項の登録を受けた者を，「**通知**電気工事業者」とは第17条の2第1項の規定による通知をした者を，「電気工事業者」とは登録電気工事業者及び通知電気工事業者をいう．

5　この法律において「一般用電気工作物等」とは**電気工事士法**第2条第1項に規定する一般用電気工作物等を，「自家用電気工作物」とは同条第2項に規定する自家用電気工作物をいう．

第3条（登録）　電気工事業を営もうとする者（第17条の2第1項に規定する者を除く．第3項において同じ．）は，二以上の都道府県の区域内に営業所（電気工事の作業の管理を行わない営業所を除く．以下同じ．）を設置してその事業を営もうとするときは経済産業大臣の，一の都道府県の区域内にのみ営業所を設置してその事業を営もうとするときは当該営業所の所在地を管轄する**都道府県知事**の登録を受けなければならない．

第17条の2（自家用電気工事のみに係る電気工事業の開始の通知等）　自家用電気工作物に係る電気工事（以下「自家用電気工事」という．）のみに係る電気工事業を営もうとする者は，経済産業省令で定めるところにより，その事業を開始しようとする日の10日前までに，二以上の都道府県の区域内に営業所を設置してその事業を営もうとするときは経済産業大臣に，一の都道府県の区域内にのみ営業所を設置してその事業を営もうとするときは当該営業所の所在地を管轄する**都道府県知事**にその旨を通知しなければならない．

問6　**Check!** ☐☐☐　　　　　　　　　（平成26年 Ⓐ 問題4）

　次の文章は,「電気工事業の業務の適正化に関する法律」に規定されている電気工事業者に関する記述である.

　この法律において,「電気工事業」とは, 電気工事士法に規定する電気工事を行う事業をいい,「　(ア)　電気工事業者」とは, 経済産業大臣又は　(イ)　の　(ア)　を受けて電気工事業を営む者をいう. また,「通知電気工事業者」とは, 経済産業大臣又は　(イ)　に電気工事業の開始の通知を行って,　(ウ)　に規定する自家用電気工作物のみに係る電気工事業を営む者をいう.

　上記の記述中の空白箇所(ア),(イ)及び(ウ)に当てはまる組合せとして, 正しいものを次の(1)～(5)のうちから一つ選べ.

	(ア)	(イ)	(ウ)
(1)	承認	都道府県知事	電気工事士法
(2)	許可	産業保安監督部長	電気事業法
(3)	登録	都道府県知事	電気工事士法
(4)	承認	産業保安監督部長	電気事業法
(5)	登録	産業保安監督部長	電気工事士法

解6 解答 (3)

電気工事業の業務の適正化に関する法律第2条（定義）第1項から第3項，第3条（登録）第1項および第17条の2第1項に関する出題で，それぞれ次のように規定されている．

第2条（定義）

この法律において「電気工事」とは，電気工事士法（昭和35年法律第139号）第2条第3項に規定する電気工事をいう．ただし，家庭用電気機械器具の販売に付随して行う工事を除く．

2　この法律において「電気工事業」とは，電気工事を行なう事業をいう．

3　この法律において「登録電気工事業者」とは次条第1項又は第3項の登録を受けた者を，「通知電気工事業者」とは第17条の2第1項の規定による通知をした者を，「電気工事業者」とは登録電気工事業者及び通知電気工事業者をいう．

第3条（登録）

電気工事業を営もうとする者（第17条の2第1項に規定する者を除く．第3項において同じ．）は，2以上の都道府県の区域内に営業所（電気工事の作業の管理を行わない営業所を除く．以下同じ．）を設置してその事業を営もうとするときは経済産業大臣の，1の都道府県の区域内にのみ営業所を設置してその事業を営もうとするときは当該営業所の所在地を管轄する都道府県知事の登録を受けなければならない．

第17条の2（自家用電気工事のみに係る電気工事業の開始の通知等）

自家用電気工作物に係る電気工事（以下「自家用電気工事」という．）のみに係る電気工事業を営もうとする者は，経済産業省令で定めるところにより，その事業を開始しようとする日の10日前までに，2以上の都道府県の区域内に営業所を設置してその事業を営もうとするときは経済産業大臣に，1の都道府県の区域内にのみ営業所を設置してその事業を営もうとするときは当該営業所の所在地を管轄する都道府県知事にその旨を通知しなければならない．

問7 **Check!** ☐ ☐ ☐ （平成27年 Ⓐ 問題2）

次の文章は，「電気用品安全法」に基づく電気用品の電線に関する記述である．

a. ［ ア ］電気用品は，構造又は使用方法その他の使用状況からみて特に危険又は障害が発生するおそれが多い電気用品であって，具体的な電線については電気用品安全法施行令で定めるものをいう．

b. 定格電圧が［ イ ］V以上600 V以下のコードは，導体の公称断面積及び線心の本数に関わらず，［ ア ］電気用品である．

c. 電気用品の電線の製造又は［ ウ ］の事業を行う者は，その電線を製造し又は［ ウ ］する場合においては，その電線が経済産業省令で定める技術上の基準に適合するようにしなければならない．

d. 電気工事士は，電気工作物の設置又は変更の工事に［ ア ］電気用品の電線を使用する場合，経済産業省令で定める方式による記号がその電線に表示されたものでなければ使用してはならない．［ エ ］はその記号の一つである．

上記の記述中の空白箇所(ア)，(イ)，(ウ)及び(エ)に当てはまる組合せとして，正しいものを次の(1)～(5)のうちから一つ選べ．

	(ア)	(イ)	(ウ)	(エ)
(1)	特定	30	販売	JIS
(2)	特定	30	販売	\<PS>E
(3)	甲種	60	輸入	\<PS>E
(4)	特定	100	輸入	\<PS>E
(5)	甲種	100	販売	JIS

解7 解答 (4)

電気用品安全法，電気用品安全法施行令および電気用品安全法施行規則に関する出題である.

a. 電気用品安全法第2条（定義）第2項で次のように規定されている.

この法律において「特定電気用品」とは，構造又は使用方法その他の使用状況からみて特に危険又は障害の発生するおそれが多い電気用品であって，政令で定めるものをいう.

b. 電気用品安全法施行令第1条の2および別表第1の「一 電線（定格電圧が100 V以上600 V以下のものに限る.）であって，次に掲げるもの」の（三）でコードが特定電気用品に指定されている.

c. 電気用品安全法第8条（基準適合義務等）で，電線のみにかかわらず，「届出に係る型式」の基準適合義務について，次のように規定している.

届出事業者は，第3条の規定による届出に係る型式（以下単に「届出に係る型式」という.）の電気用品を製造し，又は輸入する場合においては，経済産業省令で定める技術上の基準（以下「技術基準」という.）に適合するようにしなければならない.

d. 電気用品安全法第28条（使用の制限）第1項で，次のように規定されている.

電気事業法第2条第1項第十七号に規定する電気事業者，同法第38条第4項に規定する自家用電気工作物を設置する者，電気工事士法（昭和35年法律第139号）第2条第4項に規定する電気工事士，同法第3条第3項に規定する特種電気工事資格者又は同条第4項に規定する認定電気工事従事者は，第10条第1項の表示が付されているものでなければ，電気用品を電気事業法第2条第1項第十八号に規定する電気工作物の設置又は変更の工事に使用してはならない.

また，表示については，電気用品安全法施行規則第17条（表示の方式）第1項第一号で規定され，<PS>Eは別表第6で示されている.

第3章

電気設備技術基準（論説・空白）

問1 Check! ☐☐☐

（平成29年 Ⓐ 問題6）

　次の文章は，「電気設備技術基準の解釈」における用語の定義に関する記述の一部である.

a 「 ⑦ 」とは，電気を使用するための電気設備を施設した，1の建物又は1の単位をなす場所をいう.

b 「 ⑦ 」とは， ⑦ を含む1の構内又はこれに準ずる区域であって，発電所，蓄電所，変電所及び開閉所以外のものをいう.

c 「引込線」とは，架空引込線及び ⑦ の ⑦ の側面等に施設する電線であって，当該 ⑦ の引込口に至るものをいう.

d 「 ⑦ 」とは，人により加工された全ての物体をいう.

e 「 ⑦ 」とは， ⑦ のうち，土地に定着するものであって，屋根及び柱又は壁を有するものをいう.

　上記の記述中の空白箇所⑦，⑦，⑦及び⑦に当てはまる組合せとして，正しいものを次の(1)～(5)のうちから一つ選べ.

	(ア)	(イ)	(ウ)	(エ)
(1)	需要場所	電気使用場所	工作物	建造物
(2)	電気使用場所	需要場所	工作物	造営物
(3)	需要場所	電気使用場所	建造物	工作物
(4)	需要場所	電気使用場所	造営物	建造物
(5)	電気使用場所	需要場所	造営物	工作物

解1 解答 (5)

電気設備技術基準の解釈第1条（用語の定義）第1項，第四号，第五号，第十号，第二十二号および第二十三号からの出題で，次のように規定されている．

第1条　この解釈において，次の各号に掲げる用語の定義は，当該各号による．

　四　電気使用場所　電気を使用するための電気設備を施設した，1の建物又は1の単位をなす場所

　五　需要場所　電気使用場所を含む1の構内又はこれに準ずる区域であって，発電所，蓄電所，変電所及び開閉所以外のもの

　十　引込線　架空引込線及び需要場所の造営物の側面等に施設する電線であって，当該需要場所の引込口に至るもの

　二十二　工作物　人により加工された全ての物体

　二十三　造営物　工作物のうち，土地に定着するものであって，屋根及び柱又は壁を有するもの

問2 **Check!** ☐☐☐ （令和2年 Ⓐ 問題7）

次の文章は，「電気設備技術基準」及び「電気設備技術基準の解釈」に基づく引込線に関する記述である．

a) 引込線とは，　(ア)　及び需要場所の造営物の側面等に施設する電線であって，当該需要場所の　(イ)　に至るもの

b) 　(ア)　とは，架空電線路の支持物から　(ウ)　を経ずに需要場所の　(エ)　に至る架空電線

c) 　(オ)　とは，引込線のうち一需要場所の引込線から分岐して，支持物を経ないで他の需要場所の　(イ)　に至る部分の電線

上記の記述中の空白箇所(ア)～(オ)に当てはまる組合せとして，正しいものを次の(1)～(5)のうちから一つ選べ．

	(ア)	(イ)	(ウ)	(エ)	(オ)
(1)	架空引込線	引込口	他の需要場所	取付け点	連接引込線
(2)	連接引込線	引込口	他の需要場所	取付け点	架空引込線
(3)	架空引込線	引込口	他の支持物	取付け点	連接引込線
(4)	連接引込線	取付け点	他の需要場所	引込口	架空引込線
(5)	架空引込線	取付け点	他の支持物	引込口	連接引込線

解2 解答 (3)

電気設備技術基準第1条（用語の定義）第十七号，電気設備技術基準の解釈第1条（用語の定義）第九号および第十号からの出題で，それぞれ次のように規定されている．

a) 電気設備技術基準の解釈第1条第十号

　十　引込線　**架空引込線**及び需要場所の造営物の側面等に施設する電線であって，当該需要場所の**引込口**に至るもの

b) 電気設備技術基準の解釈第1条第九号

　九　**架空引込線**　架空電線路の支持物から**他の支持物**を経ずに需要場所の**取付け点**に至る架空電線

c) 電気設備技術基準第1条第十六号

　十七　「**連接引込線**」とは，一需要場所の引込線（架空電線路の支持物から他の支持物を経ないで需要場所の取付け点に至る架空電線（架空電線路の電線をいう．以下同じ．）及び需要場所の造営物（土地に定着する工作物のうち，屋根及び柱又は壁を有する工作物をいう．以下同じ．）の側面等に施設する電線であって，当該需要場所の**引込口**に至るものをいう．）から分岐して，支持物を経ないで他の需要場所の**引込口**に至る部分の電線をいう．

問3 Check! ☐☐☐

次の文章は，「電気設備技術基準の解釈」に基づく電線路の接近状態に関する記述である．

a) 第１次接近状態とは，架空電線が他の工作物と接近する場合において，当該架空電線が他の工作物の $\boxed{ア}$ において，水平距離で $\boxed{イ}$ 以上，かつ，架空電線路の支持物の地表上の高さに相当する距離以内に施設されることにより，架空電線路の電線の $\boxed{ウ}$ ，支持物の $\boxed{エ}$ 等の際に，当該電線が他の工作物に $\boxed{オ}$ おそれがある状態をいう．

b) 第２次接近状態とは，架空電線が他の工作物と接近する場合において，当該架空電線が他の工作物の $\boxed{ア}$ において水平距離で $\boxed{イ}$ 未満に施設される状態をいう．

上記の記述中の空白箇所(ア)～(オ)に当てはまる組合せとして，正しいものを次の(1)～(5)のうちから一つ選べ．

	(ア)	(イ)	(ウ)	(エ)	(オ)
(1)	上方，下方又は側方	3 m	振動	傾斜	損害を与える
(2)	上方又は側方	3 m	切断	倒壊	接触する
(3)	上方又は側方	3 m	切断	傾斜	接触する
(4)	上方，下方又は側方	2 m	切断	倒壊	接触する
(5)	上方，下方又は側方	2 m	振動	傾斜	損害を与える

解3 解答 (2)

　電線路に係る用語の定義における，第1次および第2次接近状態からの出題である．

解釈第49条（電線路に係る用語の定義）第1項第九号および第十号

九　第1次接近状態　架空電線が，他の工作物と接近する場合において，当該架空電線が他の工作物の**上方又は側方**において，水平距離で**3 m以上**，かつ，架空電線路の支持物の地表上の高さに相当する距離以内に施設されることにより，架空電線路の電線の**切断**，支持物の**倒壊**等の際に，当該電線が他の工作物に**接触する**おそれがある状態．

十　第2次接近状態架空電線が他の工作物と接近する場合において，当該架空電線が他の工作物の**上方又は側方**において水平距離で**3 m未満**に施設される状態．

　第1次接近状態とは，下図のように支持物の地際を中心として，その高さ H を半径とした半円以内に他の工作物が施設される状態をいう．

　第2次接近状態とは，下図のように当該架空電線から水平距離で3 m未満に施設される状態をいう．

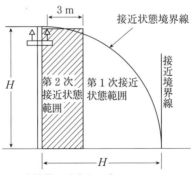

H：支持物の地表上の高さ

問4 Check! ☐☐☐

（令和6年㊤ Ⓐ 問題3）

「電気設備技術基準」では，「光ファイバケーブル」及び「光ファイバケーブル線路」の定義を次のように規定している.

a) 「光ファイバケーブル」とは，光信号の伝送に使用する伝送媒体であって，保護 ［(ア)］ で保護したものをいう.

b) 「光ファイバケーブル線路」とは，光ファイバケーブル及びこれを ［(イ)］ し，又は保蔵する工作物（造営物の屋内又は ［(ウ)］ に施設するものを除く.）をいう.

上記の記述中の空白箇所(ア)～(ウ)に記入する字句として，正しいものを組み合わせたのは次のうちどれか.

	(ア)	(イ)	(ウ)
(1)	装置	収納	屋外
(2)	装置	収納	屋上
(3)	被覆	支持	屋側
(4)	被覆	保護	屋上
(5)	器具	支持	屋側

解4 解答 (3)

電気設備技術基準第1条（用語の定義）第十四号および第十五号からの出題で，次のように規定されている．

十四 「光ファイバケーブル」とは，光信号の伝送に使用する伝送媒体であって，保護被覆で保護したものをいう．

十五 「光ファイバケーブル線路」とは，光ファイバケーブル及びこれを**支持**し，又は保蔵する工作物（造営物の屋内又は**屋側**に施設するものを除く．）をいう．

問5 Check! □□□

（平成26年 Ⓐ 問題7）

次の文章は，「電気設備技術基準の解釈」における，接触防護措置及び簡易接触防護措置の用語の定義である．

a.「接触防護措置」とは，次のいずれかに適合するように施設することをいう．

① 設備を，屋内にあっては床上 ［ア］ m 以上，屋外にあっては地表上 ［イ］ m 以上の高さに，かつ，人が通る場所から手を伸ばしても触れることのない範囲に施設すること．

② 設備に人が接近又は接触しないよう，さく，へい等を設け，又は設備を ［ウ］ に収める等の防護措置を施すこと．

b.「簡易接触防護措置」とは，次のいずれかに適合するように施設することをいう．

① 設備を，屋内にあっては床上 ［エ］ m 以上，屋外にあっては地表上 ［オ］ m 以上の高さに，かつ，人が通る場所から容易に触れることのない範囲に施設すること．

② 設備に人が接近又は接触しないよう，さく，へい等を設け，又は設備を ［ウ］ に収める等の防護措置を施すこと．

上記の記述中の空白箇所(ア)，(イ)，(ウ)，(エ)及び(オ)に当てはまる組合せとして，正しいものを次の(1)～(5)のうちから一つ選べ．

	(ア)	(イ)	(ウ)	(エ)	(オ)
(1)	2.3	2.5	絶縁物	1.7	2
(2)	2.6	2.8	不燃物	1.9	2.4
(3)	2.3	2.5	金属管	1.8	2
(4)	2.6	2.8	絶縁物	1.9	2.4
(5)	2.3	2.8	金属管	1.8	2.4

解5 解答 (3)

電気設備技術基準の解釈第1条（用語の定義）第三十六号および第三十七号からの出題で，次のように規定されている．

三十六　接触防護措置　次のいずれかに適合するように施設することをいう．

　イ　設備を，屋内にあっては床上 2.3〔m〕以上，屋外にあっては地表上 2.5〔m〕以上の高さに，かつ，人が通る場所から手を伸ばしても触れることのない範囲に施設すること．

　ロ　設備に人が接近又は接触しないよう，さく，へい等を設け，又は設備を金属管に収める等の防護措置を施すこと．

三十七　簡易接触防護措置　次のいずれかに適合するように施設することをいう．

　イ　設備を，屋内にあっては床上 1.8〔m〕以上，屋外にあっては地表上 2〔m〕以上の高さに，かつ，人が通る場所から容易に触れることのない範囲に施設すること．

　ロ　設備に人が接近又は接触しないよう，さく，へい等を設け，又は設備を金属管に収める等の防護措置を施すこと．

問6　**Check!** ☐☐☐　　　　　　　　　　（平成23年 Ⓐ 問題6㊹）

次の文章は，一般送配電，送電，特定送配電及び発電事業者以外の者が，構内に発電設備等を設置し，発電設備等を一般送配電事業者が運用する電力系統に連系する場合等に用いられる，電気設備技術基準の解釈に定められた用語の定義の一部である．誤っているものを次の(1)～(5)のうちから一つ選べ．

(1)　「逆潮流」とは，分散型電源設置者の構内から，一般送配電事業者が運用する電力系統側へ向かう無効電力の流れをいう．

(2)　「転送遮断装置」とは，遮断器の遮断信号を通信回線で伝送し，別の構内に設置された遮断器を動作させる装置をいう．

(3)　「自立運転」とは，分散型電源が，連系している電力系統から解列された状態において，当該分散型電源設置者の構内負荷にのみ電力を供給している状態をいう．

(4)　「単独運転」とは，分散型電源を連系している電力系統が事故等によって系統電源と切り離された状態において，当該分散型電源が発電を継続し，線路負荷に有効電力を供給している状態をいう．

(5)　「逆充電」とは，分散型電源を連系している電力系統が事故等によって系統電源と切り離された状態において，分散型電源のみが，連系している電力系統を加圧し，かつ，当該電力系統へ有効電力を供給していない状態をいう．

解6　解答（1）

　「逆潮流」とは，分散型電源設置者の構内から，一般送配電事業者が運用する電力系統側へ向かう有効電力の流れ（電気設備技術基準の解釈第220条第四号）をいい，無効電力の流れではない.

問7 **Check!** □□□ (令和5年⊤ Ⓐ 問題7)

「電気設備技術基準の解釈」に基づく分散型電源の系統連系設備に係る用語の定義に関する記述として，正しいものを次の(1)～(5)のうちから一つ選べ.

(1) 単独運転とは，分散型電源を連系している電力系統が事故等によって系統電源と切り離された状態において，当該分散型電源が発電を継続し，線路負荷に無効電力を供給している状態をいう.

(2) 自立運転とは，分散型電源が，連系している電力系統から解列された状態において，当該分散型電源設置者の構内負荷にのみ電力を供給している状態をいう.

(3) 逆充電とは，分散型電源設置者の構内から，一般送配電事業者が運用する電力系統側へ向かう有効電力の流れをいう.

(4) 受動的方式の単独運転検出装置とは，分散型電源の有効電力出力又は無効電力出力等に平時から変動を与えておき，単独運転移行時に当該変動に起因して生じる周波数等の変化により，単独運転状態を検出する装置をいう.

(5) 能動的方式の単独運転検出装置とは，単独運転移行時に生じる電圧位相又は周波数等の変化により，単独運転状態を検出する装置をいう.

解7 解答 (2)

　電気設備の技術基準の解釈第 220 条【分散型電源の系統連系設備に係る用語の定義】第五号，第六号，第七号，第十号および第十一号からの出題で，次のように規定されている．

五　単独運転　分散型電源を連系している電力系統が事故等によって系統電源と切り離された状態において，当該分散型電源が発電を継続し，線路負荷に有効電力を供給している状態

六　逆充電　分散型電源を連系している電力系統が事故等によって系統電源と切り離された状態において，分散型電源のみが，連系している電力系統を加圧し，かつ，当該電力系統へ有効電力を供給していない状態

七　自立運転　分散型電源が，連系している電力系統から解列された状態において，当該分散型電源設置者の構内負荷にのみ電力を供給している状態

十　受動的方式の単独運転検出装置　単独運転移行時に生じる電圧位相又は周波数等の変化により，単独運転状態を検出する装置

十一　能動的方式の単独運転検出装置　分散型電源の有効電力出力又は無効電力出力等に平時から変動を与えておき，単独運転移行時に当該変動に起因して生じる周波数等の変化により，単独運転状態を検出する装置

　　よって，(2)の記述が正しい．

問8 Check! ☐☐☐　　　　　　　　　　（令和元年 Ⓐ 問題9）

「電気設備技術基準の解釈」に基づく分散型電源の系統連系設備に関する記述として，誤っているものを次の(1)～(5)のうちから一つ選べ．

(1) 逆潮流とは，分散型電源設置者の構内から，一般送配電事業者が運用する電力系統側へ向かう有効電力の流れをいう．

(2) 単独運転とは，分散型電源が，連系している電力系統から解列された状態において，当該分散型電源設置者の構内負荷にのみ電力を供給している状態のことをいう．

(3) 単相3線式の低圧の電力系統に分散型電源を連系する際，負荷の不平衡により中性線に最大電流が生じるおそれがあるため，分散型電源を施設した構内の電路において，負荷及び分散型電源の並列点よりも系統側の3極に過電流引き外し素子を有する遮断器を施設した．

(4) 低圧の電力系統に分散型電源を連系する際，異常時に分散型電源を自動的に解列するための装置を施設した．

(5) 高圧の電力系統に分散型電源を連系する際，分散型電源設置者の技術員駐在箇所と電力系統を運用する一般送配電事業者の事業所との間に，停電時においても通話可能なものであること等の一定の要件を満たした電話設備を施設した．

解8 　解答 (2)

(2)が誤りである.

電気設備技術基準の解釈第220条（分散型電源の系統連系設備に係る用語の定義）第五号に関する出題で，次のように規定されている.

五　単独運転　分散型電源を連系している電力系統が事故等によって系統電源と切り離された状態において，当該分散型電源が発電を継続し，線路負荷に有効電力を供給している状態

問9 Check! ☐☐☐

次の文章は，「電気設備技術基準の解釈」における，分散型電源の系統連系設備に係る用語の定義の一部である．

a.「解列」とは， ⎡ ⑦ ⎤ から切り離すことをいう．

b.「逆潮流」とは，分散型電源設置者の構内から，一般送配電事業者が運用する ⎡ ⑦ ⎤ 側へ向かう ⎡ ⑦ ⎤ の流れをいう．

c.「単独運転」とは，分散型電源を連系している ⎡ ⑦ ⎤ が事故等によって系統電源と切り離された状態において，当該分散型電源が発電を継続し，線路負荷に ⎡ ⑦ ⎤ を供給している状態をいう．

d.「 ⎡ ⑦ ⎤ 的方式の単独運転検出装置」とは，分散型電源の有効電力出力又は無効電力出力等に平時から変動を与えておき，単独運転移行時に当該変動に起因して生じる周波数等の変化により，単独運転状態を検出する装置をいう．

e.「 ⎡ ⑦ ⎤ 的方式の単独運転検出装置」とは，単独運転移行時に生じる電圧位相又は周波数等の変化により，単独運転状態を検出する装置をいう．

上記の記述中の空白箇所⑦，⑦，⑦及び⑦に当てはまる組合せとして，正しいものを次の(1)～(5)のうちから一つ選べ．

	(ア)	(イ)	(ウ)	(エ)
(1)	母線	皮相電力	能動	受動
(2)	電力系統	無効電力	能動	受動
(3)	電力系統	有効電力	能動	受動
(4)	電力系統	有効電力	受動	能動
(5)	母線	無効電力	受動	能動

解9　解答 (3)

　電気設備技術基準の解釈第220条（分散型電源の系統連系設備に係る用語の定義）第三号，第四号，第五号，第十号，第十一号からの出題で，それぞれ次のように規定されている.

三　解列　電力系統から切り離すこと.

四　逆潮流　分散型電源設置者の構内から，一般送配電事業者が運用する電力系統側へ向かう有効電力の流れ

五　単独運転　分散型電源を連系している電力系統が事故等によって系統電源と切り離された状態において，当該分散型電源が発電を継続し，線路負荷に有効電力を供給している状態

十　受動的方式の単独運転検出装置　単独運転移行時に生じる電圧位相又は周波数等の変化により，単独運転状態を検出する装置

十一　能動的方式の単独運転検出装置　分散型電源の有効電力出力又は無効電力出力等に平時から変動を与えておき，単独運転移行時に当該変動に起因して生じる周波数等の変化により，単独運転状態を検出する装置

問10 Check! ☐☐☐

次の文章は，「電気設備技術基準の解釈」に基づく分散型電源の系統連系設備に関する記述である．

a) 逆変換装置を用いて分散型電源を電力系統に連系する場合は，逆変換装置から直流が電力系統へ流出することを防止するために，受電点と逆変換装置との間に変圧器（単巻変圧器を除く）を施設すること．ただし，次の①及び②に適合する場合は，この限りでない．

① 逆変換装置の交流出力側で直流を検出し，かつ，直流検出時に交流出力を ［ (ア) ］ する機能を有すること．

② 次のいずれかに適合すること．
・逆変換装置の直流側電路が ［ (イ) ］ であること．
・逆変換装置に ［ (ウ) ］ を用いていること．

b) 分散型電源の連系により，一般送配電事業者が運用する電力系統の短絡容量が，当該分散型電源設置者以外の者が設置する遮断器の遮断容量又は電線の瞬時許容電流等を上回るおそれがあるときは，分散型電源設置者において，限流リアクトルその他の短絡電流を制限する装置を施設すること．ただし，［ (エ) ］ の電力系統に逆変換装置を用いて分散型電源を連系する場合は，この限りでない．

上記の記述中の空白箇所(ア)～(エ)に当てはまる組合せとして，正しいものを次の(1)～(5)のうちから一つ選べ．

	(ア)	(イ)	(ウ)	(エ)
(1)	停止	中性点接地式電路	高周波変圧器	低圧
(2)	抑制	中性点接地式電路	高周波チョッパ	高圧
(3)	停止	非接地式電路	高周波変圧器	高圧
(4)	停止	非接地式電路	高周波変圧器	低圧
(5)	抑制	非接地式電路	高周波チョッパ	低圧

解10 解答 (4)

電気設備技術基準の解釈第221条および第222条の条文からの出題である.

第221条 (直流流出防止変圧器の施設) 逆変換装置を用いて分散型電源を電力系統に連系する場合は,逆変換装置から直流が電力系統へ流出することを防止するために,受電点と逆変換装置との間に変圧器 (単巻変圧器を除く.) を施設すること.ただし,次の各号に適合する場合は,この限りでない.

一 逆変換装置の交流出力側で直流を検出し,かつ,直流検出時に交流出力を**停止**する機能を有すること.

二 次のいずれかに適合すること.

イ 逆変換装置の直流側電路が**非接地**であること.

ロ 逆変換装置に**高周波変圧器**を用いていること.

2 前項の規定により設置する変圧器は,直流流出防止専用であることを要しない.

第222条 (限流リアクトル等の施設) 分散型電源の連系により,一般送配電事業者が運用する電力系統の短絡容量が,当該分散型電源設置者以外の者が設置する遮断器の遮断容量又は電線の瞬時許容電流等を上回るおそれがあるときは,分散型電源設置者において,限流リアクトルその他の短絡電流を制限する装置を施設すること.ただし,**低圧**の電力系統に逆変換装置を用いて分散型電源を連系する場合は,この限りでない.

問11 Check! ☐☐☐ （令和元年 Ⓐ 問題3）

「電気設備技術基準」の総則における記述の一部として，誤っているものを次の(1)～(5)のうちから一つ選べ．

(1) 電気設備は，感電，火災その他人体に危害を及ぼし，又は物件に損傷を与えるおそれがないように施設しなければならない．

(2) 電路は，大地から絶縁しなければならない．ただし，構造上やむを得ない場合であって通常予見される使用形態を考慮し危険のおそれがない場合，又は落雷による高電圧の侵入等の異常が発生した際の危険を回避するための接地その他の便宜上必要な措置を講ずる場合は，この限りでない．

(3) 電路に施設する電気機械器具は，通常の使用状態においてその電気機械器具に発生する熱に耐えるものでなければならない．

(4) 電気設備は，他の電気設備その他の物件の機能に電気的又は磁気的な障害を与えないように施設しなければならない．

(5) 高圧又は特別高圧の電気設備は，その損壊により一般送配電事業者の電気の供給に著しい支障を及ぼさないように施設しなければならない．

解11 解答 (2)

(2)の記述が誤りである.

電気設備技術基準第5条（電路の絶縁）第1項に関する出題で，次のように規定されている.

電路は，大地から絶縁しなければならない．ただし，構造上やむを得ない場合であって通常予見される使用形態を考慮し危険のおそれがない場合，又は混触による高電圧の侵入等の異常が発生した際の危険を回避するための接地その他の保安上必要な措置を講ずる場合は，この限りでない.

問12 Check! □□□

次の文章は，「電気設備技術基準」に関する記述である．

電路は，大地から □ア□ しなければならない．ただし，構造上やむを得ない場合であって通常予見される使用形態を考慮し危険のおそれがない場合，又は □イ□ による高電圧の侵入等の異常が発生した際の危険を回避するための □ウ□ その他の保安上必要な措置を講ずる場合は，この限りでない．

上記の記述中の空白箇所(ア)～(ウ)に当てはまる組合せとして，正しいものを次の(1)～(5)のうちから一つ選べ．

	(ア)	(イ)	(ウ)
(1)	離隔	事故	遮断
(2)	離隔	短絡	遮断
(3)	絶縁	短絡	離隔
(4)	絶縁	混触	接地
(5)	遮断	混触	接地

問13 Check! □□□

次の文章は，「電気設備技術基準」における電路の絶縁に関する記述の一部である．

"電路は，大地から絶縁しなければならない．ただし，構造上やむを得ない場合であって通常予見される使用形態を考慮し危険のおそれがない場合，又は混触による高電圧の侵入等の異常が発生した際の危険を回避するための接地その他の保安上必要な措置を講ずる場合は，この限りでない．"

次のaからdのうち，下線部の場合に該当するものの組み合わせを，「電気設備技術基準の解釈」に基づき，下記の(1)～(5)のうちから一つ選べ．

a．架空単線式電気鉄道の帰線

b．電気炉の炉体及び電源から電気炉用電極に至る導線

c．電路の中性点に施す接地工事の接地点以外の接地側電路

d．計器用変成器の2次側電路に施す接地工事の接地点

(1) a，b (2) b，c (3) c，d (4) a，d (5) b，d

解12 解答 (4)

電気設備技術基準第5条（電路の絶縁）第1項からの出題で，次のように規定されている．

電路は，大地から**絶縁**しなければならない．ただし，構造上やむを得ない場合であって通常予見される使用形態を考慮し危険のおそれがない場合，又は**混触**による高電圧の侵入等の異常が発生した際の危険を回避するための**接地**その他の保安上必要な措置を講ずる場合は，この限りでない．

解13 解答 (4)

電気設備技術基準第5条（電路の絶縁）第1項および電気設備技術基準の解釈第13条（電路の絶縁）からの出題で，次のように規定されている．

① 電気設備技術基準第5条（電路の絶縁）第1項

電路は，大地から絶縁しなければならない．ただし，構造上やむを得ない場合であって通常予見される使用形態を考慮し危険のおそれがない場合，又は混触による高電圧の侵入等の異常が発生した際の危険を回避するための接地その他の保安上必要な措置を講ずる場合は，この限りでない．

② 電気設備技術基準の解釈第13条（電路の絶縁）

電路は，次の各号に掲げる部分を除き大地から絶縁すること．

一 この解釈の規定により接地工事を施す場合の接地点

二 次に掲げるものの絶縁できないことがやむを得ない部分

　イ 第173条第7項第三号ただし書の規定により施設する接触電線，第194条に規定するエックス線発生装置，試験用変圧器，電力線搬送用結合リアクトル，電気さく用電源装置，電気防食用の陽極，単線式電気鉄道の帰線（第201条第六号に規定するものをいう．），電極式液面リレーの電極等，電路の一部を大地から絶縁せずに電気を使用することがやむを得ないもの

　ロ 電気浴器，電気炉，電気ボイラー，電解槽等，大地から絶縁することが技術上困難なもの

したがって，(4)の a，d が該当することになる．

問14 Check! ☐☐☐

次の文章は，「電気設備技術基準」及び「電気設備技術基準の解釈」に基づく使用電圧が6 600 Vの交流電路の絶縁性能に関する記述である．

a) 電路は，大地から絶縁しなければならない．ただし，構造上やむを得ない場合であって通常予見される使用形態を考慮し危険のおそれがない場合，又は混触による高電圧の侵入等の異常が発生した際の危険を回避するための接地その他の保安上必要な措置を講ずる場合は，この限りでない．

電路と大地との間の絶縁性能は，事故時に想定される異常電圧を考慮し，　(ｱ)　による危険のおそれがないものでなければならない．

b) 電路は，絶縁できないことがやむを得ない部分及び機械器具等の電路を除き，次の①及び②のいずれかに適合する絶縁性能を有すること．

① 　(ｲ)　Vの交流試験電圧を電路と大地（多心ケーブルにあっては，心線相互間及び心線と大地との間）との間に連続して10分間加えたとき，これに耐える性能を有すること．

② 電線にケーブルを使用する電路においては，　(ｲ)　Vの交流試験電圧の　(ｳ)　倍の直流電圧を電路と大地（多心ケーブルにあっては，心線相互間及び心線と大地との間）との間に連続して10分間加えたとき，これに耐える性能を有すること．

上記の記述中の空白箇所(ｱ)～(ｳ)に当てはまる組合せとして，正しいものを次の(1)～(5)のうちから一つ選べ．

	(ｱ)	(ｲ)	(ｳ)
(1)	絶縁破壊	9 900	1.5
(2)	漏えい電流	10 350	1.5
(3)	漏えい電流	8 250	2
(4)	漏えい電流	9 900	1.25
(5)	絶縁破壊	10 350	2

解14 解答 (5)

電気設備技術基準第5条（電路の絶縁）第1項，第2項および電気設備技術基準の解釈第15条（高圧又は特別高圧の電路の絶縁性能）からの出題で，それぞれ次のように規定されている.

a) 電気設備技術基準第5条

電路は，大地から絶縁しなければならない．ただし，構造上やむを得ない場合であって通常予見される使用形態を考慮し危険のおそれがない場合，又は混触による高電圧の侵入等の異常が発生した際の危険を回避するための接地その他の保安上必要な措置を講ずる場合は，この限りでない．

2 前項の場合にあっては，その絶縁性能は，第22条及び第58条の規定を除き，事故時に想定される異常電圧を考慮し，**絶縁破壊**による危険のおそれがないものでなければならない．

b) 電気設備技術基準の解釈第15条

高圧又は特別高圧の電路（第13条各号に掲げる部分，次条に規定するもの及び直流電車線を除く．）は，次の各号のいずれに適合する絶縁性能を有すること．

一 15–1表（省略）に規定する試験電圧を電路と大地との間（多心ケーブルにあっては，心線相互間及び心線と大地との間）に連続して10分間加えたとき，これに耐える性能を有すること．

二 電線にケーブルを使用する交流の電路においては，15–1表に規定する試験電圧の2倍の直流電圧を電路と大地との間（多心ケーブルにあっては，心線相互間及び心線と大地との間）に連続して10分間加えたとき，これに耐える性能を有すること．

第一号による絶縁耐力試験電圧は，最大使用電圧が7 000 V以下の電路においては，最大使用電圧の1.5倍の電圧と規定されているので，6 600 Vの交流電路の試験電圧は，

$$6\,600 \times \frac{1.15}{1.1} \times 1.5 = 10\,350 \text{ V}$$

問15 Check! ☐ ☐ ☐

（令和2年 B 問題12）

次の文章は，「電気設備技術基準の解釈」に基づく変圧器の電路の絶縁耐力試験に関する記述である．

変圧器（放電灯用変圧器，エックス線管用変圧器等の変圧器，及び特殊用途のものを除く.）の電路は，次のいずれかに適合する絶縁性能を有すること．

① 表の中欄に規定する試験電圧を，同表の右欄で規定する試験方法で加えたとき，これに耐える性能を有すること．

② 民間規格評価機関として日本電気技術規格委員会が承認した規格である「電路の絶縁耐力の確認方法」の「適用」の欄に規定する方法により絶縁耐力を確認したものであること．

変圧器の巻線の種類		試験電圧	試験方法
最大使用電圧が [ア] V 以下のもの		最大使用電圧の [イ] 倍の電圧（[ウ] V 未満となる場合は [ウ] V）	試験される巻線と他の巻線，鉄心及び外箱との間に試験電圧を連続して10分間加える．
最大使用電圧が [ア] V を 超 え，60 000 V 以下のもの	最大使用電圧が15 000 V 以 下 のものであって，中性点接地式電路（中性点を有するものであって，その中性線に多重接地するものに限る.）に接続するもの	最大使用電圧の 0.92 倍の電圧	
	上記以外のもの	最大使用電圧の [エ] 倍の電圧（10 500 V 未満となる場合は 10 500 V）	

上記の記述に関して，次の(a)及び(b)の問に答えよ．

(a) 表中の空白箇所(ア)～(エ)に当てはまる組合せとして，正しいものを次の(1)～(5)のうちから一つ選べ．

	(ア)	(イ)	(ウ)	(エ)
(1)	6 900	1.1	500	1.25
(2)	6 950	1.25	600	1.5
(3)	7 000	1.5	600	1.25
(4)	7 000	1.5	500	1.25
(5)	7 200	1.75	500	1.75

(b) 公称電圧 22 000 V の電線路に接続して使用される受電用変圧器の絶縁耐力試験を，表の記載に基づき実施する場合の試験電圧の値 [V] として，最も近いものを次の(1)～(5)から一つ選べ．

(1) 28 750　　(2) 30 250　　(3) 34 500

(4) 36 300　　(5) 38 500

解15 解答 (a)−(4), (b)−(1)

(a) 電気設備技術基準の解釈第16条（機械器具等の電路の絶縁性能）第1項からの出題で，最大使用電圧が60 000 V以下のものについて次のように規定されている.

変圧器（放電灯用変圧器，エックス線管用変圧器，吸上変圧器，試験用変圧器，計器用変成器，第191条第1項に規定する電気集じん応用装置用の変圧器，同条第2項に規定する石油精製用不純物除去装置の変圧器その他の特殊の用途に供されるものを除く. 以下この章において同じ.）の電路は，次の各号のいずれかに適合する絶縁性能を有すること.

一 下表中欄に規定する試験電圧を，同表右欄に規定する試験方法で加えたとき，これに耐える性能を有すること.

二 民間規格評価機関として日本電気技術規格委員会が承認した規格である「電路の絶縁耐力の確認方法」の「適用」の欄に規定する方法により絶縁耐力を確認したものであること.

変圧器の巻線の種類		試験電圧	試験方法
最大使用電圧が7 000 V以下のもの		最大使用電圧の1.5倍の電圧（500 V未満となる場合は，500 V）	試験される巻線と他の巻線，鉄心及び外箱との間に試験電圧を連続して10分間加える.
最大使用電圧が7 000 Vを超え，60 000 V以下のもの	最大使用電圧が15 000 V以下のものであって，中性点接地式電路（中性線を有するものであって，その中性線に多重接地するものに限る.）に接続するもの	最大使用電圧の0.92倍の電圧	
	上記以外のもの	最大使用電圧の1.25倍の電圧（10 500 V未満となる場合は，10 500 V）	

(b) 公称電圧22 000 Vの電線路に接続して使用される受電用変圧器の絶縁耐力試験電圧は，次のようになる.

$$22\,000 \times \frac{1.15}{1.1} \times 1.25 = 28\,750 \text{ V}$$

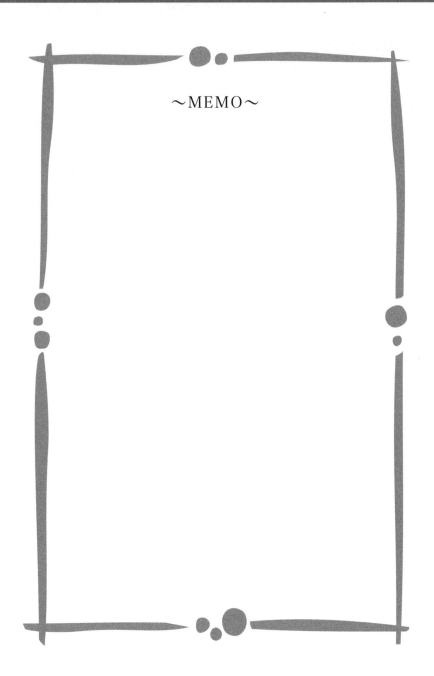

~MEMO~

問16　Check! ☐ ☐ ☐

　次の文章は，「電気設備技術基準の解釈」に基づく太陽電池モジュールの絶縁性能及び太陽電池発電所に施設する電線に関する記述の一部である．

a　太陽電池モジュールは，最大使用電圧の　(ア)　倍の直流電圧又は　(イ)　倍の交流電圧（500 V 未満となる場合は，500 V）を充電部分と大地との間に連続して　(ウ)　分間加えたとき，これに耐える性能を有すること．

b　太陽電池発電所に施設する高圧の直流電路の電線（電気機械器具内の電線を除く．）として，取扱者以外の者が立ち入らないような措置を講じた場所において，太陽電池発電設備用直流ケーブルを使用する場合，使用電圧は直流　(エ)　V 以下であること．

　上記の記述中の空白箇所(ア)，(イ)，(ウ)及び(エ)に当てはまる組合せとして，正しいものを次の(1)～(5)のうちから一つ選べ．

	(ア)	(イ)	(ウ)	(エ)
(1)	1.5	1	1	1 000
(2)	1.5	1	10	1 500
(3)	2	1	10	1 000
(4)	2	1.5	10	1 000
(5)	2	1.5	1	1 500

解16 解答 (2)

電気設備技術基準の解釈第16条（機械器具等の電路の絶縁性能）第5項第一号および第46条（太陽電池発電所の電線等の施設）第1項第一号からの出題で，次のように規定されている．

電気設備技術基準の解釈第16条第5項

太陽電池モジュールは，次の各号のいずれかに適合する絶縁性能を有すること．

一　最大使用電圧の1.5倍の直流電圧又は1倍の交流電圧（500 V未満となる場合は，500 V）を充電部分と大地との間に連続して10分間加えたとき，これに耐える性能を有すること．

電気設備技術基準の解釈第46条第1項

太陽電池発電所に施設する高圧の直流電路の電線（電気機械器具内の電線を除く．）は，高圧ケーブルであること．ただし，取扱者以外の者が立ち入らないような措置を講じた場所において，次の各号に適合する太陽電池発電設備用直流ケーブルを使用する場合は，この限りでない．

一　使用電圧は，直流1 500 V以下であること．

問17　Check! ☐☐☐

（令和 5 年㊤　Ⓐ 問題 4）

次の文章は，「電気設備技術基準の解釈」に基づく太陽電池モジュールの絶縁性能に関する記述の一部である．

太陽電池モジュールは，最大使用電圧の 1.5 倍の直流電圧又は ［(ア)］ 倍の交流電圧（［(イ)］ V 未満となる場合は，［(イ)］ V）を充電部分と大地との間に連続して ［(ウ)］ 分間加えたとき，これに耐える性能を有すること．

上記の記述中の空白箇所(ア)～(ウ)に当てはまる組合せとして，正しいものを次の(1)～(5)のうちから一つ選べ．

	(ア)	(イ)	(ウ)
(1)	1	500	10
(2)	1	300	10
(3)	1.1	500	1
(4)	1.1	600	1
(5)	1.1	300	1

解17 解答（1）

電気設備技術基準の解釈第16条（機械器具等の電路の絶縁性能）の条文からの出題である．

一般的に機械器具は変圧器等であり，最大使用電圧や接地方式により試験電圧の計算式が定められている．今回の設問では，太陽電池モジュールに関する内容であり解釈第16条5に定められている．

第16条（機械器具等の電路の絶縁性能）　変圧器（放電灯用変圧器，エックス線管用変圧器，吸上変圧器，試験用変圧器，計器用変成器，第191条第1項に規定する電気集じん応用装置用の変圧器，同条第2項に規定する石油精製用不純物除去装置の変圧器その他の特殊の用途に供されるものを除く．以下この章において同じ．）の電路は，次の各号のいずれかに適合する絶縁性能を有すること．

一　16−1表中欄（省略）に規定する試験電圧を，同表右欄に規定する試験方法で加えたとき，これに耐える性能を有すること．

中略

5　太陽電池モジュールは，次の各号のいずれかに適合する絶縁性能を有すること．

一　最大使用電圧の1.5倍の直流電圧又は1倍の交流電圧（500 V未満となる場合は，500 V）を充電部分と大地との間に連続して10分間加えたとき，これに耐える性能を有すること．

二　使用電圧が低圧の場合は，日本産業規格 JIS C 8918（2013）「結晶系太陽電池モジュール」の「7.1電気的性能」又は日本産業規格 JIS C 8939（2013）「薄膜太陽電池モジュール」の「7.1電気的性能」に適合するものであるとともに，省令第58条の規定に準ずるものであること．

以下省略

問18

Check! ☐☐☐　　　　　　　　　　（平成23年 Ⓐ 問題4）

　「電気設備技術基準」及び「電気設備技術基準の解釈」に基づく，電線の接続に関する記述として，適切なものを次の(1)～(5)のうちから一つ選べ．

(1)　電線を接続する場合は，接続部分において電線の絶縁性能を低下させないように接続するほか，短絡による事故（裸電線を除く．）及び通常の使用状態において異常な温度上昇のおそれがないように接続する．

(2)　裸電線と絶縁電線とを接続する場合に断線のおそれがないようにするには，電線に加わる張力が電線の引張強さに比べて著しく小さい場合を含め，電線の引張強さを 25〔%〕以上減少させないように接続する．

(3)　屋内に施設する低圧用の配線器具に電線を接続する場合は，ねじ止めその他これと同等以上の効力のある方法により，堅ろうに接続するか，又は電気的に完全に接続する．

(4)　低圧屋内配線を合成樹脂管工事又は金属管工事により施設する場合に，絶縁電線相互を管内で接続する必要が生じたときは，接続部分をその電線の絶縁物と同等以上の絶縁効力のあるもので十分被覆し，接続する．

(5)　住宅の屋内電路（電気機械器具内の電路を除く．）に関し，定格消費電力が 2〔kW〕以上の電気機械器具のみに三相 200〔V〕を使用するための屋内配線を施設する場合において，電気機械器具は，屋内配線と直接接続する．

解18 解答 (5)

電気設備技術基準第7条（電線の接続），電気設備技術基準の解釈第12条（電線の接続法），第143条（電路の対地電圧の制限），第150条（配線器具の施設），第158条（合成樹脂管工事）および第159条（金属管工事）に関連した出題で，電気設備技術基準の解釈第143条第1項第一号ホにより(5)が正解である．

(1)および(2)の記述については，技術基準第7条（電線の接続）および解釈第12条（電線の接続法）第一号イで次のように規定されており，ともに不適切である．

・電気設備技術基準第7条（電線の接続）

電線を接続する場合は，接続部分において電線の電気抵抗を増加させないように接続するほか，絶縁性能の低下（裸電線を除く．）及び通常の使用状態において断線のおそれがないようにしなければならない．

・電気設備技術基準の解釈第12条（電線の接続法）

電線を接続する場合は，第181条，第182条又は第192条の規定により施設する場合を除き，電線の電気抵抗を増加させないように接続するとともに，次の各号によること．

　一　裸電線相互，又は裸電線と絶縁電線，キャブタイヤケーブル若しくはケーブルとを接続する場合は，次によること．

　　イ　電線の引張強さを20％以上減少させないこと．ただし，ジャンパー線を接続する場合その他電線に加わる張力が電線の引張強さに比べて著しく小さい場合は，この限りでない．

(3)の記述については，電気設備技術基準の解釈第150条（配線器具の施設）第1項第三号で次のように規定されており，不適切である．

・電気設備技術基準の解釈第150条（配線器具の施設）

　1　低圧用の配線器具は，次の各号により施設すること．

　　三　配線器具に電線を接続する場合は，ねじ止めその他これと同等以上の効力のある方法により，堅ろうに，かつ，電気的に完全に接続するとともに，接続点に張力が加わらないようにすること．

(4)の記述については，電気設備技術基準の解釈第158条（合成樹脂管工事）および第159条（金属管工事）において，ともに第1項第三号で，合成樹脂管内および金属管内では電線に接続点を設けないことと規定されており，不適切である．

問19　Check! ☐☐☐

　　次の文章は，「電気設備技術基準の解釈」における配線器具の施設に関する記述の一部である．

　　低圧用の配線器具は，次により施設すること．

a)　 ⬚ ⑦ ⬚ ように施設すること．ただし，取扱者以外の者が出入りできないように措置した場所に施設する場合は，この限りでない．

b)　湿気の多い場所又は水気のある場所に施設する場合は，防湿装置を施すこと．

c)　配線器具に電線を接続する場合は，ねじ止めその他これと同等以上の効力のある方法により，堅ろうに，かつ，電気的に完全に接続するとともに，接続点に ⬚ ⑦ ⬚ が加わらないようにすること．

d)　屋外において電気機械器具に施設する開閉器，接続器，点滅器その他の器具は， ⬚ ⑦ ⬚ おそれがある場合には，これに堅ろうな防護装置を施すこと．

　　上記の記述中の空白箇所(ア)～(ウ)に当てはまる組合せとして，正しいものを次の(1)～(5)のうちから一つ選べ．

	(ア)	(イ)	(ウ)
(1)	充電部分が露出しない	張力	感電の
(2)	取扱者以外の者が容易に開けることができない	異常電圧	損傷を受ける
(3)	取扱者以外の者が容易に開けることができない	張力	感電の.
(4)	充電部分が露出しない	張力	損傷を受ける
(5)	取扱者以外の者が容易に開けることができない	異常電圧	感電の

解19 解答 (4)

電気設備技術基準の解釈第 150 条【配線器具の施設】第 1 項からの出題で，それぞれ次のように規定されている．

低圧用の配線器具は，次の各号により施設すること．

一 **充電部分が露出しない**ように施設すること．ただし，取扱者以外の者が出入りできないように措置した場所に施設する場合は，この限りでない．

二 湿気の多い場所又は水気のある場所に施設する場合は，防湿装置を施すこと．

三 配線器具に電線を接続する場合は，ねじ止めその他これと同等以上の効力のある方法により，堅ろうに，かつ，電気的に完全に接続するとともに，接続点に**張力**が加わらないようにすること．

四 屋外において電気機械器具に施設する開閉器，接続器，点滅器その他の器具は，**損傷を受ける**おそれがある場合には，これに堅ろうな防護装置を施すこと．

問20 Check! ☐☐☐

（令和2年 Ⓐ 問題9）

次の文章は，「電気設備技術基準の解釈」における配線器具の施設に関する記述の一部である．

低圧用の配線器具は，次により施設すること．

a) | (ア) | ように施設すること．ただし，取扱者以外の者が出入りできないように措置した場所に施設する場合は，この限りでない．

b)   湿気の多い場所又は水気のある場所に施設する場合は，防湿装置を施すこと．

c)   配線器具に電線を接続する場合は，ねじ止めその他これと同等以上の効力のある方法により，堅ろうに，かつ，電気的に完全に接続するとともに，接続点に| (イ) |が加わらないようにすること．

d)   屋外において電気機械器具に施設する開閉器，接続器，点滅器その他の器具は，| (ウ) |おそれがある場合には，これに堅ろうな防護装置を施すこと．

上記の記述中の空白箇所(ア)〜(ウ)に当てはまる組合せとして，正しいものを次の(1)〜(5)のうちから一つ選べ．

	(ア)	(イ)	(ウ)
(1)	充電部分が露出しない	張力	感電の
(2)	取扱者以外の者が容易に開けることができない	異常電圧	損傷を受ける
(3)	取扱者以外の者が容易に開けることができない	張力	感電の
(4)	取扱者以外の者が容易に開けることができない	異常電圧	感電の
(5)	充電部分が露出しない	張力	損傷を受ける

解20 解答 (5)

電気設備技術基準の解釈第150条（配線器具の施設）第1項からの出題で，それぞれ次のように規定されている.

低圧用の配線器具は，次の各号により施設すること.

一 **充電部分が露出**しないように施設すること. ただし，取扱者以外の者が出入りできないように措置した場所に施設する場合は，この限りでない.

二 湿気の多い場所又は水気のある場所に施設する場合は，防湿装置を施すこと.

三 配線器具に電線を接続する場合は，ねじ止めその他これと同等以上の効力のある方法により，堅ろうに，かつ，電気的に完全に接続するとともに，接続点に**張力**が加わらないようにすること.

四 屋外において電気機械器具に施設する開閉器，接続器，点滅器その他の器具は，**損傷を受ける**おそれがある場合には，これに堅ろうな防護装置を施すこと.

次の文章は，「電気設備技術基準の解釈」における，アークを生じる器具の施設に関する記述である．

高圧用又は特別高圧用の開閉器，遮断器又は避雷器その他これらに類する器具（以下「開閉器等」という．）であって，動作時にアークを生じるものは，次のいずれかにより施設すること．

a. 耐火性のものでアークを生じる部分を囲むことにより，木製の壁又は天井その他の ［ ⑦ ］ から隔離すること．

b. 木製の壁又は天井その他の ［ ⑦ ］ との離隔距離を，下表に規定する値以上とすること．

開閉器等の使用電圧の区分		離隔距離
高　圧		［ ⑦ ］〔m〕
特別高圧	35 000〔V〕以下	［ ⑦ ］〔m〕（動作時に生じるアークの方向及び長さを火災が発生するおそれがないように制限した場合にあっては，［ ⑦ ］〔m〕）
	35 000〔V〕超過	［ ⑦ ］〔m〕

上記の記述中の空白箇所(ア), (イ)及び(ウ)に当てはまる組合せとして，正しいものを次の(1)～(5)のうちから一つ選べ．

	(ア)	(イ)	(ウ)
(1)	可燃性のもの	0.5	1
(2)	造営物	0.5	1
(3)	可燃性のもの	1	2
(4)	造営物	1	2
(5)	造営物	2	3

解21 解答 (3)

　電気設備技術基準の解釈第23条では"アークを生じる器具の施設"について定めており，高圧又は特別高圧用の開閉器等（開閉器，遮断器又は避雷器その他これらに類する器具）であって，動作時にアークを生じるものは，次のいずれかにより施設することになっている．

1．耐火性のものでアークを生じる部分を囲むことにより，木製の壁又は天井その他の可燃性のものから隔離すること．

2．木製の壁又は天井その他の可燃性のものとの離隔距離を，23-1表に規定する値以上とすること．

23-1表　アークを生じる開閉器等の離隔距離

開閉器等の使用電圧の区分		離隔距離
高　圧		1〔m〕
特別高圧	35 000〔V〕以下	2〔m〕（動作時に生じるアークの方向及び長さを火災が発生するおそれがないように制限した場合にあっては，1〔m〕）
	35 000〔V〕超過	2〔m〕

　燃えにくさを表す用語として，可燃性，難燃性，不燃性，耐火性があるが，これらの用語の燃えにくさの度合いを図示すると図のようになる．

| 可燃性 | 難燃性 | 不燃性 | 耐火性 |

（燃える）　⟹⟹⟹⟹⟹⟹⟹（燃えない）

燃えにくさを表す用語

Check! ☐☐☐ （令和6年㊤ Ⓐ 問題4）

「電気設備技術基準の解釈」に基づく，高圧の機械器具（これに附属する高圧電線であってケーブル以外のものを含む．以下同じ．）の施設について，発電所，蓄電所又は変電所，開閉所若しくはこれらに準ずる場所以外の場所において，高圧の機械器具を施設することができる場合として，誤っているものを次の(1)～(5)のうちから一つ選べ．

(1) 人が触れるおそれがないように，機械器具の周囲に適当なさく，へい等を設け，当該さく，へい等の高さと，当該さく，へい等から機械器具の充電部分までの距離との和を5m以上とし，かつ，危険である旨の表示をする場合

(2) 屋内であって，取扱者以外の者が出入りできないように措置した場所に施設する場合

(3) 工場等の構内において，機械器具の周囲に高圧用機械器具である旨の表示をする場合

(4) 機械器具をコンクリート製の箱又はD種接地工事を施した金属製の箱に収め，かつ，充電部分が露出しないように施設する場合

(5) 充電部分が露出しない機械器具を人が接近又は接触しないよう，さく，へい等を設けて施設する場合

解22 解答 (3)

電気設備技術基準の解釈第21条【高圧用の機械器具の施設】に関する出題である.

(3)の記述のような規定はないので，これが誤りである．本条では，次のように規定されている.

高圧の機械器具(これに附属する高圧電線であってケーブル以外のものを含む．以下この条において同じ．)は，次の各号のいずれかにより施設すること．ただし，発電所，蓄電所又は変電所，開閉所若しくはこれらに準ずる場所に施設する場合はこの限りでない．

一　屋内であって，取扱者以外の者が出入りできないように措置した場所に施設すること.

二　次により施設すること．ただし，工場等の構内においては，ロ及びハの規定によらないことができる.

　　イ　人が触れるおそれがないように，機械器具の周囲に適当なさく，へい等を設けること.

　　ロ　イの規定により施設するさく，へい等の高さと，当該さく，へい等から機械器具の充電部分までの距離との和を5 m以上とすること.

　　ハ　危険である旨の表示をすること.

三　機械器具に附属する高圧電線にケーブル又は引下げ用高圧絶縁電線を使用し，機械器具を人が触れるおそれがないように地表上4.5 m（市街地外においては4 m）以上の高さに施設すること.

四　機械器具をコンクリート製の箱又はD種接地工事を施した金属製の箱に収め，かつ，充電部分が露出しないように施設すること.

五　充電部分が露出しない機械器具を，次のいずれかにより施設すること.

　　イ　簡易接触防護措置を施すこと.

　　ロ　温度上昇により，又は故障の際に，その近傍の大地との間に生じる電位差により，人若しくは家畜又は他の工作物に危険のおそれがないように施設すること.

問23 Check! ☐☐☐

（令和5年㊦ Ⓐ 問題4）

「電気設備技術基準の解釈」に基づく，高圧の機械器具（これに附属する高圧電線であってケーブル以外のものを含む．以下同じ．）の施設について，発電所，蓄電所又は変電所，開閉所若しくはこれらに準ずる場所以外の場所において，高圧の機械器具を施設することができる場合として，誤っているものを次の(1)～(5)のうちから一つ選べ．

(1) 人が触れるおそれがないように，機械器具の周囲に適当なさく，へい等を設け，当該さく，へい等の高さと，当該さく，へい等から機械器具の充電部分までの距離との和を 5 m 以上とし，かつ，危険である旨の表示をする場合

(2) 工場等の構内において，機械器具の周囲に高圧用機械器具である旨の表示をする場合

(3) 屋内であって，取扱者以外の者が出入りできないように措置した場所に施設する場合

(4) 機械器具をコンクリート製の箱又は D 種接地工事を施した金属製の箱に収め，かつ，充電部分が露出しないように施設する場合

(5) 充電部分が露出しない機械器具を人が接近又は接触しないよう，さく，へい等を設けて施設する場合

解23 解答 (2)

電気設備技術基準の解釈第 21 条【高圧の機械器具の施設】に関する出題で，次のように規定されている．

高圧の機械器具（これに附属する高圧電線であってケーブル以外のものを含む．以下この条において同じ．）は，次の各号のいずれかにより施設すること．ただし，発電所，蓄電所又は変電所，開閉所若しくはこれらに準ずる場所に施設する場合はこの限りでない．

一　屋内であって，取扱者以外の者が出入りできないように措置した場所に施設すること．

二　次により施設すること．ただし，工場等の構内においては，ロ及びハの規定によらないことができる．

　イ　人が触れるおそれがないように，機械器具の周囲に適当なさく，へい等を設けること．

　ロ　イの規定により施設するさく，へい等の高さと，当該さく，へい等から機械器具の充電部分までの距離との和を 5 m 以上とすること．

　ハ　危険である旨の表示をすること．

三　機械器具に附属する高圧電線にケーブル又は引下げ用高圧絶縁電線を使用し，機械器具を人が触れるおそれがないように地表上 4.5 m（市街地外においては 4 m）以上の高さに施設すること．

四　機械器具をコンクリート製の箱又は D 種接地工事を施した金属製の箱に収め，かつ，充電部分が露出しないように施設すること．

五　充電部分が露出しない機械器具を，次のいずれかにより施設すること．

　イ　簡易接触防護措置を施すこと．

　ロ　温度上昇により，又は故障の際に，その近傍の大地との間に生じる電位差により，人若しくは家畜又は他の工作物に危険のおそれがないように施設すること．

本条には(2)の記述のような規定はないので，これが誤りである．

問24 Check! ☐ ☐ ☐ （平成28年 Ⓐ 問題3）

次の文章は，高圧の機械器具（これに附属する高圧電線であってケーブル以外のものを含む．）の施設（発電所，蓄電所又は変電所，開閉所若しくはこれらに準ずる場所に施設する場合を除く．）の工事例である．その内容として，「電気設備技術基準の解釈」に基づき，不適切なものを次の(1)〜(5)のうちから一つ選べ．

(1) 機械器具を屋内であって，取扱者以外の者が出入りできないように措置した場所に施設した．

(2) 工場等の構内において，人が触れるおそれがないように，機械器具の周囲に適当なさく，へい等を設けた．

(3) 工場等の構内以外の場所において，機械器具に充電部が露出している部分があるので，簡易接触防護措置を施して機械器具を施設した．

(4) 機械器具に附属する高圧電線にケーブルを使用し，機械器具を人が触れるおそれがないように地表上5mの高さに施設した．

(5) 充電部分が露出しない機械器具を温度上昇により，又は故障の際に，その近傍の大地との間に生じる電位差により，人若しくは家畜又は他の工作物に危険のおそれがないように施設した．

解24　解答 (3)

　電気設備技術基準の解釈第 21 条（高圧の機械器具の施設）に関する出題で，
(3)の記述が誤りである．

　(3)の記述に関する規定としては，本条第五号で，充電部分が露出しない機械器
具を「簡易接触防護措置を施すこと」によって施設することが認められているが，
充電部が露出している部分がある機械器具の施設は認められていない．

Check! □□□

次の文章は，「電気設備技術基準」における，電気設備の保安原則に関する記述の一部である．

a. 電気設備の必要な箇所には，異常時の ［(ア)］，高電圧の侵入等による感電，火災その他人体に危害を及ぼし，又は物件への損傷を与えるおそれがないよう，［(イ)］その他の適切な措置を講じなければならない．ただし，電路に係る部分にあっては，この基準の別の規定に定めるところによりこれを行わなければならない．

b. 電気設備に ［(イ)］ を施す場合は，電流が安全かつ確実に ［(ウ)］ ことができるようにしなければならない．

上記の記述中の空白箇所(ア)，(イ)及び(ウ)に当てはまる組合せとして，正しいものを次の(1)～(5)のうちから一つ選べ．

	(ア)	(イ)	(ウ)
(1)	電位上昇	絶縁	遮断される
(2)	過熱	接地	大地に通ずる
(3)	過電流	絶縁	遮断される
(4)	電位上昇	接地	大地に通ずる
(5)	過電流	接地	大地に通ずる

解25 解答（4）

電気設備技術基準第 10 条（電気設備の接地）および第 11 条（電気設備の接地の方法）からの出題で，次のように規定されている．

① 第 10 条（電気設備の接地）

電気設備の必要な箇所には，異常時の電位上昇，高電圧の侵入等による感電，火災その他人体に危害を及ぼし，又は物件への損傷を与えるおそれがないよう，接地その他の適切な措置を講じなければならない．ただし，電路に係る部分にあっては，第 5 条第 1 項の規定に定めるところによりこれを行わなければならない．

② 第 11 条（電気設備の接地の方法）

電気設備に接地を施す場合は，電流が安全かつ確実に大地に通ずることができるようにしなければならない．

問26 Check! ☐☐☐

(平成28年 Ⓐ問題2)

次の文章は，「電気設備技術基準の解釈」に基づく電路に係る部分に接地工事を施す場合の，接地点に関する記述である．

a 電路の保護装置の確実な動作の確保，異常電圧の抑制又は対地電圧の低下を図るために必要な場合は，次の各号に掲げる場所に接地を施すことができる．

① 電路の中性点（ ⏢⏥⏢ ⏢⏥⏢ 電圧が300 V以下の電路において中性点に接地を施し難いときは，電路の一端子）

② 特別高圧の ⏢⏥⏢ 電路

③ 燃料電池の電路又はこれに接続する ⏢⏥⏢ 電路

b 高圧電路又は特別高圧電路と低圧電路とを結合する変圧器には，次の各号によりB種接地工事を施すこと．

① 低圧側の中性点

② 低圧電路の ⏢⏥⏢ 電圧が300 V以下の場合において，接地工事を低圧側の中性点に施し難いときは，低圧側の1端子

c 高圧計器用変成器の2次側電路には， ⏢⏥⏢ 接地工事を施すこと．

d 電子機器に接続する ⏢⏥⏢ 電圧が ⏢⏥⏢ V以下の電路，その他機能上必要な場所において，電路に接地を施すことにより，感電，火災その他の危険を生じることのない場合には，電路に接地を施すことができる．

上記の記述中の空白箇所(ア)，(イ)，(ウ)及び(エ)に当てはまる組合せとして，正しいものを次の(1)～(5)のうちから一つ選べ．

	(ア)	(イ)	(ウ)	(エ)
(1)	使用	直流	A種	300
(2)	対地	交流	A種	150
(3)	使用	直流	D種	150
(4)	対地	交流	D種	300
(5)	使用	交流	A種	150

解26 解答 (3)

電気設備技術基準の解釈第19条（保安上又は機能上必要な場合における電路の接地）第1項および第6項，第24条（高圧又は特別高圧と低圧との混触による危険防止施設）第1項第一号，第28条（計器用変成器の2次側電路の接地）第1項からの出題で，それぞれ次のように規定されている．

電気設備技術基準の解釈第19条第1項

電路の保護装置の確実な動作の確保，異常電圧の抑制又は対地電圧の低下を図るために必要な場合は，本条以外の解釈の規定による場合のほか，次の各号に掲げる場所に接地を施すことができる．

一　電路の中性点（使用電圧が300 V以下の電路において中性点に接地を施し難いときは，電路の一端子）

二　特別高圧の直流電路

三　燃料電池の電路又はこれに接続する直流電路

電気設備技術基準の解釈第19条第6項

電子機器に接続する使用電圧が150 V以下の電路，その他機能上必要な場所において，電路に接地を施すことにより，感電，火災その他の危険を生じることのない場合には，電路に接地を施すことができる．

電気設備技術基準の解釈第24条第1項第一号

高圧電路又は特別高圧電路と低圧電路とを結合する変圧器には，次の各号によりB種接地工事を施すこと．

一　次のいずれかの箇所に接地工事を施すこと．（関連省令第10条）

　イ　低圧側の中性点

　ロ　低圧電路の使用電圧が300 V以下の場合において，接地工事を低圧側の中性点に施し難いときは，低圧側の1端子

　ハ　低圧電路が非接地である場合においては，高圧巻線又は特別高圧巻線と低圧巻線との間に設けた金属製の混触防止板

電気設備技術基準の解釈第28条第1項

高圧計器用変成器の2次側電路には，D種接地工事を施すこと．

問27　Check! ☐☐☐

（平成27年 Ⓐ 問題5）

　次の文章は，「電気設備技術基準の解釈」に基づく，高圧電路又は特別高圧電路と低圧電路とを結合する変圧器（鉄道若しくは軌道の信号用変圧器又は電気炉若しくは電気ボイラーその他の常に電路の一部を大地から絶縁せずに使用する負荷に電気を供給する専用の変圧器を除く.）に施す接地工事に関する記述の一部である.

　高圧電路又は特別高圧電路と低圧電路とを結合する変圧器には，次のいずれかの箇所に　(ア)　接地工事を施すこと.

a. 低圧側の中性点

b. 低圧電路の使用電圧が　(イ)　V以下の場合において，接地工事を低圧側の中性点に施し難いときは，　(ウ)　の1端子

c. 低圧電路が非接地である場合においては，高圧巻線又は特別高圧巻線と低圧巻線との間に設けた金属製の　(エ)

　上記の記述中の空白箇所(ア)，(イ)，(ウ)及び(エ)に当てはまる組合せとして，正しいものを次の(1)～(5)のうちから一つ選べ.

	(ア)	(イ)	(ウ)	(エ)
(1)	B 種	150	低圧側	混触防止板
(2)	A 種	150	低圧側	接地板
(3)	A 種	300	高圧側又は特別高圧側	混触防止板
(4)	B 種	300	高圧側又は特別高圧側	接地板
(5)	B 種	300	低圧側	混触防止板

解27 解答 (5)

　電気設備技術基準の解釈第24条（高圧又は特別高圧と低圧との混触による危険防止施設）第1項第一号および第2項からの出題で,次のように規定されている.

　高圧電路又は特別高圧電路と低圧電路とを結合する変圧器には, 次の各号により B 種接地工事を施すこと.

一　次のいずれかの箇所に接地工事を施すこと.

　イ　低圧側の中性点

　ロ　低圧電路の使用電圧が 300 V 以下の場合において, 接地工事を低圧側の中性点に施し難いときは, 低圧側の 1 端子

　ハ　低圧電路が非接地である場合においては, 高圧巻線又は特別高圧巻線と低圧巻線との間に設けた金属製の混触防止板

　（第二号, 第三号省略）

2　次の各号に掲げる変圧器を施設する場合は, 前項の規定によらないことができる.

一　鉄道又は軌道の信号用変圧器

二　電気炉又は電気ボイラーその他の常に電路の一部を大地から絶縁せずに使用する負荷に電気を供給する専用の変圧器

「電気設備技術基準の解釈」に基づく，接地工事に関する記述として，誤っているものを次の(1)～(5)のうちから一つ選べ．

(1) 大地との間の電気抵抗値が2〔Ω〕以下の値を保っている建物の鉄骨その他の金属体は，非接地式高圧電路に施設する機械器具等に施すA種接地工事又は非接地式高圧電路と低圧電路を結合する変圧器に施すB種接地工事の接地極に使用することができる．

(2) 22〔kV〕用計器用変成器の2次側電路には，D種接地工事を施さなければならない．

(3) A種接地工事又はB種接地工事に使用する接地線を，人が触れるおそれがある場所で，鉄柱その他の金属体に沿って施設する場合は，接地線には絶縁電線（屋外用ビニル絶縁電線を除く．）又は通信用ケーブル以外のケーブルを使用しなければならない．

(4) C種接地工事の接地抵抗値は，低圧電路において地絡を生じた場合に，0.5秒以内に当該電路を自動的に遮断する装置を施設するときは，500〔Ω〕以下であること．

(5) D種接地工事の接地抵抗値は，低圧電路において地絡を生じた場合に，0.5秒以内に当該電路を自動的に遮断する装置を施設するときは，500〔Ω〕以下であること．

解28 解答 (2)

(2)の記述が誤りである.

電気設備技術基準の解釈第 28 条（計器用変成器の 2 次側電路の接地）で，計器用変成器の 2 次側電路に施す接地工事の種類について，次のように規定している.

1　高圧計器用変成器の 2 次側電路には，D 種接地工事を施すこと.

2　特別高圧計器用変成器の 2 次側電路には，A 種接地工事を施すこと.

(2)の記述は 22〔kV〕用計器用変圧器の 2 次側電路に施す接地工事に関するもので，22〔kV〕は特別高圧であるので，A 種接地工事が必要となる.

問29　Check! ☐☐☐

　次の文章は，接地工事に関する工事例である．「電気設備技術基準の解釈」に基づき正しいものを次の(1)～(5)のうちから一つ選べ．

(1)　C 種接地工事を施す金属体と大地との間の電気抵抗値が 80 Ω であったので，C 種接地工事を省略した．

(2)　D 種接地工事の接地抵抗値を測定したところ 1 200 Ω であったので，低圧電路において地絡を生じた場合に 0.5 秒以内に当該電路を自動的に遮断する装置を施設することとした．

(3)　D 種接地工事に使用する接地線に直径 1.2 mm の軟銅線を使用した．

(4)　鉄骨造の建物において，当該建物の鉄骨を，D 種接地工事の接地極に使用するため，建物の鉄骨の一部を地中に埋設するとともに，等電位ボンディングを施した．

(5)　地中に埋設され，かつ，大地との間の電気抵抗値が 5 Ω 以下の値を保っている金属製水道管路を，C 種接地工事の接地極に使用した．

解29　解答 (4)

(4)の記述が正しい.

電気設備技術基準の解釈第17条（接地工事の種類及び施設方法），第18条（工作物の金属体を利用した接地工事）に関する出題である．第17条では，第1項でA種接地工事，第2項でB種接地工事，第3項でC種接地工事，第4項でD種接地工事に関する事項が規定されている．また，第18条では次のように規定されている．

鉄骨造，鉄骨鉄筋コンクリート造又は鉄筋コンクリート造の建物において，当該建物の鉄骨又は鉄筋その他の金属体（以下この条において「鉄骨等」という.）を，前条第1項から第4項までに規定する接地工事その他の接地工事に係る共用の接地極に使用する場合には，建物の鉄骨又は鉄筋コンクリートの一部を地中に埋設するとともに，等電位ボンディング（導電性部分間において，その部分間に発生する電位差を軽減するために施す電気的接続をいう.）を施すこと．（以下略）

(1)　省略できるのは，C種設置工事を施す金属体と大地との電気抵抗値が10 Ω以下の場合である．（電気設備技術基準の解釈第17条第5項）

(2)　地絡を生じた場合に0.5秒以内に当該電路を自動的に遮断する装置を施設するときの接地抵抗値は，500 Ω以下である．（電気設備技術基準の解釈第17条第4項第一号）

(3)　接地線は直径1.6 mm以上の軟銅線とする．（電気設備技術基準の解釈第17条第4項第二号）

(5)　金属製水道管路は，接地極として使用できない．（接地極として使用できるとした条文は，2013年の法改正により削除されている）

問30 **Check!** ☐☐☐

次の文章は，「電気設備技術基準の解釈」に基づく接地工事の種類及び施工方法に関する記述である．

B種接地工事の接地抵抗値は次の表に規定する値以下であること．

接地工事を施す変圧器の種類	当該変圧器の高圧側又は特別高圧側の電路と低圧側の電路との 〔ア〕 により，低圧電路の対地電圧が 〔イ〕 V を超えた場合に，自動的に高圧又は特別高圧の電路を遮断する装置を設ける場合の遮断時間		接地抵抗値 (Ω)
下記以外の場合			〔イ〕/I
高圧又は 35 000 V以下の特別高圧の電路と低圧電路を結合するもの	1秒を超え2秒以下		300/I
	1秒以下		〔ウ〕/I

（備考）I は，当該変圧器の高圧側又は特別高圧側の電路の 〔エ〕 電流（単位：A）

上記の記述中の空白箇所(ア)，(イ)，(ウ)及び(エ)に当てはまる組合せとして，正しいものを次の(1)～(5)のうちから一つ選べ．

	(ア)	(イ)	(ウ)	(エ)
(1)	混触	150	600	1線地絡
(2)	接近	200	600	許容
(3)	混触	200	400	1線地絡
(4)	接近	150	400	許容
(5)	混触	150	400	許容

解30 解答（1）

電気設備技術基準の解釈第 17 条（接地工事の種類及び施設方法）第 2 項第一号で次のように規定されている.

接地抵抗値は, 17–1 表に規定する値以下であること.

17–1 表

接地工事を施す変圧器の種類	当該変圧器の高圧側又は特別高圧側の電路と低圧側の電路との混触により, 低圧電路の対地電圧が 150 V を超えた場合に, 自動的に高圧又は特別高圧の電路を遮断する装置を設ける場合の遮断時間	接地抵抗値（Ω）
下記以外の場合		$150/I_g$
高 圧 又 は 35 000 V 以下の特別高圧の電路と低圧電路を結合するもの	1 秒を超え 2 秒以下	$300/I_g$
	1 秒以下	$600/I_g$

（備考）　I_g は, 当該変圧器の高圧側又は特別高圧側の電路の 1 線地絡電流（単位：A）

次の文章は，「電気設備技術基準の解釈」に基づき，機械器具（小規模発電設備である燃料電池発電設備を除く．）の金属製外箱等に接地工事を施さないことができる場合の記述の一部である．

a. 電気用品安全法の適用を受ける ⌷ア⌷ の機械器具を施設する場合

b. 低圧用の機械器具に電気を供給する電路の電源側に ⌷イ⌷ （2次側線間電圧が300〔V〕以下であって，容量が3〔kV·A〕以下のものに限る．）を施設し，かつ，当該 ⌷イ⌷ の負荷側の電路を接地しない場合

c. 水気のある場所以外の場所に施設する低圧用の機械器具に電気を供給する電路に，電気用品安全法の適用を受ける漏電遮断器（定格感度電流が ⌷ウ⌷ 〔mA〕以下，動作時間が ⌷エ⌷ 秒以下の電流動作型のものに限る．）を施設する場合

上記の記述中の空白箇所(ア)，(イ)，(ウ)及び(エ)に当てはまる組合せとして，正しいものを次の(1)～(5)のうちから一つ選べ．

	(ア)	(イ)	(ウ)	(エ)
(1)	2重絶縁の構造	絶縁変圧器	15	0.3
(2)	2重絶縁の構造	絶縁変圧器	15	0.1
(3)	過負荷保護装置付	絶縁変圧器	30	0.3
(4)	過負荷保護装置付	単巻変圧器	30	0.1
(5)	過負荷保護装置付	単巻変圧器	50	0.1

解31 解答 (2)

　電気設備技術基準の解釈第29条では"機械器具の金属製外箱等の接地"について定めており，金属製外箱（電路に施設する機械器具の金属製の台および外箱）には，29-1表に規定する接地工事を施すこととなっている．

29-1 表

機械器具の使用電圧の区分		接地工事
低　圧	300〔V〕以下	D 種接地工事
	300〔V〕超過	C 種接地工事
高圧又は特別高圧		A 種接地工事

　ただし，次のいずれかに該当する場合は，金属製外箱等の接地工事を施さないことができる．

1．交流の対地電圧が 150〔V〕以下又は直流の使用電圧が 300〔V〕以下の機械器具を，乾燥した場所に施設する場合
2．低圧用の機械器具を乾燥した木製の床その他これに類する絶縁性のものの上で取り扱うように施設する場合
3．電気用品安全法の適用を受ける 2 重絶縁の構造の機械器具を施設する場合
4．低圧用の機械器具に電気を供給する電路の電源側に絶縁変圧器（2 次側線間電圧が 300〔V〕以下であって，容量が 3〔kV·A〕以下のものに限る．）を施設し，かつ，当該絶縁変圧器の負荷側の電路を接地しない場合
5．水気のある場所以外の場所に施設する低圧用の機械器具に電気を供給する電路に，電気用品安全法の適用を受ける漏電遮断器（定格感度電流が 15〔mA〕以下，動作時間が 0.1 秒以下の電流動作型のものに限る．）を施設する場合
6．金属製外箱等の周囲に適当な絶縁台を設ける場合
7．外箱のない計器用変成器がゴム，合成樹脂その他の絶縁物で被覆したものである場合

（以下　省略）

問32 Check! ☐☐☐ （平成25年 Ⓐ問題6）

　次の文章は、「電気設備技術基準の解釈」に基づく、高圧又は特別高圧の電路に施設する過電流遮断器に関する記述の一部である。

a. 電路に ア を生じたときに作動するものにあっては、これを施設する箇所を通過する ア 電流を遮断する能力を有すること。

b. その作動に伴いその イ 状態を表示する装置を有すること。ただし、その イ 状態を容易に確認できるものは、この限りでない。

c. 過電流遮断器として高圧電路に施設する包装ヒューズ（ヒューズ以外の過電流遮断器と組み合わせて1の過電流遮断器として使用するものを除く。）は、定格電流の ウ 倍の電流に耐え、かつ、2倍の電流で エ 分以内に溶断するものであること。

d. 過電流遮断器として高圧電路に施設する非包装ヒューズは、定格電流の オ 倍の電流に耐え、かつ、2倍の電流で2分以内に溶断するものであること。

　上記の記述中の空白箇所(ア)、(イ)、(ウ)、(エ)及び(オ)に当てはまる組合せとして、正しいものを次の(1)～(5)のうちから一つ選べ。

	(ア)	(イ)	(ウ)	(エ)	(オ)
(1)	短絡	異常	1.5	90	1.5
(2)	過負荷	開閉	1.3	150	1.5
(3)	短絡	開閉	1.3	120	1.25
(4)	過負荷	異常	1.5	150	1.25
(5)	過負荷	開閉	1.3	120	1.5

解32　解答 (3)

　電気設備技術基準の解釈第34条では "高圧又は特別高圧の電路に施設する過電流遮断器の性能等" について定めており，次に適合することとしている．

1．電路に短絡を生じたときに作動するものにあっては，これを施設する箇所を通過する短絡電流を遮断する能力を有すること．

2．その作動に伴いその開閉状態を表示する装置を有すること．ただし，その開閉状態を容易に確認できるものは，この限りでない．

　第34条第2項では "過電流遮断器として高圧電路に施設する包装ヒューズの性能等" について定めており，次のいずれかのものであることとしている．

1．定格電流の1.3倍の電流に耐え，かつ，2倍の電流で120分以内に溶断するもの

2．日本電気技術規格委員会が承認した規格の「高圧限流ヒューズ」に適合すること．

　第34条第3項では "過電流遮断器として高圧電路に施設する非包装ヒューズの性能等" について定めており，定格電流の1.25倍の電流に耐え，かつ，2倍の電流で2分以内に溶断するものであることとしている．

　高圧・特別高圧電路の過電流遮断器の性能について上記したが，低圧電路に施設する過電流遮断器の性能等については，電気設備技術基準の解釈第33条で定めている．

　低圧か高圧・特別高圧か，過電流遮断器を使用するか限流ヒューズを使用するかで規定されている遮断性能が異なる．表にまとめると，**第1表**，**第2表**のようになるから違いを理解しておこう．

第1表　低圧電路の過電流遮断器の遮断性能（定格電流が30〔A〕以下の場合）

過電流遮断器として使用する配線用遮断器		
通過電流	定格電流の1.25倍	定格電流の2倍
動作時間	60分以内に動作	2分以内に動作
過電流遮断器として使用するヒューズ		
通過電流	定格電流の1.6倍	定格電流の2倍
動作時間	60分以内に溶断	2分以内に溶断

第2表　高圧・特別高圧電路の過電流遮断器の遮断性能

過電流遮断器		
動作時間	規定なし	
過電流遮断器として高圧電路に使用する包装ヒューズ		
通過電流	定格電流の1.3倍	定格電流の2倍
動作時間	耐える（溶断しない）	120分以内に溶断
過電流遮断器として高圧電路に使用する非包装ヒューズ		
通過電流	定格電流の1.25倍	定格電流の2倍
動作時間	耐える（溶断しない）	2分以内に溶断

問33　Check! ☐☐☐

「電気設備技術基準の解釈」に基づく地絡遮断装置の施設に関する記述について，次の(a)及び(b)の問に答えよ．

(a)　金属製外箱を有する使用電圧が 60 V を超える低圧の機械器具に接続する電路には，電路に地絡を生じたときに自動的に電路を遮断する装置を原則として施設しなければならないが，この装置を施設しなくてもよい場合として，誤っているものを次の(1)～(5)のうちから一つ選べ．

(1)　機械器具に施された C 種接地工事又は D 種接地工事の接地抵抗値が 3 Ω 以下の場合

(2)　電路の系統電源側に絶縁変圧器（機械器具側の線間電圧が 300 V 以下のものに限る．）を施設するとともに，当該絶縁変圧器の機械器具側の電路を非接地とする場合

(3)　機械器具内に電気用品安全法の適用を受ける過電流遮断器を取り付け，かつ，電源引出部が損傷を受けるおそれがないように施設する場合

(4)　機械器具に簡易接触防護措置（金属製のものであって，防護措置を施す機械器具と電気的に接続するおそれがあるもので防護する方法を除く．）を施す場合

(5)　機械器具を乾燥した場所に施設する場合

(b)　高圧又は特別高圧の電路には，下表の左欄に掲げる箇所又はこれに近接する箇所に，同表中欄に掲げる電路に地絡を生じたときに自動的に電路を遮断する装置を施設すること．ただし，同表右欄に掲げる場合はこの限りでない．

　　表内の下線部(ア)から(ウ)のうち，誤っているものを次の(1)～(5)のうちから一つ選べ．

表

地絡遮断装置を施設する箇所	電　路	地絡遮断装置を施設しなくても良い場合
発電所，蓄電所又は変電所若しくはこれに準ずる場所の引出口	発電所，蓄電所又は変電所若しくはこれに準ずる場所から引出される電路	発電所，蓄電所又は変電所相互間の電線路が，いずれか一方の発電所，蓄電所又は変電所の母線の延長とみなされるものである場合において，計器用変成器を母線に施設すること等により，当該電線路に地絡を生じた場合に電源側(ア)の回路を遮断する装置を施設するとき
他の者から供給を受ける受電点	受電点の負荷側の電路	他の者から供給を受ける電気を全てその受電点に属する受電場所において変成し，又は使用する場合
配電用変圧器（単巻変圧器を除く．）の施設箇所	配電用変圧器の負荷側の電路	配電用変圧器の電源側(イ)に地絡を生じた場合に，当該配電用変圧器の施設箇所の電源側(ウ)の発電所，蓄電所又は変電所で当該電路を遮断する装置を施設するとき

　上記表において，引出口とは，常時又は事故時において，発電所又は変電所若しくはこれに準ずる場所から電線路へ電流が流出する場所をいう．

(1) (ア)のみ

(2) (イ)のみ

(3) (ウ)のみ

(4) (ア)と(イ)の両方

(5) (イ)と(ウ)の両方

解33　解答 (a)−(3), (b)−(2)

(a)　電気設備技術基準の解釈第36条（地絡遮断装置の施設）第1項に関する出題で, (3)の記述が誤りで, 正しくは次のように規定している.

第1項第六号

　　機械器具内に電気用品安全法の適用を受ける漏電遮断器を取り付け, かつ, 電源引出部が損傷を受けるおそれがないように施設する場合

(b)　電気設備の技術基準の解釈第36条第4項からの出題で, 次のように規定されている.

電気設備技術基準の解釈第36条第4項

　　高圧又は特別高圧の電路には, 36−1表の左欄に掲げる箇所又はこれに近接する箇所に, 同表中欄に掲げる電路に地絡を生じたときに自動的に電路を遮断する装置を施設すること. ただし, 同表右欄に掲げる場合はこの限りでない.

36−1表

地絡遮断装置を施設する箇所	電　路	地絡遮断装置を施設しなくても良い場合
発電所, 蓄電所又は変電所若しくはこれに準ずる場所の引出口	発電所, 蓄電所又は変電所若しくはこれに準ずる場所から引出される電路	発電所, 蓄電所又は変電所相互間の電線路が, いずれか一方の発電所, 蓄電所又は変電所の母線の延長とみなされるものである場合において, 計器用変成器を母線に施設すること等により, 当該電線路に地絡を生じた場合に電源側の電路を遮断する装置を施設するとき
他の者から供給を受ける受電点	受電点の負荷側の電路	他の者から供給を受ける電気を全てその受電点に属する受電場所において変成し, 又は使用する場合
配電用変圧器（単巻変圧器を除く.）の施設箇所	配電用変圧器の負荷側の電路	配電用変圧器の負荷側に地絡を生じた場合に, 当該配電用変圧器の施設箇所の電源側の発電所, 蓄電所又は変電所で当該電路を遮断する装置を施設するとき

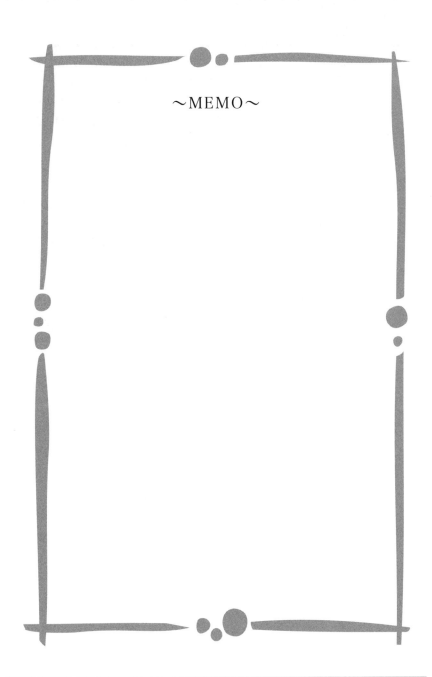

~MEMO~

次の文章は，「電気設備技術基準の解釈」における分散型電源の低圧連系時及び高圧連系時の施設要件に関する記述である．

a） 単相3線式の低圧の電力系統に分散型電源を連系する場合において，　(ア)　の不平衡により中性線に最大電流が生じるおそれがあるときは，分散型電源を施設した構内の電路であって，負荷及び分散型電源の並列点よりも　(イ)　に，3極に過電流引き外し素子を有する遮断器を施設すること．

b） 低圧の電力系統に逆変換装置を用いずに分散型電源を連系する場合は，　(ウ)　を生じさせないこと．

ただし，逆変換装置を用いて分散型電源を連系する場合と同等の単独運転検出及び解列ができる場合は，この限りでない．

c） 高圧の電力系統に分散型電源を連系する場合は，分散型電源を連系する配電用変電所の　(エ)　において，逆向きの潮流を生じさせないこと．ただし，当該配電用変電所に保護装置を施設する等の方法により分散型電源と電力系統との協調をとることができる場合は，この限りではない．

上記の記述中の空白箇所(ア)～(エ)に当てはまる組合せとして，正しいものを次の(1)～(5)のうちから一つ選べ．

	(ア)	(イ)	(ウ)	(エ)
(1)	負荷	系統側	逆潮流	配電用変圧器
(2)	負荷	負荷側	逆潮流	引出口
(3)	負荷	系統側	逆充電	配電用変圧器
(4)	電源	負荷側	逆充電	引出口
(5)	電源	系統側	逆潮流	配電用変圧器

解34 解答 (1)

電気設備技術基準の解釈第226条 (低圧連系時の施設要件) および第228条 (高圧連系時の施設要件) からの出題で, それぞれ次のように規定されている.

a), b)　第226条

1　単相3線式の低圧の電力系統に分散型電源を連系する場合において, **負荷**の不平衡により中性線に最大電流が生じるおそれがあるときは, 分散型電源を施設した構内の電路であって, 負荷及び分散型電源の並列点よりも**系統側**に, 3極に過電流引き外し素子を有する遮断器を施設すること.

2　低圧の電力系統に逆変換装置を用いずに分散型電源を連系する場合は, **逆潮流**を生じさせないこと.

　　ただし, 逆変換装置を用いて分散型電源を連系する場合と同等の単独運転検出及び解列ができる場合は, この限りでない.

c)　第228条

1　高圧の電力系統に分散型電源を連系する場合は, 分散型電源を連系する配電用変電所の**配電用変圧器**において, 逆向きの潮流を生じさせないこと. ただし, 当該配電用変電所に保護装置を施設する等の方法により分散型電源と電力系統との協調をとることができる場合は, この限りではない.

問35 Check! ☐☐☐ (令和5年㊤ ❹ 問題7)

次の文章は，「電気設備技術基準の解釈」における分散型電源の低圧連系時及び高圧連系時の施設要件に関する記述である．

a) 単相3線式の低圧の電力系統に分散型電源を連系する場合において，| (ア) |の不平衡により中性線に最大電流が生じるおそれがあるときは，分散型電源を施設した構内の電路であって，負荷及び分散型電源の並列点よりも| (イ) |に，3極に過電流引き外し素子を有する遮断器を施設すること．

b) 低圧の電力系統に逆変換装置を用いずに分散型電源を連系する場合は，| (ウ) |を生じさせないこと．ただし，逆変換装置を用いて分散型電源を連系する場合と同等の単独運転検出及び解列ができる場合は，この限りではない．

c) 高圧の電力系統に分散型電源を連系する場合は，分散型電源を連系する配電用変電所の| (エ) |において，逆向きの潮流を生じさせないこと．ただし，当該配電用変電所に保護装置を施設する等の方法により分散型電源と電力系統との協調をとることができる場合は，この限りではない．

上記の記述中の空白箇所(ア)～(エ)に当てはまる組合せとして，正しいものを次の(1)～(5)のうちから一つ選べ．

	(ア)	(イ)	(ウ)	(エ)
(1)	負荷	系統側	逆潮流	配電用変圧器
(2)	負荷	負荷側	逆潮流	引出口
(3)	負荷	系統側	逆充電	配電用変圧器
(4)	電源	負荷側	逆充電	引出口
(5)	電源	系統側	逆潮流	配電用変圧器

解35 解答（1）

　電気設備技術基準の解釈第226条（低圧連系時の施設要件）と第228条（高圧連系時の施設要件）の条文からの出題である．

第226条　単相3線式の低圧の電力系統に分散型電源を連系する場合において，**負荷**の不平衡により中性線に最大電流が生じるおそれがあるときは，分散型電源を施設した構内の電路であって，負荷及び分散型電源の並列点よりも**系統**側に，3極に過電流引き外し素子を有する遮断器を施設すること．

2　低圧の電力系統に逆変換装置を用いずに分散型電源を連系する場合は，**逆潮流**を生じさせないこと．

　（以下省略）

　電気設備技術基準第14条（過電流からの電線及び電気機械器具の保護対策）および電気設備技術基準第20条（電線路等の感電又は火災の防止）の関連である．

第228条　高圧の電力系統に分散型電源を連系する場合は，分散型電源を連系する配電用変電所の**配電用変圧器**において，逆向きの潮流を生じさせないこと．ただし，当該配電用変電所に保護装置を施設する等の方法により分散型電源と電力系統との協調をとることができる場合は，この限りではない．

　電気設備技術基準第18条（電気設備による供給支障の防止）および電気設備技術基準第20条（電線路等の感電又は火災の防止）の関連である．

　配電用変電所に大量の太陽光発電所が連系されることがあり，休日等の軽負荷時に逆潮流があることから，配電用変電所にて逆潮流対策を施すことがある．

問36 **Check!** □□□

次の文章は，「電気設備技術基準の解釈」に基づく高圧連系時の系統連系用保護装置に関する記述である．

「逆変換装置を用いて連系する場合」において，「逆潮流有りの場合」の保護リレー等は，次によること．

表に規定する保護リレー等を受電点その他異常の検出が可能な場所に設置すること．

表　高圧連系時の保護リレー

検出する異常	種類	補足事項
［ア］ 異常上昇	過電圧リレー	※1
［ア］ 異常低下	不足電圧リレー	※1
［イ］ 短絡事故	不足電圧リレー	※2
［イ］ 地絡事故	［ウ］ リレー	※3
	周波数上昇リレー	※4
［エ］	周波数低下リレー	
	転送遮断装置又は ［エ］ 検出装置	※5　※6

※1：分散型電源自体の保護用に設置するリレーにより検出し，保護できる場合は省略できる．

※2：［ア］ 異常低下検出用の不足電圧リレーにより検出し，保護できる場合は省略できる．

※3：構内低圧線に連系する場合であって，分散型電源の出力が受電電力に比べて極めて小さく，［エ］ 検出装置等により高速に ［エ］ を検出し，分散型電源を停止又は解列する場合又は地絡方向継電装置付き高圧交流負荷開閉器から，零相電圧を ［ウ］ リレーに取り込む場合は，省略できる．

※4：専用線と連系する場合は，省略できる．

※5：転送遮断装置は，分散型電源を連系している配電線の配電用変電所の遮断器の遮断信号を，電力保安通信線又は電気通信事業者の専用回線で伝送し，分散型電源を解列することができるものであること．

※6：［エ］ 検出装置は，能動的方式を1方式以上含むものであって，次の全てを満たすものであること．

a)　系統のインピーダンスや負荷の状態等を考慮し，必要な時間内に確実に検出することができること．

b)　頻繁な不要解列を生じさせない検出感度であること．

c)　能動信号は，系統への影響が実態上問題とならないものであること．

　上記の記述中の空白箇所(ア)〜(エ)に当てはまる組合せとして，正しいものを次の(1)〜(5)のうちから一つ選べ．

	(ア)	(イ)	(ウ)	(エ)
(1)	発電電圧	系統側	電流差動	単独運転
(2)	発電電圧	系統側	地絡過電圧	逆充電
(3)	系統電圧	発電側	電流差動	逆充電
(4)	系統電圧	発電側	地絡過電圧	単独運転
(5)	発電電圧	系統側	地絡過電圧	単独運転

解36 解答 (5)

電気設備技術基準の解釈第229条【高圧連系時の系統連系用保護装置】第三号のうち「逆変換装置を用いて連系する場合」において「逆潮流有りの場合」の保護リレーに関する出題で，229-1表のように規定されている.

229-1表（抜粋）

検出する異常	種類	補足事項
発電電圧異常上昇	過電圧リレー	※1
発電電圧異常低下	不足電圧リレー	※1
系統側短絡事故	不足電圧リレー	※2
系統側地絡事故	地絡過電圧リレー	※3
単独運転	周波数上昇リレー	※4
	周波数低下リレー	
	転送遮断装置又は単独運転検出装置	※5 ※6

※1：分散型電源自体の保護用に設置するリレーにより検出し，保護できる場合は省略できる.

※2：発電電圧異常低下検出用の不足電圧リレーにより検出し，保護できる場合は省略できる.

※3：構内低圧線に連系する場合であって，分散型電源の出力が受電電力に比べて極めて小さく，単独運転検出装置等により高速に単独運転を検出し，分散型電源を停止又は解列する場合又は地絡方向継電装置付き高圧交流負荷開閉器から，零相電圧を地絡過電圧リレーに取り込む場合は，省略できる.

※4：専用線と連系する場合は，省略できる.

※5：転送遮断装置は，分散型電源を連系している配電線の配電用変電所の遮断器の遮断信号を，電力保安通信線又は電気通信事業者の専用回線で伝送し，分散型電源を解列することのできるものであること.

※6：単独運転検出装置は，能動的方式を1方式以上含むものであって，次の全てを満たすものであること. なお，地域独立系統に連系する場合は，当該系統おいても単独運転検出ができるものであること.

(1) 系統のインピーダンスや負荷の状態等を考慮し，必要な時間内に確実に検出することができること.

(2) 頻繁な不要解列を生じさせない検出感度であること.

(3) 能動信号は，系統への影響が実態上問題とならないものであること.

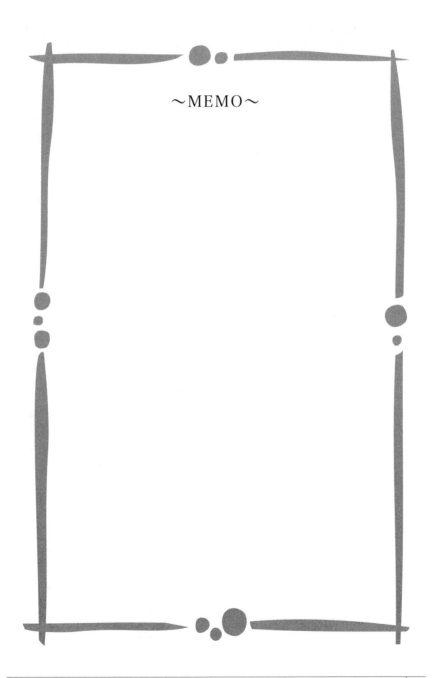

~MEMO~

次の文章は,「電気設備技術基準の解釈」に基づく低圧連系時の系統連系用保護装置に関する記述である.

低圧の電力系統に分散型電源を連系する場合は,次により,異常時に分散型電源を自動的に ア するための装置を施設すること.

a 次に掲げる異常を保護リレー等により検出し,分散型電源を自動的に ア すること.

① 分散型電源の異常又は故障

② 連系している電力系統の短絡事故,地絡事故又は高低圧混触事故

③ 分散型電源の イ 又は逆充電

b 一般送配電事業者又は配電事業者が運用する電力系統において再閉路が行われる場合は,当該再閉路時に,分散型電源が当該電力系統から ア されていること.

c 「逆変換装置を用いて連系する場合」において,「逆潮流有りの場合」の保護リレー等は,次によること.

表に規定する保護リレー等を受電点その他異常の検出が可能な場所に設置すること.

表

検出する異常	種類	補足事項
発電電圧異常上昇	過電圧リレー	※1
発電電圧異常低下	ウ リレー	※1
系統側短絡事故	ウ リレー	※2
系統側地絡事故・高低圧混触事故(間接)	イ 検出装置	※3
イ 又は逆充電	イ 検出装置	
	エ 上昇リレー	
	エ 低下リレー	

※1:分散型電源自体の保護用に設置するリレーにより検出し,保護できる場合は省略できる.

※2:発電電圧異常低下検出用の ウ リレーにより検出し,保護できる場合は省略できる.

※3:受動的方式及び能動的方式のそれぞれ1方式以上を含むものであること.系統側地絡事故・高低圧混触事故(間接)については, イ 検出用の受動的方式等により保護すること.

　上記の記述中の空白箇所(ア), (イ), (ウ)及び(エ)に当てはまる組合せとして, 正しいものを次の(1)～(5)のうちから一つ選べ.

	(ア)	(イ)	(ウ)	(エ)
(1)	解列	単独運転	不足電力	周波数
(2)	遮断	自立運転	不足電圧	電力
(3)	解列	単独運転	不足電圧	周波数
(4)	遮断	単独運転	不足電圧	電力
(5)	解列	自立運転	不足電力	電力

解37 解答 (3)

電気設備技術基準の解釈第 227 条（低圧連系時の系統連系用保護装置）第 1 項第一号，第二号および第三号からの出題で，次のように規定されている．

第 227 条 低圧の電力系統に分散型電源を連系する場合は，次の各号により，異常時に分散型電源を自動的に解列するための装置を施設すること．

一 次に掲げる異常を保護リレー等により検出し，分散型電源を自動的に解列すること．

　イ 分散型電源の異常又は故障

　ロ 連系している電力系統の短絡事故，地絡事故又は高低圧混触事故

　ハ 分散型電源の単独運転又は逆充電

二 一般送配電事業者又は配電事業者が運用する電力系統において再閉路が行われる場合は，当該再閉路時に，分散型電源が当該電力系統から解列されていること．

三 保護リレー等は，次によること．

　イ 227–1 表に規定する保護リレー等を受電点その他異常の検出が可能な場所に設置すること．

227-1 表

保護リレー等		逆変換装置を用いて連系する場合
検出する異常	種類	逆潮流有りの場合
発電電圧異常上昇	過電圧リレー	○※2
発電電圧異常低下	不足電圧リレー	○※2
系統側短絡事故	不足電圧リレー	○※3
	短絡方向リレー	
系統側地絡事故・高低圧混触事故（間接）	単独運転検出装置	○※4
単独運転又は逆充電	単独運転検出装置	
	逆充電検出機能を有する装置	
	周波数上昇リレー	○
	周波数低下リレー	○
	逆電力リレー	
	不足電力リレー	

※1：逆変換装置を用いて連系する分散型電源と同等の単独運転検出及び解列ができる場合に限る.

※2：分散型電源自体の保護用に設置するリレーにより検出し，保護できる場合は省略できる.

※3：発電電圧異常低下検出用の不足電圧リレーにより検出し，保護できる場合は省略できる.

※4：受動的方式及び能動的方式のそれぞれ1方式以上を含むものであること.
　　系統側地絡事故・高低圧混触事故（間接）については，単独運転検出用の受動的方式等により保護すること.

問38 Check! □□□

次の文章は，「電気設備技術基準の解釈」に基づく分散型電源の高圧連系時の系統連系用保護装置に関する記述である．

高圧の電力系統に分散型電源を連系する場合は，次により，異常時に分散型電源を自動的に解列するための装置を施設すること．

a) 次に掲げる異常を保護リレー等により検出し，分散型電源を自動的に解列すること．

  ① 分散型電源の異常又は故障

  ② 連系している電力系統の ｜ (ア) ｜

  ③ 分散型電源の単独運転

b) ｜ (イ) ｜ 又は配電事業者が運用する電力系統において再閉路が行われる場合は，当該再閉路時に，分散型電源が当該電力系統から解列されていること．

c) 「逆変換装置を用いて連系する場合」において，「逆潮流有りの場合」の保護リレー等は，次によること．

表に規定する保護リレー等を受電点その他故障の検出が可能な場所に設置すること．

検出する異常	保護リレー等の種類
発電電圧異常上昇	過電圧リレー
発電電圧異常低下	不足電圧リレー
系統側短絡事故	不足電圧リレー
系統側地絡事故	｜ (ウ) ｜ リレー
単独運転	周波数上昇リレー
	周波数低下リレー
	転送遮断装置又は単独運転検出装置

上記の記述中の空白箇所(ア)〜(ウ)に当てはまる組合せとして，正しいものを次の(1)〜(5)のうちから一つ選べ．

	(ア)	(イ)	(ウ)
(1)	短絡事故又は地絡事故	一般送配電事業者	欠相
(2)	短絡事故又は地絡事故	発電事業者	地絡過電圧
(3)	高低圧混触事故	一般送配電事業者	地絡過電圧
(4)	高低圧混触事故	発電事業者	欠相
(5)	短絡事故又は地絡事故	一般送配電事業者	地絡過電圧

解38 解答 (5)

　電気設備技術基準の解釈第229条（高圧連系時の系統連系用保護装置）第一号から第三号の出題で，それぞれ次のように規定されている．

　高圧の電力系統に分散型電源を連系する場合は，次の各号により，異常時に分散型電源を自動的に解列するための装置を施設すること．

一　次に掲げる異常を保護リレー等により検出し，分散型電源を自動的に解列すること．

　　イ　分散型電源の異常又は故障

　　ロ　連系している電力系統の**短絡事故又は地絡事故**

　　ハ　分散型電源の単独運転

二　**一般送配電事業者**又は配電事業者が運用する電力系統において再閉路が行われる場合は，当該再閉路時に，分散型電源が当該電力系統から解列されていること．

三　保護リレー等は，次によること．

　（逆変換装置を用いて連系する場合で，逆潮流ありの場合のみ抜粋）

検出する異常	保護リレーなどの種類
発電電圧異常上昇	過電圧リレー
発電電圧異常低下	不足電圧リレー
系統側短絡事故	不足電圧リレー
系統側地絡事故	**地絡過電圧**リレー
単独運転	周波数上昇リレー
	周波数低下リレー
	転送遮断装置又は単独運転検出装置

問39　Check! ☐☐☐

次の文章は，「電気設備技術基準の解釈」における分散型電源の高圧連系時の系統連系用保護装置に関する記述の一部である．

高圧の電力系統に分散型電源を連系する場合は，次のa〜cにより，異常時に分散型電源を自動的に解列するための装置を設置すること．

a　次に掲げる異常を保護リレー等により検出し，分散型電源を自動的に解列すること．

(a)　分散型電源の異常又は故障

(b)　連系している電力系統の短絡事故又は地絡事故

(c)　分散型電源の│　(ア)　│

b　一般送配電事業者が運用する電力系統において│　(イ)　│が行われる場合は，当該│　(イ)　│時に，分散型電源が当該電力系統から解列されていること．

c　分散型電源の解列は，次によること．

(a)　次のいずれかで解列すること．

①　受電用遮断器

②　分散型電源の出力端に設置する遮断器又はこれと同等の機能を有する装置

③　分散型電源の│　(ウ)　│用遮断器

④　母線連絡用遮断器

(b)　複数の相に保護リレーを設置する場合は，いずれかの相で異常を検出した場合に解列すること．

上記の記述中の空白箇所(ア)，(イ)及び(ウ)に当てはまる組合せとして，正しいものを次の(1)〜(5)のうちから一つ選べ．

	(ア)	(イ)	(ウ)
(1)	単独運転	系統切り替え	連絡
(2)	過出力	再閉路	保護
(3)	単独運転	系統切り替え	保護
(4)	過出力	系統切り替え	連絡
(5)	単独運転	再閉路	連絡

解39 解答 (5)

電気設備技術基準の解釈第229条（高圧連系時の系統連系用保護装置）第一号，第二号及び第四号からの出題で，次のように規定されている.

高圧の電力系統に分散型電源を連系する場合は，次の各号により，異常時に分散型電源を自動的に解列するための装置を施設すること.

一　次に掲げる異常を保護リレー等により検出し，分散型電源を自動的に解列すること.

イ　分散型電源の異常又は故障

ロ　連系している電力系統の短絡事故又は地絡事故

ハ　分散型電源の単独運転

二　一般送配電事業者が運用する電力系統において再閉路が行われる場合は，当該再閉路時に，分散型電源が当該電力系統から解列されていること.

三　省略

四　分散型電源の解列は，次によること.

イ　次のいずれかで解列すること.

(イ)　受電用遮断器

(ロ)　分散型電源の出力端に設置する遮断器又はこれと同等の機能を有する装置

(ハ)　分散型電源の連絡用遮断器

(ニ)　母線連絡用遮断器

ロ　前号ロの規定により複数の相に保護リレーを設置する場合は，いずれかの相で異常を検出した場合に解列すること.

問40 Check! ☐☐☐

次の文章は，「電気設備技術基準」における公害等の防止に関する記述の一部である．

a 発電用 ［ア］ 設備に関する技術基準を定める省令の公害の防止についての規定は，変電所，開閉所若しくはこれらに準ずる場所に設置する電気設備又は電力保安通信設備に附属する電気設備について準用する．

b 中性点 ［イ］ 接地式電路に接続する変圧器を設置する箇所には，絶縁油の構外への流出及び地下への浸透を防止するための措置が施されていなければならない．

c 急傾斜地の崩壊による災害の防止に関する法律の規定により指定された急傾斜地崩壊危険区域内に施設する発電所，蓄電所又は変電所，開閉所若しくはこれらに準ずる場所の電気設備，電線路又は電力保安通信設備は，当該区域内の急傾斜地の崩壊 ［ウ］ するおそれがないように施設しなければならない．

d ポリ塩化ビフェニルを含有する ［エ］ を使用する電気機械器具及び電線は，電路に施設してはならない．

上記の記述中の空白箇所(ア)，(イ)，(ウ)及び(エ)に当てはまる組合せとして，正しいものを次の(1)〜(5)のうちから一つ選べ．

	(ア)	(イ)	(ウ)	(エ)
(1)	電気	直接	による損傷が発生	冷却材
(2)	火力	抵抗	を助長し又は誘発	絶縁油
(3)	電気	直接	を助長し又は誘発	冷却材
(4)	電気	抵抗	による損傷が発生	絶縁油
(5)	火力	直接	を助長し又は誘発	絶縁油

解40 解答 (5)

電気設備技術基準第19条（公害等の防止）第1項，第10項，第13項および第14項からの出題で，次のように規定されている．

電気設備技術基準第19条

発電用火力設備に関する技術基準を定める省令（平成9年通商産業省令第51号）第4条（*公害防止）第1項及び第2項の規定は，変電所，開閉所若しくはこれらに準ずる場所に設置する電気設備又は電力保安通信設備に附属する電気設備について準用する．

10　中性点直接接地式電路に接続する変圧器を設置する箇所には，絶縁油の構外への流出及び地下への浸透を防止するための措置が施されていなければならない．

13　急傾斜地の崩壊による災害の防止に関する法律（昭和44年法律第57号）第3条第1項の規定により指定された急傾斜地崩壊危険区域（以下「急傾斜地崩壊危険区域」という．）内に施設する発電所，蓄電所又は変電所，開閉所若しくはこれらに準ずる場所の電気設備，電線路又は電力保安通信設備は，当該区域内の急傾斜地（同法第2条第1項の規定によるものをいう．）の崩壊を助長し又は誘発するおそれがないように施設しなければならない．

14　ポリ塩化ビフェニルを含有する絶縁油を使用する電気機械器具及び電線は，電路に施設してはならない．

問41 Check! ☐☐☐

（平成24年 Ⓐ問題3）

次のaからcの文章は，電気設備に係る公害等の防止に関する記述の一部である．

「電気事業法」並びに「電気設備技術基準」及び「電気設備技術基準の解釈」に基づき，適切なものと不適切なものの組合せとして，正しいものを次の(1)〜(5)のうちから一つ選べ．

a．電気事業法において，電気工作物の工事，維持及び運用を規制するのは，公共の安全を確保し，及び環境の保全を図るためである．

b．変電所，開閉所若しくはこれらに準ずる場所に設置する，大気汚染防止法に規定するばい煙発生施設（一定の燃焼能力以上のガスタービン及びディーゼル機関）から発生するばい煙の排出に関する規制については，電気設備技術基準など電気事業法の相当規定の定めるところによることとなっている．

c．電気機械器具であって，ポリ塩化ビフェニルを含有する絶縁油を使用するものは，新しく電路に施設してはならない．ただし，この規制が施行された時点で現に電路に施設されていたものは，一度取り外しても，それを流用，転用するため新たに電路に施設することができる．

	a	b	c
(1)	適切	適切	適切
(2)	適切	適切	不適切
(3)	適切	不適切	不適切
(4)	不適切	適切	適切
(5)	不適切	不適切	適切

解41 解答 (2)

a. 電気事業法第1条（目的）で次のように規定されており，適切である.

　この法律は，電気事業の運営を適正かつ合理的ならしめることによって，電気の使用者の利益を保護し，及び電気事業の健全な発達を図るとともに，電気工作物の工事，維持及び運用を規制することによって，公共の安全を確保し，及び環境の保全を図ることを目的とする.

b. 電気設備技術基準第19条（公害等の防止）第1項で次のように規定されており，適切である.

　発電用火力設備に関する技術基準を定める省令（平成9年通商産業省令第51号）第4条第1項及び第2項の規定は，変電所，開閉所若しくはこれらに準ずる場所に設置する電気設備又は電力保安通信設備に附属する電気設備について準用する.

c. 電気設備技術基準第19条（公害等の防止）第14項で次のように規定されており，新設または既設流用に係わらず施設を禁じているので不適切である.

　ポリ塩化ビフェニルを含有する絶縁油を使用する電気機械器具及び電線は，電路に施設してはならない.

　また，附則において，別に告示する地域ごとの期限（2018年3月31日〜2022年3月31日）の翌日より，高濃度PCB含有電気工作物の使用を禁止しており，現在施設されているものも順次使用できなくなる.（一般送配電事業，送電事業，特定送配電事業および特定の発電事業用の柱上変圧器を除く）

次の文章は、「電気設備技術基準の解釈」における、低圧架空引込線の施設に関する記述の一部である。

a. 電線は、ケーブルである場合を除き、引張強さ ［ア］ 〔kN〕以上のもの又は直径 2.6 〔mm〕以上の硬銅線とする。ただし、径間が ［イ］ 〔m〕以下の場合に限り、引張強さ 1.38 〔kN〕以上のもの又は直径 2 〔mm〕以上の硬銅線を使用することができる。

b. 電線の高さは、次によること。

① 道路（車道と歩道の区別がある道路にあっては、車道）を横断する場合は、路面上 ［ウ］ 〔m〕（技術上やむを得ない場合において交通に支障のないときは ［エ］ 〔m〕）以上

② 鉄道又は軌道を横断する場合は、レール面上 ［オ］ 〔m〕以上

上記の記述中の空白箇所(ア)、(イ)、(ウ)、(エ)及び(オ)に当てはまる組合せとして、正しいものを次の(1)～(5)のうちから一つ選べ。

	(ア)	(イ)	(ウ)	(エ)	(オ)
(1)	2.30	20	5	4	5.5
(2)	2.00	15	4	3	5
(3)	2.30	15	5	3	5.5
(4)	2.35	15	5	4	6
(5)	2.00	20	4	3	5

解42 解答 (3)

電気設備技術基準の解釈第116条（低圧架空引込線等の施設）第1項第二号，第六号からの出題で，次のように規定されている．

1 低圧架空引込線は，次の各号により施設すること．

二 電線は，ケーブルである場合を除き，引張強さ2.30〔kN〕以上のもの又は直径2.6〔mm〕以上の硬銅線であること．ただし，径間が15〔m〕以下の場合に限り，引張強さ1.38〔kN〕以上のもの又は直径2〔mm〕以上の硬銅線を使用することができる．

六 電線の高さは，下表に規定する値以上であること．

区　　　分		高　　さ
道路（歩行の用にのみ供される部分を除く.）を横断する場合	技術上やむを得ない場合において交通に支障のないとき	路面上3〔m〕
	その他の場合	路面上5〔m〕
鉄道又は軌道を横断する場合		レール面上5.5〔m〕
横断歩道橋の上に施設する場合		横断歩道橋の路面上3〔m〕
上記以外の場合	技術上やむを得ない場合において交通に支障のないとき	地表上2.5〔m〕
	その他の場合	地表上4〔m〕

問43　Check! ☐☐☐　　　　　　　（令和4年㊤　Ⓐ 問題4）

「電気設備技術基準の解釈」に基づく高圧屋側電線路（高圧引込線の屋側部分を除く．）の施設に関する記述として，誤っているものを次の(1)～(5)のうちから一つ選べ．

(1)　展開した場所に施設した．

(2)　電線はケーブルとした．

(3)　屋外であることから，ケーブルを地表上2.3 mの高さに，かつ，人が通る場所から手を伸ばしても触れることのない範囲に施設した．

(4)　ケーブルを造営材の側面に沿って被覆を損傷しないよう垂直に取付け，その支持点間の距離を6 m以下とした．

(5)　ケーブルを収める防護装置の金属製部分にA種接地工事を施した．

解43 解答 (3)

高圧屋側電線路の施設からの出題である.

(3)は「ケーブルには，接触防護措置を施すこと.」に関する内容である.

電気設備技術基準の解釈第 1 条（用語の定義）第 1 項第三十六号

三十六　接触防護措置　次のいずれかに適合するように施設することをいう.

　イ　設備を，屋内にあっては床上 2.3 m 以上，屋外にあっては地表上 2.5 m
　　　以上の高さに，かつ，人が通る場所から手を伸ばしても触れることのない範
　　　囲に施設すること.

　ロ　設備に人が接近又は接触しないよう，さく，へい等を設け，又は設備を金
　　　属管に収める等の防護措置を施すこと.

電気設備技術基準の解釈第 111 条（高圧屋側電線路の施設）

（省略）

2　高圧屋側電線路は，次の各号により施設すること.

一　展開した場所に施設すること.

二　第 145 条第 2 項の規定に準じて施設すること.

三　電線は，ケーブルであること.

四　ケーブルには，接触防護措置を施すこと.

五　ケーブルを造営材の側面又は下面に沿って取り付ける場合は，ケーブルの支
　　持点間の距離を 2 m（垂直に取り付ける場合は，6 m）以下とし，かつ，その
　　被覆を損傷しないように取り付けること.

（省略）

七　管その他のケーブルを収める防護装置の金属製部分，金属製の電線接続箱及
　　びケーブルの被覆に使用する金属体には，これらのものの防食措置を施した部
　　分及び大地との間の電気抵抗値が 10 Ω 以下である部分を除き，A 種接地工事
　　（接触防護措置を施す場合は，D 種接地工事）を施すこと.

（省略）

問44 Check! ☐☐☐　　　　　　　　（平成26年 Ⓐ 問題9）

　　次の文章は，「電気設備技術基準の解釈」における，高圧屋側電
線路を施設する場合の記述の一部である．

　　高圧屋側電線路は，次により施設すること．

a.　 (ア) 場所に施設すること．

b.　電線は， (イ) であること．

c.　 (イ) には，接触防護措置を施すこと．

d.　 (イ) を造営材の側面又は下面に沿って取り付ける場合は，
　　 (イ) の支持点間の距離を (ウ) m（垂直に取り付ける場合は，
　　 (エ) m）以下とし，かつ，その被覆を損傷しないように取り付
　　けること．

　　上記の記述中の空白箇所(ア)，(イ)，(ウ)及び(エ)に当てはまる組合せと
して，正しいものを次の(1)〜(5)のうちから一つ選べ．

	(ア)	(イ)	(ウ)	(エ)
(1)	点検できる隠蔽	ケーブル	1.5	5
(2)	展開した	ケーブル	2	6
(3)	展開した	絶縁電線	2.5	6
(4)	点検できる隠蔽	絶縁電線	1.5	4
(5)	展開した	ケーブル	2	10

解44 解答 (2)

電気設備技術基準の解釈第111条（高圧屋側電線路の施設）第2項第一号，第三号，第四号および第五号からの出題で，次のように規定されている.

2　高圧屋側電線路は，次の各号により施設すること.

一　展開した場所に施設すること.

三　電線は，ケーブルであること.

四　ケーブルには，接触防護措置を施すこと.

五　ケーブルを造営材の側面又は下面に沿って取り付ける場合は，ケーブルの支持点間の距離を2〔m〕（垂直に取り付ける場合は，6〔m〕）以下とし，かつ，その被覆を損傷しないように取り付けること.

問45 Check! ☐☐☐

（令和6年⊕ Ⓐ問題6）

次の文章は，「電気設備技術基準の解釈」に基づく高圧架空引込線の施設に関する記述の一部である．

a) 電線は，次のいずれかのものであること．

① 引張強さ 8.01 kN 以上のもの又は直径 ［ ア ］ mm 以上の硬銅線を使用する，高圧絶縁電線又は特別高圧絶縁電線

② ［ イ ］ 用高圧絶縁電線

③ ケーブル

b) 電線が絶縁電線である場合は，がいし引き工事により施設すること．

c) 電線の高さは，「低高圧架空電線の高さ」の規定に準じること．ただし，次に適合する場合は，地表上 ［ ウ ］ m 以上とすることができる．

① 次の場合以外であること．

・道路を横断する場合

・鉄道又は軌道を横断する場合

・横断歩道橋の上に施設する場合

② 電線がケーブル以外のものであるときは，その電線の ［ エ ］ に危険である旨の表示をすること．

上記の記述中の空白箇所(ア)～(エ)に当てはまる組合せとして，正しいものを次の(1)～(5)のうちから一つ選べ．

	(ア)	(イ)	(ウ)	(エ)
(1)	5	引下げ	2.5	下方
(2)	4	引下げ	3.5	近傍
(3)	4	引上げ	2.5	近傍
(4)	5	引下げ	3.5	下方
(5)	5	引上げ	5	下方

解45 解答 (4)

電気設備技術基準の解釈第117条【高圧架空引込線等の施設】第1項第一号，第二号および第四号からの出題で，次のように規定されている．

高圧架空引込線は，次の各号により施設すること．

一　電線は，次のいずれかのものであること．

　　イ　引張強さ8.01 kN以上のもの又は直径5 mm以上の硬銅線を使用する，高圧絶縁電線又は特別高圧絶縁電線

　　ロ　引下げ用高圧絶縁電線

　　ハ　ケーブル

二　電線が絶縁電線である場合は，がいし引き工事により施設すること．

三　省略

四　電線の高さは，第68条第1項の規定に準じること．ただし，次に適合する場合は，地表上3.5 m以上とすることができる．

　　イ　次の場合以外であること．

　　　(イ)　道路を横断する場合

　　　(ロ)　鉄道又は軌道を横断する場合

　　　(ハ)　横断歩道橋の上に施設する場合

　　ロ　電線がケーブル以外のものであるときは，その電線の下方に危険である旨の表示をすること．

以下省略

次の文章は，「電気設備技術基準の解釈」に基づく高圧架空引込線の施設に関する記述の一部である．

a 電線は，次のいずれかのものであること．

　① 引張強さ 8.01 kN 以上のもの又は直径 ［ ア ］ mm 以上の硬銅線を使用する，高圧絶縁電線又は特別高圧絶縁電線

　② ［ イ ］用高圧絶縁電線

　③ ケーブル

b 電線が絶縁電線である場合は，がいし引き工事により施設すること．

c 電線の高さは，「低高圧架空電線の高さ」の規定に準じること．ただし，次に適合する場合は，地表上 ［ ウ ］ m 以上とすることができる．

　① 次の場合以外であること．

　　・道路を横断する場合

　　・鉄道又は軌道を横断する場合

　　・横断歩道橋の上に施設する場合

　② 電線がケーブル以外のものであるときは，その電線の ［ エ ］ に危険である旨の表示をすること．

上記の記述中の空白箇所(ア)，(イ)，(ウ)及び(エ)に当てはまる組合せとして，正しいものを次の(1)〜(5)のうちから一つ選べ．

	(ア)	(イ)	(ウ)	(エ)
(1)	5	引下げ	2.5	下方
(2)	4	引下げ	3.5	近傍
(3)	4	引上げ	2.5	近傍
(4)	5	引上げ	5	下方
(5)	5	引下げ	3.5	下方

解46 解答 (5)

電気設備技術基準の解釈第117条（高圧架空引込線等の施設）第1項第一号，第二号および第四号からの出題で，次のように規定されている．

高圧架空引込線は，次の各号により施設すること．

一　電線は，次のいずれかのものであること．

　イ　引張強さ8.01 kN以上のもの又は直径5 mm以上の硬銅線を使用する，高圧絶縁電線又は特別高圧絶縁電線

　ロ　引下げ用高圧絶縁電線

　ハ　ケーブル

二　電線が絶縁電線である場合は，がいし引き工事により施設すること．

四　電線の高さは，第68条(*低高圧架空電線の高さ)第1項の規定に準じること．ただし，次に適合する場合は，地表上3.5 m以上とすることができる．

　イ　次の場合以外であること．

　　(イ)　道路を横断する場合

　　(ロ)　鉄道又は軌道を横断する場合

　　(ハ)　横断歩道橋の上に施設する場合

　ロ　電線がケーブル以外のものであるときは，その電線の下方に危険である旨の表示をすること．

問47 Check! □□□

（平成30年 Ⓐ 問題7）

　　次の文章は，「電気設備技術基準の解釈」における架空電線路の支持物の昇塔防止に関する記述である．

　　架空電線路の支持物に取扱者が昇降に使用する足場金具等を施設する場合は，地表上 ［ ア ］ m 以上に施設すること．ただし，次のいずれかに該当する場合はこの限りでない．

a　足場金具等が ［ イ ］ できる構造である場合

b　支持物に昇塔防止のための装置を施設する場合

c　支持物の周囲に取扱者以外の者が立ち入らないように，さく，へい等を施設する場合

d　支持物を山地等であって人が ［ ウ ］ 立ち入るおそれがない場所に施設する場合

　　上記の記述中の空白箇所(ア)，(イ)及び(ウ)に当てはまる組合せとして，正しいものを次の(1)～(5)のうちから一つ選べ．

	(ア)	(イ)	(ウ)
(1)	2.0	内部に格納	頻繁に
(2)	2.0	取り外し	頻繁に
(3)	2.0	内部に格納	容易に
(4)	1.8	取り外し	頻繁に
(5)	1.8	内部に格納	容易に

解47 解答 (5)

電気設備技術基準の解釈第53条（架空電線路の支持物の昇塔防止）第1項からの出題で，次のように規定されている．

架空電線路の支持物に取扱者が昇降に使用する足場金具等を施設する場合は，地表上 1.8 m 以上に施設すること．ただし，次の各号のいずれかに該当する場合はこの限りでない．

一　足場金具等が内部に格納できる構造である場合

二　支持物に昇塔防止のための装置を施設する場合

三　支持物の周囲に取扱者以外の者が立ち入らないように，さく，へい等を施設する場合

四　支持物を山地等であって人が容易に立ち入るおそれがない場所に施設する場合

問48 Check! ☐☐☐ (令和5年㊦ Ⓐ 問題6)

架空電線路の支持物に，取扱者が昇降に使用する足場金具等を地表上 1.8 m 未満に施設することができる場合として，「電気設備技術基準の解釈」に基づき，不適切なものを次の(1)～(5)のうちから一つ選べ．

(1) 監視装置を施設する場合

(2) 足場金具等が内部に格納できる構造である場合

(3) 支持物に昇塔防止のための装置を施設する場合

(4) 支持物の周囲に取扱者以外の者が立ち入らないように，さく，へい等を施設する場合

(5) 支持物を山地等であって人が容易に立ち入るおそれがない場所に施設する場合

問49 Check! ☐☐☐ (平成24年 Ⓐ 問題7)

架空電線路の支持物に，取扱者が昇降に使用する足場金具等を地表上 1.8 〔m〕未満に施設することができる場合として，「電気設備技術基準の解釈」に基づき，不適切なものを次の(1)～(5)のうちから一つ選べ．

(1) 監視装置を施設する場合

(2) 足場金具等が内部に格納できる構造である場合

(3) 支持物に昇塔防止のための装置を施設する場合

(4) 支持物の周囲に取扱者以外の者が立ち入らないように，さく，へい等を施設する場合

(5) 支持物を山地等であって人が容易に立ち入るおそれがない場所に施設する場合

解48 解答 (1)

電気設備技術基準の解釈第53条【架空電線路の支持物の昇塔防止】に関する出題で，次のように規定されている．

架空電線路の支持物に取扱者が昇降に使用する足場金具等を施設する場合は，地表上 1.8 m 以上に施設すること．ただし，次の各号のいずれかに該当する場合はこの限りでない．

一　足場金具等が内部に格納できる構造である場合

二　支持物に昇塔防止のための装置を施設する場合

三　支持物の周囲に取扱者以外の者が立ち入らないように，さく，へい等を施設する場合

四　支持物を山地等であって人が容易に立ち入るおそれがない場所に施設する場合

したがって，(1)の「監視装置を施設する場合」は規定されていないので，これが誤りである．

解49 解答 (1)

電気設備技術基準の解釈第53条（架空電線路の支持物の昇塔防止）に関する出題で，次のように規定されている．

架空電線路の支持物に取扱者が昇降に使用する足場金具等を施設する場合は，地表上 1.8 〔m〕以上に施設すること．ただし，次の各号のいずれかに該当する場合はこの限りでない．

一　足場金具等が内部に格納できる構造である場合

二　支持物に昇塔防止のための装置を施設する場合

三　支持物の周囲に取扱者以外の者が立ち入らないように，さく，へい等を施設する場合

四　支持物を山地等であって人が容易に立ち入るおそれがない場所に施設する場合

したがって，(1)の監視装置を施設する場合は規定されていないので，これが不適切なものである．

問50

Check! ☐☐☐

次の文章は，低高圧架空電線の高さ及び建造物等との離隔距離に関する記述である．その記述内容として，「電気設備技術基準の解釈」に基づき，不適切なものを次の(1)～(5)のうちから一つ選べ．

(1)　高圧架空電線を車両の往来が多い道路の路面上7mの高さに施設した．

(2)　低圧架空電線にケーブルを使用し，車両の往来が多い道路の路面上5mの高さに施設した．

(3)　建造物の屋根（上部造営材）から1.2m上方に低圧架空電線を施設するために，電線にケーブルを使用した．

(4)　高圧架空電線の水面上の高さは，船舶の航行等に危険を及ぼさないようにした．

(5)　高圧架空電線を，平時吹いている風等により，植物に接触しないように施設した．

解50 解答 (2)

電気設備技術基準の解釈第68条（低高圧架空電線の高さ），第71条（低高圧架空電線と建造物との接近）および第79条（低高圧架空電線と植物との接近）からの出題で，(2)の記述が誤りである．

(1), (2) 第68条第1項で，「道路（車両の往来がまれであるもの及び歩行の用にのみ供される部分を除く.）を横断する場合」の高さは，「路面上6m以上」とすることが規定されており，(1)の記述は正しいが，(2)の記述は誤りである．

(3) 第71条第1項第二号で，低圧架空電線又は高圧架空電線と建造物の造営材との離隔距離について，架空電線がケーブルである場合，上部造営材の上方との離隔距離は1m以上と規定しているので，この記述は正しい．

(4) 第68条第2項で，「低圧架空電線又は高圧架空電線を水面上に施設する場合は，電線の水面上の高さを船舶の航行等に危険を及ぼさないように保持すること.」と規定しているので，この記述は正しい．

(5) 第79条第1項で，「低圧架空電線又は高圧架空電線は，平時吹いている風等により，植物に接触しないように施設すること.」と規定しているので，この記述は正しい．

問51 Check! ☐☐☐

次の文章は，「電気設備技術基準の解釈」に基づく発電所等への取扱者以外の者の立入の防止に関する記述である．

高圧又は特別高圧の機械器具及び母線等（以下，「機械器具等」という．）を屋外に施設する発電所，蓄電所又は変電所，開閉所若しくはこれらに準ずる場所は，次により構内に取扱者以外の者が立ち入らないような措置を講じること．ただし，土地の状況により人が立ち入るおそれがない箇所については，この限りでない．

a　さく，へい等を設けること．

b　特別高圧の機械器具等を施設する場合は，上記 a のさく，へい等の高さと，さく，へい等から充電部分までの距離との和は，表に規定する値以上とすること．

充電部分の使用電圧の区分	さく，へい等の高さと，さく，へい等から充電部分までの距離との和
35 000 V 以下	⟨ア⟩ m
35 000 V を超え 160 000 V 以下	⟨イ⟩ m

c　出入口に立入りを ⟨ウ⟩ する旨を表示すること．

d　出入口に ⟨エ⟩ 装置を施設して ⟨エ⟩ する等，取扱者以外の者の出入りを制限する措置を講じること．

上記の記述中の空白箇所⟨ア⟩，⟨イ⟩，⟨ウ⟩及び⟨エ⟩に当てはまる組合せとして，正しいものを次の(1)～(5)のうちから一つ選べ．

	⟨ア⟩	⟨イ⟩	⟨ウ⟩	⟨エ⟩
(1)	5	6	禁止	施錠
(2)	5	6	禁止	監視
(3)	4	5	確認	施錠
(4)	4	5	禁止	施錠
(5)	4	5	確認	監視

解51 解答（1）

電気設備技術基準の解釈第38条（発電所等への取扱者以外の者の立入の防止）第1項からの出題で，次のように規定されている．

高圧又は特別高圧の機械器具及び母線等（以下，この条において「機械器具等」という．）を屋外に施設する発電所，蓄電所又は変電所，開閉所若しくはこれらに準ずる場所（以下，この条において「発電所等」という．）は，次の各号により構内に取扱者以外の者が立ち入らないような措置を講じること．ただし，土地の状況により人が立ち入るおそれがない箇所については，この限りでない．

一　さく，へい等を設けること．

二　特別高圧の機械器具等を施設する場合は，前号のさく，へい等の高さと，さく，へい等から充電部分までの距離との和は，38-1表に規定する値以上とすること．

38-1表

充電部分の使用電圧の区分	さく，へい等の高さと，さく，へい等から充電部分までの距離との和
35 000 V 以下	5 m
35 000 V を超え 160 000 V 以下	6 m
160 000 V 超過	$(6 + c)$ m

（備考）　c は，使用電圧と 160 000 V の差を 10 000 V で除した値（小数点以下を切り上げる．）に 0.12 を乗じたもの

三　出入口に立入りを禁止する旨を表示すること．

四　出入口に施錠装置を施設して施錠する等，取扱者以外の者の出入りを制限する措置を講じること．

高圧架空電線路に施設された機械器具等の接地工事の事例として，「電気設備技術基準の解釈」の規定上，不適切なものを次の(1)〜(5)のうちから一つ選べ．

(1) 高圧架空電線路に施設した避雷器（以下「LA」という．）の接地工事を 14 mm² の軟銅線を用いて施設した．

(2) 高圧架空電線路に施設された柱上気中開閉器（以下「PAS」という．）の制御装置（定格制御電圧 AC100 V）の金属製外箱の接地端子に 5.5 mm² の軟銅線を接続し，D 種接地工事を施した．

(3) 高圧架空電線路に PAS（VT・LA 内蔵形）が施設されている．この内蔵されている LA の接地線及び高圧計器用変成器（零相変流器）の 2 次側電路は，PAS の金属製外箱の接地端子に接続されている．この接地端子に D 種接地工事（接地抵抗値 70 Ω）を施した．なお，VT とは計器用変圧器である．

(4) 高圧架空電線路から電気の供給を受ける受電電力が 750 kW の需要場所の引込口に施設した LA に A 種接地工事を施した．

(5) 木柱の上であって人が触れるおそれがない高さの高圧架空電線路に施設された PAS の金属製外箱の接地端子に A 種接地工事を施した．なお，この PAS に LA は内蔵されていない．

解52 解答 (3)

(1) 高圧受電設備規定の「1160−2 接地工事の接地抵抗値及び接地線の太さ」で避雷器の接地線のサイズは $14\ mm^2$ と定めている.

(2) LA 内蔵型 PAS の場合,LA の接地と PAS 筐体の接地は共用として,A 種接地工事を施すことになる.これに対して,PAS を制御する SOG 制御箱は,電源を含め低圧になるので,D 種接地工事となるので,技術基準の解釈第 17 条第 4 項において「引張強さ 0.39 kN 以上の容易に腐食し難い金属線又は直径 1.6mm 以上の軟銅線であること.」とされている.※直径 1.6 mm $\Rightarrow 2\ mm^2$

(3) (2)で述べたとおり,VT・LA 内蔵型 PAS の場合,VT・LA の接地と PAS 筐体の接地は共用として,A 種接地工事を施すことになるので,D 種接地工事を施したとの記載は,誤りとなる.

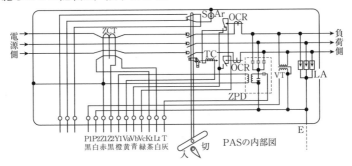

P1P2Z1Z2Y1VaVbVcKtL1 T
黒白赤黒橙黄青緑茶白灰   PASの内部図

(4) 電気設備技術基準の解釈第 37 条（避雷器等の施設）第 1 項において,「高圧架空電線路から電気の供給を受ける受電電力が 500 kW 以上の需要場所の引込口」には,「避雷器を設置する必要があり,高圧及び特別高圧の電路に施設する避雷器には,A 種接地工事を施すこと」としている.

(5) 解釈第 29 条（機械器具の金属製外箱等の接地）第 1 項

1 電路に施設する機械器具の金属製の台及び外箱（以下この条において「金属製外箱等」という.）（外箱のない変圧器又は計器用変成器にあっては,鉄心）には,使用電圧の区分に応じ,29−1 表に規定する接地工事を施すこと.ただし,外箱を充電して使用する機械器具に人が触れるおそれがないようにさくなどを設けて施設する場合又は絶縁台を設けて施設する場合は,この限りでない.

29-1 表

機械器具の使用電圧の区分		接地工事
低圧	300 V 以下	D 種接地工事
	300 V 超過	C 種接地工事
高圧又は特別高圧		A 種接地工事

次の文章は，「電気設備技術基準」の電気機械器具等からの電磁誘導作用による人の健康影響の防止における記述の一部である．

変圧器，開閉器その他これらに類するもの又は電線路を発電所，蓄電所，変電所，開閉所及び需要場所以外の場所に施設する場合に当たっては，通常の使用状態において，当該電気機械器具等からの電磁誘導作用により人の健康に影響を及ぼすおそれがないよう，当該電気機械器具等のそれぞれの付近において，人によって占められる空間に相当する空間の ⎡ (ア) ⎤ の平均値が，⎡ (イ) ⎤ において ⎡ (ウ) ⎤ 以下になるように施設しなければならない．ただし，田畑，山林その他の人の ⎡ (エ) ⎤ 場所において，人体に危害を及ぼすおそれがないように施設する場合は，この限りでない．

上記の記述中の空白箇所(ア)〜(エ)に当てはまる組合せとして，正しいものを次の(1)〜(5)のうちから一つ選べ．

	(ア)	(イ)	(ウ)	(エ)
(1)	磁束密度	全周波数	200 μT	居住しない
(2)	磁界の強さ	商用周波数	100 A/m	往来が少ない
(3)	磁束密度	商用周波数	100 μT	居住しない
(4)	磁束密度	商用周波数	200 μT	往来が少ない
(5)	磁界の強さ	全周波数	200 A/m	往来が少ない

解53 解答 (4)

　電気設備技術基準第 27 条の 2（電気機械器具等からの電磁誘導作用による人の健康影響の防止）第 1 項からの出題で，次のように規定されている．

1　変圧器，開閉器その他これらに類するもの又は電線路を発電所，変電所，蓄電所，開閉所及び需要場所以外の場所に施設するに当たっては，通常の使用状態において，当該電気機械器具等からの電磁誘導作用により人の健康に影響を及ぼすおそれがないよう，当該電気機械器具等のそれぞれの付近において，人によって占められる空間に相当する空間の**磁束密度**の平均値が，**商用周波数**において **200 μT** 以下になるように施設しなければならない．ただし，田畑，山林その他の人の**往来が少ない**場所において，人体に危害を及ぼすおそれがないように施設する場合は，この限りでない．

問54　Check! ☐☐☐

（平成27年　Ⓐ問題3）

　　次の文章は，「電気設備技術基準」における，電気機械器具等からの電磁誘導作用による影響の防止に関する記述の一部である．

　　変電所又は開閉所は，通常の使用状態において，当該施設からの電磁誘導作用により　(ア)　の　(イ)　に影響を及ぼすおそれがないよう，当該施設の付近において，　(ア)　によって占められる空間に相当する空間の　(ウ)　の平均値が，商用周波数において　(エ)　以下になるように施設しなければならない．

　　上記の記述中の空白箇所(ア)，(イ)，(ウ)及び(エ)に当てはまる組合せとして，正しいものを次の(1)～(5)のうちから一つ選べ．

	(ア)	(イ)	(ウ)	(エ)
(1)	通信設備	機能	磁界の強さ	200 A/m
(2)	人	健康	磁界の強さ	100 A/m
(3)	無線設備	機能	磁界の強さ	100 A/m
(4)	人	健康	磁束密度	200 μT
(5)	通信設備	機能	磁束密度	200 μT

解54 解答 (4)

電気設備技術基準第27条の2 (電気機械器具等からの電磁誘導作用による人の健康影響の防止) 第2項からの出題で, 次のように規定されている.

変電所又は開閉所は, 通常の使用状態において, 当該施設からの電磁誘導作用により人の健康に影響を及ぼすおそれがないよう, 当該施設の付近において, 人によって占められる空間に相当する空間の磁束密度の平均値が, 商用周波数において 200 μT 以下になるように施設しなければならない. ただし, 田畑, 山林その他の人の往来が少ない場所において, 人体に危害を及ぼすおそれがないように施設する場合は, この限りでない.

次の文章は，「電気設備技術基準の解釈」に基づく低高圧架空電線等の併架に関する記述の一部である．

低圧架空電線と高圧架空電線とを同一支持物に施設する場合は，次のいずれかによること．

a) 次により施設すること．

① 低圧架空電線を高圧架空電線の ☐ ㋐ ☐ に施設すること．

② 低圧架空電線と高圧架空電線は，別個の ☐ ㋑ ☐ に施設すること．

③ 低圧架空電線と高圧架空電線との離隔距離は， ☐ ㋒ ☐ m以上であること．ただし，かど柱，分岐柱等で混触のおそれがないように施設する場合は，この限りでない．

b) 高圧架空電線にケーブルを使用するとともに，高圧架空電線と低圧架空電線との離隔距離を ☐ ㋓ ☐ m以上とすること．

上記の記述中の空白箇所㋐～㋓に当てはまる組合せとして，正しいものを次の(1)～(5)のうちから一つ選べ．

	㋐	㋑	㋒	㋓
(1)	上	支持物	0.5	0.5
(2)	上	支持物	0.5	0.3
(3)	下	支持物	0.5	0.5
(4)	下	腕金類	0.5	0.3
(5)	下	腕金類	0.3	0.5

解55 解答 (4)

電気設備技術基準の解釈第 80 条の条文からの出題である.

電気設備技術基準の解釈第 80 条【低高圧架空電線等の併架】

低圧架空電線と高圧架空電線とを同一支持物に施設する場合は，次の各号のいずれかによること.

一　次により施設すること.

　　イ　低圧架空電線を高圧架空電線の下に施設すること.

　　ロ　低圧架空電線と高圧架空電線は，別個の**腕金類**に施設すること.

　　ハ　低圧架空電線と高圧架空電線との離隔距離は，0.5 m 以上であること. ただし，かど柱，分岐柱等で混触のおそれがないように施設する場合は，この限りでない.

二　高圧架空電線にケーブルを使用するとともに，高圧架空電線と低圧架空電線との離隔距離を 0.3 m 以上とすること.

2　低圧架空引込線を分岐するため低圧架空電線を高圧用の腕金類に堅ろうに施設する場合は，前項の規定によらないことができる.

以降省略

問56 **Check!** ☐☐☐ (令和元年 Ⓐ 問題8)

次のa～fの文章は低高圧架空電線の施設に関する記述である.

これらの文章の内容について,「電気設備技術基準の解釈」に基づき,適切なものと不適切なものの組合せとして,正しいものを次の(1)～(5)のうちから一つ選べ.

a 車両の往来が頻繁な道路を横断する低圧架空電線の高さは,路面上6m以上の高さを保持するよう施設しなければならない.

b 車両の往来が頻繁な道路を横断する高圧架空電線の高さは,路面上6m以上の高さを保持するよう施設しなければならない.

c 横断歩道橋の上に低圧架空電線を施設する場合,電線の高さは当該歩道橋の路面上3m以上の高さを保持するよう施設しなければならない.

d 横断歩道橋の上に高圧架空電線を施設する場合,電線の高さは当該歩道橋の路面上3m以上の高さを保持するよう施設しなければならない.

e 高圧架空電線をケーブルで施設するとき,他の低圧架空電線と接近又は交差する場合,相互の離隔距離は0.3m以上を保持するよう施設しなければならない.

f 高圧架空電線をケーブルで施設するとき,他の高圧架空電線と接近又は交差する場合,相互の離隔距離は0.3m以上を保持するよう施設しなければならない.

	a	b	c	d	e	f
(1)	不適切	不適切	適切	不適切	適切	適切
(2)	不適切	不適切	適切	適切	適切	不適切
(3)	適切	適切	不適切	不適切	適切	不適切
(4)	適切	不適切	適切	適切	不適切	不適切
(5)	適切	適切	適切	不適切	不適切	不適切

解56 解答 (5)

電気設備技術基準の解釈第 68 条（低高圧架空電線の高さ）第 1 項, 第 74 条（低高圧架空電線と他の低高圧架空電線路との接近又は交差）第 1 項に関する出題で, a, b, c の記述が適切で, d, e, f の記述が不適切である.

d の記述は,「横断歩道橋の上に高圧架空電線を施設する場合, 電線の高さは当該歩道橋の路面上 3.5 m 以上の高さを保持するように施設しなければならない」が正しい.（第 68 条第 1 項）

e の記述は,「高圧架空電線をケーブルで施設するとき, 他の低圧架空電線と接近又は交差する場合, 相互の離隔距離は 0.4 m 以上を保持するよう施設しなければならない」が正しい.（第 74 条第 1 項）

f の記述は,「高圧架空電線をケーブルで施設するとき, 他の高圧架空電線と接近又は交差する場合, 相互の離隔距離は 0.4 m 以上を保持するよう施設しなければならない」が正しい.（第 74 条第 1 項）

問57　Check! ☐☐☐　（令和4年⊕　Ⓐ 問題4）

　　次の文章は，「電気設備技術基準」及び「電気設備技術基準の解釈」に基づく電気供給のための電気設備の施設に関する記述である．

　　架空電線，架空電力保安通信線及び架空電車線は，　(ア)　又は　(イ)　による感電のおそれがなく，かつ，交通に支障を及ぼすおそれがない高さに施設しなければならない．

　　低圧架空電線又は高圧架空電線の高さは，道路（車両の往来がまれであるもの及び歩行の用にのみ供される部分を除く．）を横断する場合，路面上　(ウ)　m以上にしなければならない．

　　上記の記述中の空白箇所(ア)〜(ウ)に当てはまる組合せとして，正しいものを次の(1)〜(5)のうちから一つ選べ．

	(ア)	(イ)	(ウ)
(1)	通電	アーク	6
(2)	接触	誘導作用	6
(3)	通電	誘導作用	5
(4)	接触	誘導作用	5
(5)	通電	アーク	5

解57 解答 (2)

電気設備技術基準第 25 条とその解釈第 68 条の条文からの出題である.

電気設備技術基準第 25 条（架空電線等の高さ）

架空電線，架空電力保安通信線及び架空電車線は，**接触又は誘導作用**による感電のおそれがなく，かつ，交通に支障を及ぼすおそれがない高さに施設しなければならない.

2　支線は，交通に支障を及ぼすおそれがない高さに施設しなければならない.

電気設備技術基準の解釈第 68 条【低高圧架空電線の高さ】

低圧架空電線又は高圧架空電線の高さは，68-1 表に規定する値以上であること.

68-1 表

区分		高さ
道路（車両の往来がまれであるもの及び歩行の用にのみ供される部分を除く.）を横断する場合		路面上 6 m
鉄道又は軌道を横断する場合		レール面上 5.5 m
低圧架空電線を横断歩道橋の上に施設する場合		横断歩道橋の路面上 3 m
高圧架空電線を横断歩道橋の上に施設する場合		横断歩道橋の路面上 3.5 m
上記以外	屋外照明用であって，絶縁電線又はケーブルを使用した対地電圧 150V 以下のものを交通に支障のないように施設する場合	地表上 4 m
	低圧架空電線を道路以外の場所に施設する場合	地表上 4 m
	その他の場合	地表上 5 m

問58 Check! ☐☐☐

（令和2年 Ⓐ 問題4）

次の文章は，「電気設備技術基準」に基づく架空電線路からの静電誘導作用又は電磁誘導作用による感電の防止に関する記述である．

a) 特別高圧の架空電線路は，　(ア)　誘導作用により弱電流電線路（電力保安通信設備を除く.）を通じて　(イ)　に危害を及ぼすおそれがないように施設しなければならない．

b) 特別高圧の架空電線路は，通常の使用状態において，　(ウ)　誘導作用により人による感知のおそれがないよう，地表上1mにおける電界強度が　(エ)　kV/m以下になるように施設しなければならない．ただし，田畑，山林その他の人の往来が少ない場所において，　(イ)　に危害を及ぼすおそれがないように施設する場合は，この限りでない．

上記の記述中の空白箇所(ア)～(エ)に当てはまる組合せとして，正しいものを次の(1)～(5)のうちから一つ選べ．

	(ア)	(イ)	(ウ)	(エ)
(1)	電磁	人体	静電	3
(2)	静電	人体	電磁	3
(3)	静電	人体	電磁	5
(4)	静電	取扱者	電磁	5
(5)	電磁	取扱者	静電	3

解58 解答 (1)

電気設備技術基準第27条（架空電線路からの静電誘導作用又は電磁誘導作用による感電の防止）第1項および第2項からの出題で，それぞれ次のように規定されている．

a) 第2項

特別高圧の架空電線路は，**電磁誘導作用**により弱電流電線路（電力保安通信設備を除く．）を通じて**人体に危害**を及ぼすおそれがないように施設しなければならない．

b) 第1項

特別高圧の架空電線路は，通常の使用状態において，**静電誘導作用**により人による感知のおそれがないよう，地表上1mにおける電界強度が3kV/m以下になるように施設しなければならない．ただし，田畑，山林その他の人の往来が少ない場所において，**人体に危害**を及ぼすおそれがないように施設する場合は，この限りでない．

問59　Check! □□□

　　次の文章は，「電気設備技術基準の解釈」における地中電線と他の地中電線等との接近又は交差に関する記述の一部である．

　　低圧地中電線と高圧地中電線とが接近又は交差する場合，又は低圧若しくは高圧の地中電線と特別高圧地中電線とが接近又は交差する場合は，次の各号のいずれかによること．ただし，地中箱内についてはこの限りでない．

a　地中電線相互の離隔距離が，次に規定する値以上であること．
　　①　低圧地中電線と高圧地中電線との離隔距離は，　(ア)　m
　　②　低圧又は高圧の地中電線と特別高圧地中電線との離隔距離は，　(イ)　m
b　地中電線相互の間に堅ろうな　(ウ)　の隔壁を設けること．
c　　(エ)　の地中電線が，次のいずれかに該当するものである場合は，地中電線相互の離隔距離が，0 m 以上であること．
　　①　不燃性の被覆を有すること．
　　②　堅ろうな不燃性の管に収められていること．
d　　(オ)　の地中電線が，次のいずれかに該当するものである場合は，地中電線相互の離隔距離が，0 m 以上であること．
　　①　自消性のある難燃性の被覆を有すること．
　　②　堅ろうな自消性のある難燃性の管に収められていること．

　　上記の記述中の空白箇所(ア)，(イ)，(ウ)，(エ)及び(オ)に当てはまる組合せとして，正しいものを次の(1)～(5)のうちから一つ選べ．

	(ア)	(イ)	(ウ)	(エ)	(オ)
(1)	0.15	0.3	耐火性	いずれか	それぞれ
(2)	0.15	0.3	耐火性	それぞれ	いずれか
(3)	0.1	0.2	耐圧性	いずれか	それぞれ
(4)	0.1	0.2	耐圧性	それぞれ	いずれか
(5)	0.1	0.3	耐火性	いずれか	それぞれ

解59 解答（1）

　電気設備技術基準の解釈第125条（地中電線と他の地中電線等との接近又は交差）第1項第一号，第二号，第四号，第五号および第六号からの出題で，次のように規定されている．

　低圧地中電線と高圧地中電線とが接近又は交差する場合，又は低圧若しくは高圧の地中電線と特別高圧地中電線とが接近又は交差する場合は，次の各号のいずれかによること．ただし，地中箱内についてはこの限りでない．

一　低圧地中電線と高圧地中電線との離隔距離が，0.15 m以上であること．

二　低圧又は高圧の地中電線と特別高圧地中電線との離隔距離が，0.3 m以上であること．

四　地中電線相互の間に堅ろうな耐火性の隔壁を設けること．

五　いずれかの地中電線が，次のいずれかに該当するものである場合は，地中電線相互の離隔距離が，0 m以上であること．

　イ　不燃性の被覆を有すること．

　ロ　堅ろうな不燃性の管に収められていること．

六　それぞれの地中電線が，次のいずれかに該当するものである場合は，地中電線相互の離隔距離が，0 m以上であること．

　イ　自消性のある難燃性の被覆を有すること．

　ロ　堅ろうな自消性のある難燃性の管に収められていること．

問60 Check! ☐☐☐ (令和5年④ Ⓐ問題6)

次の文章は，「電気設備技術基準の解釈」における地中電線と他の地中電線等との接近又は交差に関する記述の一部である．

低圧地中電線と高圧地中電線とが接近又は交差する場合，又は低圧若しくは高圧の地中電線と特別高圧地中電線とが接近又は交差する場合は，次のいずれかによること．ただし，地中箱内についてはこの限りでない．

a) 地中電線相互の離隔距離が，次に規定する値以上であること．

① 低圧地中電線と高圧地中電線との離隔距離は，［ ⑦ ］m

② 低圧又は高圧の地中電線と特別高圧地中電線との離隔距離は，［ ⑦ ］m

b) 地中電線相互の間に堅ろうな ［ ⑦ ］ の隔壁を設けること．

c) ［ ⑦ ］ の地中電線が，次のいずれかに該当するものである場合は，地中電線相互の離隔距離が，0 m以上であること．

① 不燃性の被覆を有すること．

② 堅ろうな不燃性の管に収められていること．

d) ［ ⑦ ］ の地中電線が，次のいずれかに該当するものである場合は，地中電線相互の離隔距離が，0 m以上であること．

① 自消性のある難燃性の被覆を有すること．

② 堅ろうな自消性のある難燃性の管に収められていること．

上記の記述中の空白箇所(ア)〜(オ)に当てはまる組合せとして，正しいものを次の(1)〜(5)のうちから一つ選べ．

	(ア)	(イ)	(ウ)	(エ)	(オ)
(1)	0.15	0.3	耐火性	いずれか	それぞれ
(2)	0.15	0.3	耐火性	それぞれ	いずれか
(3)	0.1	0.2	耐圧性	いずれか	それぞれ
(4)	0.1	0.2	耐圧性	それぞれ	いずれか
(5)	0.1	0.3	耐火性	いずれか	それぞれ

解60 解答（1）

電気設備技術基準の解釈第125条（地中電線と他の地中電線等との接近又は交差）の条文からの出題である.

第125条（地中電線と他の地中電線等との接近又は交差） 低圧地中電線と高圧地中電線とが接近又は交差する場合，又は低圧若しくは高圧の地中電線と特別高圧地中電線とが接近又は交差する場合は，次の各号のいずれかによること．ただし，地中箱内についてはこの限りでない.

一 低圧地中電線と高圧地中電線との離隔距離が，0.15 m 以上であること.

二 低圧又は高圧の地中電線と特別高圧地中電線との離隔距離が，0.3 m 以上であること.

三 暗きょ内に施設し，地中電線相互の離隔距離が，0.1 m 以上であること（第120条第3項第二号イに規定する耐燃措置を施した使用電圧が 170 000 V 未満の地中電線の場合に限る.）.

四 地中電線相互の間に堅ろうな**耐火性**の隔壁を設けること.

五 **いずれか**の地中電線が，次のいずれかに該当するものである場合は，地中電線相互の離隔距離が，0 m 以上で あること.

　　イ 不燃性の被覆を有すること.

　　ロ 堅ろうな不燃性の管に収められていること.

六 **それぞれ**の地中電線が，次のいずれかに該当するものである場合は，地中電線相互の離隔距離が，0 m 以上で あること.

　　イ 自消性のある難燃性の被覆を有すること.

　　ロ 堅ろうな自消性のある難燃性の管に収められていること.

以下省略

電気設備技術基準の解釈第125条は，電気設備技術基準第30条（地中電線等による他の電線及び工作物への危険の防止）に関連している.

第30条 地中電線，屋側電線及びトンネル内電線その他の工作物に固定して施設する電線は，他の電線，弱電流電線等又は管（他の電線等という.以下この条において同じ.）と接近し，又は交さする場合には，故障時のアーク放電により他の電線等を損傷するおそれがないように施設しなければならない.ただし，感電又は火災のおそれがない場合であって，他の電線等の管理者の承諾を得た場合は，この限りでない.

問61 Check! ☐☐☐

「電気設備技術基準の解釈」に基づく地中電線路の施設に関する記述として，誤っているものを次の(1)～(5)のうちから一つ選べ．

(1) 地中電線路を管路式により施設する際，電線を収める管は，これに加わる車両その他の重量物の圧力に耐えるものとした．

(2) 高圧地中電線路を公道の下に管路式により施設する際，地中電線路の物件の名称，管理者名及び許容電流を2mの間隔で表示した．

(3) 地中電線路を暗きょ式により施設する際，暗きょは，車両その他の重量物の圧力に耐えるものとした．

(4) 地中電線路を暗きょ式により施設する際，地中電線に耐燃措置を施した．

(5) 地中電線路を直接埋設式により施設する際，車両の圧力を受けるおそれがある場所であるため，地中電線の埋設深さを1.5mとし，堅ろうなトラフに収めた．

解61 解答 (2)

電気設備技術基準の解釈第120条（地中電線路の施設）からの出題で, (2)が誤りである.

正しくは, 第2項第二号で次のように規定されている.

二 高圧又は特別高圧の地中電線路には, 次により表示を施すこと. ただし, 需要場所に施設する高圧地中電線路であって, その長さが15 m以下のものにあってはこの限りでない.

  イ 物件の名称, 管理者名及び**電圧**（需要場所に施設する場合にあっては, 物件の名称及び管理者名を除く.）を表示すること.

  ロ おおむね2 mの間隔で表示すること. ただし, 他人が立ち入らない場所又は当該電線路の位置が十分に認知できる場合は, この限りでない.

また, (1)は第2項第一号, (3)は第3項第一号, (4)は第3項第二号イ, (5)は第4項第一号, 第二号イでそれぞれ規定されている.

問62 Check! ☐☐☐ （令和5年㊦ **Ⓐ** 問題5）

次の文章は，「電気設備技術基準」における（地中電線等による他の電線及び工作物への危険の防止）及び（地中電線路の保護）に関する記述である．

a) 地中電線，屋側電線及びトンネル内電線その他の工作物に固定して施設する電線は，他の電線，弱電流電線等又は管（以下，「他の電線等」という．）と ［ ア ］ し，又は交さする場合には，故障時の ［ イ ］ により他の電線等を損傷するおそれがないように施設しなければならない．ただし，感電又は火災のおそれがない場合であって， ［ ウ ］ 場合は，この限りでない．

b) 地中電線路は，車両その他の重量物による圧力に耐え，かつ，当該地中電線路を埋設している旨の表示等により掘削工事からの影響を受けないように施設しなければならない．

c) 地中電線路のうちその内部で作業が可能なものには， ［ エ ］ を講じなければならない．

上記の記述中の空白箇所(ア)～(エ)に当てはまる組合せとして，正しいものを次の(1)～(5)のうちから一つ選べ．

	(ア)	(イ)	(ウ)	(エ)
(1)	接触	短絡電流	取扱者以外の者が容易に触れることがない	防火措置
(2)	接近	アーク放電	他の電線等の管理者の承諾を得た	防火措置
(3)	接近	アーク放電	他の電線等の管理者の承諾を得た	感電防止措置
(4)	接触	短絡電流	他の電線等の管理者の承諾を得た	防火措置
(5)	接近	短絡電流	取扱者以外の者が容易に触れることがない	感電防止措置

解62 解答 (2)

　電気設備技術基準第30条（地中電線等による他の電線及び工作物への危険の防止）および第47条（地中電線路の保護）からの出題で，次のように規定されている.

第30条（地中電線等による他の電線及び工作物への危険の防止）　地中電線，屋側電線及びトンネル内電線その他の工作物に固定して施設する電線は，他の電線，弱電流電線等又は管（他の電線等という. 以下この条において同じ.）と**接近し，又は交さする場合には，故障時のアーク放電により他の電線等を損傷**するおそれがないように施設しなければならない. ただし，感電又は火災のおそれがない場合であって，**他の電線等の管理者の承諾を得た場合**は，この限りでない.

第47条（地中電線路の保護）　地中電線路は，車両その他の重量物による圧力に耐え，かつ，当該地中電線路を埋設している旨の表示等により掘削工事からの影響を受けないように施設しなければならない.

2　地中電線路のうちその内部で作業が可能なものには，**防火措置**を講じなければならない.

問63 Check! ☐☐☐

（平成30年 Ⓐ 問題3）

次の文章は,「電気設備技術基準」における（地中電線等による他の電線及び工作物への危険の防止）及び（地中電線路の保護）に関する記述である.

a 地中電線, 屋側電線及びトンネル内電線その他の工作物に固定して施設する電線は, 他の電線, 弱電流電線等又は管（以下,「他の電線等」という.）と ［ ア ］ し, 又は交さする場合には, 故障時の ［ イ ］ により他の電線等を損傷するおそれがないように施設しなければならない. ただし, 感電又は火災のおそれがない場合であって, ［ ウ ］ 場合は, この限りでない.

b 地中電線路は, 車両その他の重量物による圧力に耐え, かつ, 当該地中電線路を埋設している旨の表示等により掘削工事からの影響を受けないように施設しなければならない.

c 地中電線路のうちその内部で作業が可能なものには, ［ エ ］ を講じなければならない.

上記の記述中の空白箇所(ア), (イ), (ウ)及び(エ)に当てはまる組合せとして, 正しいものを次の(1)～(5)のうちから一つ選べ.

	(ア)	(イ)	(ウ)	(エ)
(1)	接触	短絡電流	取扱者以外の者が容易に触れることがない	防火措置
(2)	接近	アーク放電	他の電線等の管理者の承諾を得た	防火措置
(3)	接近	アーク放電	他の電線等の管理者の承諾を得た	感電防止措置
(4)	接触	短絡電流	他の電線等の管理者の承諾を得た	防火措置
(5)	接近	短絡電流	取扱者以外の者が容易に触れることがない	感電防止措置

解63 解答 (2)

　aは電気設備技術基準第30条（地中電線等による他の電線及び工作物への危険の防止），b・cは第47条（地中電線路の保護）からの出題で，それぞれ次のように規定されている.

第30条（地中電線等による他の電線及び工作物への危険の防止）

　　地中電線，屋側電線及びトンネル内電線その他の工作物に固定して施設する電線は，他の電線，弱電流電線等又は管（他の電線等という. 以下この条において同じ.）と接近し，又は交さする場合には，故障時のアーク放電により他の電線等を損傷するおそれがないように施設しなければならない. ただし，感電又は火災のおそれがない場合であって，他の電線等の管理者の承諾を得た場合は，この限りでない.

第47条（地中電線路の保護）

　　地中電線路は，車両その他の重量物による圧力に耐え，かつ，当該地中電線路を埋設している旨の表示等により掘削工事からの影響を受けないように施設しなければならない.

2　地中電線路のうちその内部で作業が可能なものには，防火措置を講じなければならない.

問64 Check! ☐☐☐

　次の文章は，「電気設備技術基準」における高圧又は特別高圧の電気機械器具の危険の防止に関する記述である．

a)　高圧又は特別高圧の電気機械器具は，　(ア)　以外の者が容易に触れるおそれがないように施設しなければならない．ただし，接触による危険のおそれがない場合は，この限りでない．

b)　高圧又は特別高圧の開閉器，遮断器，避雷器その他これらに類する器具であって，動作時に　(イ)　を生ずるものは，火災のおそれがないよう，木製の壁又は天井その他の　(ウ)　の物から離して施設しなければならない．ただし，　(エ)　の物で両者の間を隔離した場合は，この限りでない．

　上記の記述中の空白箇所(ア)～(エ)に当てはまる組合せとして，正しいものを次の(1)～(5)のうちから一つ選べ．

	(ア)	(イ)	(ウ)	(エ)
(1)	取扱者	過電圧	可燃性	難燃性
(2)	技術者	アーク	可燃性	耐火性
(3)	取扱者	過電圧	耐火性	難燃性
(4)	技術者	アーク	耐火性	難燃性
(5)	取扱者	アーク	可燃性	耐火性

解64 解答 (5)

電気設備技術基準第9条の条文からの出題である.

高圧または特別高圧の電気機械器具の施設については, 電気設備技術基準第9条に規定されており, これにより電技解釈第21条から第25条までに離隔距離など具体的に規定されている.

第9条 (高圧又は特別高圧の電気機械器具の危険の防止)

高圧又は特別高圧の電気機械器具は, **取扱者**以外の者が容易に触れるおそれがないように施設しなければならない. ただし, 接触による危険のおそれがない場合は, この限りでない.

2　高圧又は特別高圧の開閉器, 遮断器, 避雷器その他これらに類する器具であって, 動作時に**アーク**を生ずるものは, 火災のおそれがないよう, 木製の壁又は天井その他の**可燃性**の物から離して施設しなければならない. ただし, **耐火性**の物で両者の間を隔離した場合は, この限りでない.

問65 Check! ☐☐☐

　次の文章は，「電気設備技術基準」に基づく支持物の倒壊の防止に関する記述の一部である．

　架空電線路又は架空電車線路の支持物の材料及び構造（支線を施設する場合は，当該支線に係るものを含む．）は，その支持物が支持する電線等による ［(ア)］，10 分間平均で風速 ［(イ)］ m/s の風圧荷重及び当該設置場所において通常想定される地理的条件，［(ウ)］ の変化，振動，衝撃その他の外部環境の影響を考慮し，倒壊のおそれがないよう，安全なものでなければならない．ただし，人家が多く連なっている場所に施設する架空電線路にあっては，その施設場所を考慮して施設する場合は，10 分間平均で風速 ［(イ)］ m/s の風圧荷重の ［(エ)］ の風圧荷重を考慮して施設することができる．

　上記の記述中の空白箇所(ア)，(イ)，(ウ)及び(エ)に当てはまる組合せとして，正しいものを次の(1)〜(5)のうちから一つ選べ．

	(ア)	(イ)	(ウ)	(エ)
(1)	引張荷重	60	温度	3 分の 2
(2)	重量荷重	60	気象	3 分の 2
(3)	引張荷重	40	気象	2 分の 1
(4)	重量荷重	60	温度	2 分の 1
(5)	重量荷重	40	気象	2 分の 1

解65 解答 (3)

　電気設備技術基準第 32 条（支持物の倒壊の防止）第 1 項からの出題で，次のように規定されている．

　架空電線路又は架空電車線路の支持物の材料及び構造（支線を施設する場合は，当該支線に係るものを含む．）は，その支持物が支持する電線等による**引張荷重**，10 分間平均で風速 **40 m/s の風圧荷重**及び当該設置場所において通常想定される地理的条件，**気象**の変化，振動，衝撃その他の外部環境の影響を考慮し，倒壊のおそれがないよう，安全なものでなければならない．ただし，人家が多く連なっている場所に施設する架空電線路にあっては，その施設場所を考慮して施設する場合は，10 分間平均で風速 **40 m/s の風圧荷重の 2 分の 1** の風圧荷重を考慮して施設することができる．

問66 Check! ☐☐☐

次の文章は，「電気設備技術基準」に基づく支持物の倒壊の防止に関する記述の一部である．

架空電線路又は架空電車線路の支持物の材料及び構造（支線を施設する場合は，当該支線に係るものを含む．）は，その支持物が支持する電線等による ［ア］，10分間平均で風速 ［イ］ m/sの風圧荷重及び当該設置場所において通常想定される地理的条件，［ウ］ の変化，振動，衝撃その他の外部環境の影響を考慮し，倒壊のおそれがないよう，安全なものでなければならない．ただし，人家が多く連なっている場所に施設する架空電線路にあっては，その施設場所を考慮して施設する場合は，10分間平均で風速 ［イ］ m/sの風圧荷重の ［エ］ の風圧荷重を考慮して施設することができる．

上記の記述中の空白箇所(ア)～(エ)に当てはまる組合せとして，正しいものを次の(1)～(5)のうちから一つ選べ．

	(ア)	(イ)	(ウ)	(エ)
(1)	引張荷重	60	温度	3分の2
(2)	重量荷重	60	気象	3分の2
(3)	引張荷重	40	気象	2分の1
(4)	重量荷重	60	温度	2分の1
(5)	重量荷重	40	気象	2分の1

解66 解答 (3)

電気設備技術基準第 32 条（支持物の倒壊の防止）の条文からの出題である.

第 32 条（支持物の倒壊の防止）　架空電線路又は架空電車線路の支持物の材料及び構造（支線を施設する場合は，当該支線に係るものを含む.）は，その支持物が支持する電線等による**引張荷重**，10 分間平均で風速 40 m/s の風圧荷重及び当該設置場所において通常想定される地理的条件，**気象**の変化，振動，衝撃その他の外部環境の影響を考慮し，倒壊のおそれがないよう，安全なものでなければならない. ただし，人家が多く連なっている場所に施設する架空電線路にあっては，その施設場所を考慮して施設する場合は，10 分間平均で風速 40 m/s の風圧荷重の 2 分の 1 の風圧荷重を考慮して施設することができる.

2　架空電線路の支持物は，構造上安全なものとすること等により連鎖的に倒壊のおそれがないように施設しなければならない.

電気設備技術基準第 32 条により，支持物強度の設計となる基本的な内容が定められており，風圧荷重の基礎なる最大風速 40 m/s，10 分が規定されている.

これを受け，解釈では，第 56 〜 59 条で「支持物の構成等や荷重に係るもの」，第 60 条で「架空電線路の支持物の基礎の強度等」，第 62，63 条で「架空電線路の支線の施設・径間の係るもの」等が規定されている.

解釈第 58 条（架空電線路の強度検討に用いる荷重）では，

一　風圧荷重　架空電線路の構成材に加わる風圧による荷重であって，次の規定によるもの

　イ　風圧荷重の種類は，次によること.

　　(イ)　甲種風圧荷重 58−1 表（省略）に規定する構成材の垂直投影面に加わる圧力を基礎として計算したもの，又は風速 40 m/s 以上を想定した風洞実験に基づく値より計算したもの

　　(ロ)　乙種風圧荷重　架渉線の周囲に厚さ 6 mm，比重 0.9 の氷雪が付着した状態に対し，甲種風圧荷重の 0.5 倍を基礎として計算したもの

　　(ハ)　丙種風圧荷重　甲種風圧荷重の 0.5 倍を基礎として計算したもの

　　(ニ)　着雪時風圧荷重　架渉線の周囲に比重 0.6 の雪が同心円状に付着した状態に対し，甲種風圧荷重の 0.3 倍を基礎として計算したもの

としている.

問67 Check! ☐ ☐ ☐

次の文章は，「電気設備技術基準の解釈」に基づく高圧架空電線に適用される高圧保安工事及び連鎖倒壊防止に関する記述である．

a）電線はケーブルである場合を除き，引張強さ ☐(ア) kN 以上のもの又は直径 ☐(イ) mm 以上の硬銅線であること．

b）木柱の風圧荷重に対する安全率は，2.0 以上であること．

c）支持物に木柱，A 種鉄筋コンクリート柱又は A 種鉄柱を使用する場合の径間は ☐(ウ) m 以下であること．また，支持物に B 種鉄筋コンクリート柱又は B 種鉄柱を使用する場合の径間は ☐(エ) m 以下であること（電線に引張強さ 14.51 kN 以上のもの又は断面積 38 mm² 以上の硬銅より線を使用する場合を除く.）．

d）支持物で直線路が連続している箇所において，連鎖的に倒壊するおそれがある場合は，技術上困難であるときを除き，必要に応じ，16 基以下ごとに，支線を電線路に平行な方向にその両側に設け，また，5 基以下ごとに支線を電線路と直角の方向にその両側に設けること．

上記の記述中の空白箇所(ア)～(エ)に当てはまる組合せとして，正しいものを次の(1)～(5)のうちから一つ選べ．

	(ア)	(イ)	(ウ)	(エ)
(1)	8.01	4	100	150
(2)	8.01	5	100	150
(3)	8.01	4	150	250
(4)	5.26	4	150	250
(5)	5.26	5	100	150

解67 解答 (2)

電気設備技術基準の解釈第70条（低圧保安工事，高圧保安工事および連鎖倒壊防止）第2項および第3項からの出題で，次のように規定されている．

2　高圧架空電線路の電線の断線，支持物の倒壊等による危険を防止するため必要な場合に行う，高圧保安工事は，次の各号によること．

　一　電線はケーブルである場合を除き，引張強さ8.01 kN以上のもの又は直径5 mm以上の硬銅線であること．

　二　木柱の風圧荷重に対する安全率は，2.0以上であること．

　三　径間は，70-2表によること．ただし，電線に引張強さ14.51 kN以上のもの又は断面積38 mm² 以上の硬銅より線を使用する場合であって，支持物にB種鉄筋コンクリート柱，B種鉄柱又は鉄塔を使用するときは，この限りでない．

70-2表

支持物の種類	径間
木柱，A種鉄筋コンクリート柱又はA種鉄柱	100 m以下
B種鉄筋コンクリート柱又はB種鉄柱	150 m以下
鉄塔	400 m以下

3　低圧又は高圧架空電線路の支持物で直線路が連続している箇所において，連鎖的に倒壊するおそれがある場合は，必要に応じ，16基以下ごとに，支線を電線路に平行な方向にその両側に設け，また，5基以下ごとに支線を電線路と直角の方向にその両側に設けること．ただし，技術上困難であるときは，この限りでない．

問68 **Check!** ☐☐☐ （平成 24 年 Ⓐ 問題 8 改）

次の文章は，「電気設備技術基準の解釈」に基づく，高圧架空電線路の電線の断線，支持物の倒壊等による危険を防止するため必要な場合に行う，高圧保安工事に関する記述の一部である．

a．電線は，ケーブルである場合を除き，引張強さ ［ア］ 〔kN〕以上のもの又は直径 5〔mm〕以上の ［イ］ であること．

b．木柱の ［ウ］ 荷重に対する安全率は，2.0 以上であること．

c．径間は，電線に引張強さ ［ア］ 〔kN〕のもの又は直径 5〔mm〕の ［イ］ を使用し，支持物に B 種鉄筋コンクリート柱又は B 種鉄柱を使用する場合の径間は ［エ］ 〔m〕以下であること．

上記の記述中の空白箇所(ア)，(イ)，(ウ)及び(エ)に当てはまる組合せとして，正しいものを次の(1)～(5)のうちから一つ選べ．

	(ア)	(イ)	(ウ)	(エ)
(1)	8.71	硬銅線	垂直	100
(2)	8.01	硬銅線	風圧	150
(3)	8.01	高圧絶縁電線	垂直	400
(4)	8.71	高圧絶縁電線	風圧	150
(5)	8.01	硬銅線	風圧	100

解68 解答 (2)

電気設備技術基準の解釈第70条（低圧保安工事及び高圧保安工事及び連鎖倒壊防止）第2項からの出題で，次のように規定されている.

2　高圧架空電線路の電線の断線，支持物の倒壊等による危険を防止するため必要な場合に行う，高圧保安工事は，次の各号によること.

一　電線はケーブルである場合を除き，引張強さ8.01〔kN〕以上のもの又は直径5〔mm〕以上の硬銅線であること.

二　木柱の風圧荷重に対する安全率は，2.0以上であること.

三　径間は，70-2表によること. ただし，電線に引張強さ14.51〔kN〕以上のもの又は断面積38〔mm²〕以上の硬銅より線を使用する場合であって，支持物にB種鉄筋コンクリート柱，B種鉄柱又は鉄塔を使用するときは，この限りでない.

70-2表

支持物の種類	径　間
木柱，A種鉄筋コンクリート柱又はA種鉄柱	100〔m〕以下
B種鉄筋コンクリート柱又はB種鉄柱	150〔m〕以下
鉄塔	400〔m〕以下

Check! ☐☐☐

次の文章は，「電気設備技術基準」におけるガス絶縁機器等の危険の防止に関する記述である．

発電所，蓄電所又は変電所，開閉所若しくはこれらに準ずる場所に施設するガス絶縁機器（充電部分が圧縮絶縁ガスにより絶縁された電気機械器具をいう．以下同じ．）及び開閉器又は遮断器に使用する圧縮空気装置は，次により施設しなければならない．

a 圧力を受ける部分の材料及び構造は，最高使用圧力に対して十分に耐え，かつ，［ ア ］であること．

b 圧縮空気装置の空気タンクは，耐食性を有すること．

c 圧力が上昇する場合において，当該圧力が最高使用圧力に到達する以前に当該圧力を［ イ ］させる機能を有すること．

d 圧縮空気装置は，主空気タンクの圧力が低下した場合に圧力を自動的に回復させる機能を有すること．

e 異常な圧力を早期に［ ウ ］できる機能を有すること．

f ガス絶縁機器に使用する絶縁ガスは，可燃性，腐食性及び［ エ ］性のないものであること．

上記の記述中の空白箇所(ア)，(イ)，(ウ)及び(エ)に当てはまる組合せとして，正しいものを次の(1)～(5)のうちから一つ選べ．

	(ア)	(イ)	(ウ)	(エ)
(1)	安全なもの	低下	検知	有毒
(2)	安全なもの	低下	減圧	爆発
(3)	耐火性のもの	抑制	検知	爆発
(4)	耐火性のもの	抑制	減圧	爆発
(5)	耐火性のもの	低下	検知	有毒

解69 解答（1）

電気設備技術基準第33条（ガス絶縁機器等の危険の防止）からの出題で，次のように規定されている．

電気設備技術基準第33条

発電所，蓄電所又は変電所，開閉所若しくはこれらに準ずる場所に施設するガス絶縁機器（充電部分が圧縮絶縁ガスにより絶縁された電気機械器具をいう．以下同じ．）及び開閉器又は遮断器に使用する圧縮空気装置は，次の各号により施設しなければならない．

一　圧力を受ける部分の材料及び構造は，最高使用圧力に対して十分に耐え，かつ，安全なものであること．

二　圧縮空気装置の空気タンクは，耐食性を有すること．

三　圧力が上昇する場合において，当該圧力が最高使用圧力に到達する以前に当該圧力を低下させる機能を有すること．

四　圧縮空気装置は，主空気タンクの圧力が低下した場合に圧力を自動的に回復させる機能を有すること．

五　異常な圧力を早期に検知できる機能を有すること．

六　ガス絶縁機器に使用する絶縁ガスは，可燃性，腐食性及び有毒性のないものであること．

　次の文章は，「電気設備技術基準の解釈」における架空弱電流電線路への誘導作用による通信障害の防止に関する記述の一部である．

1　低圧又は高圧の架空電線路（き電線路を除く．）と架空弱電流電線路とが ［(ア)］ する場合は，誘導作用により通信上の障害を及ぼさないように，次により施設すること．

　　a　架空電線と架空弱電流電線との離隔距離は， ［(イ)］ 以上とすること．

　　b　上記aの規定により施設してもなお架空弱電流電線路に対して誘導作用により通信上の障害を及ぼすおそれがあるときは，更に次に掲げるものその他の対策のうち1つ以上を施すこと．

　　　①　架空電線と架空弱電流電線との離隔距離を増加すること．

　　　②　架空電線路が交流架空電線路である場合は，架空電線を適当な距離で ［(ウ)］ すること．

　　　③　架空電線と架空弱電流電線との間に，引張強さ5.26 kN以上の金属線又は直径4 mm以上の硬銅線を2条以上施設し，これに ［(エ)］ 接地工事を施すこと．

　　　④　架空電線路が中性点接地式高圧架空電線路である場合は，地絡電流を制限するか，又は2以上の接地箇所がある場合において，その接地箇所を変更する等の方法を講じること．

2　次のいずれかに該当する場合は，上記1の規定によらないことができる．

　　a　低圧又は高圧の架空電線が，ケーブルである場合

　　b　架空弱電流電線が，通信用ケーブルである場合

　　c　架空弱電流電線路の管理者の承諾を得た場合

3　中性点接地式高圧架空電線路は，架空弱電流電線路と ［(ア)］ しない場合においても，大地に流れる電流の ［(オ)］ 作用により通信上の障害を及ぼすおそれがあるときは，上記1のbの①から④までに掲げるものその他の対策のうち1つ以上を施すこと．

　上記の記述中の空白箇所(ア)，(イ)，(ウ)，(エ)及び(オ)に当てはまる組合せとして，正しいものを次の(1)～(5)のうちから一つ選べ．

	(ア)	(イ)	(ウ)	(エ)	(オ)
(1)	並行	3 m	遮へい	D 種	電磁誘導
(2)	接近又は交差	2 m	遮へい	A 種	静電誘導
(3)	並行	2 m	ねん架	D 種	電磁誘導
(4)	接近又は交差	3 m	ねん架	A 種	電磁誘導
(5)	並行	3 m	ねん架	A 種	静電誘導

解70 解答 (3)

電気設備技術基準の解釈第52条（架空弱電流電線路への誘導作用による通信障害の防止）第1項，第2項および第3項からの出題で，次のように規定されている．

第52条 低圧又は高圧の架空電線路（き電線路（第201条第五号に規定するものをいう．）を除く．）と架空弱電流電線路とが並行する場合は，誘導作用により通信上の障害を及ぼさないように，次の各号により施設すること．

一 架空電線と架空弱電流電線との離隔距離は，2 m以上とすること．

二 第一号の規定により施設してもなお架空弱電流電線路に対して誘導作用により通信上の障害を及ぼすおそれがあるときは，更に次に掲げるものその他の対策のうち一つ以上を施すこと．

 イ 架空電線と架空弱電流電線との離隔距離を増加すること．

 ロ 架空電線路が交流架空電線路である場合は，架空電線を適当な距離でねん架すること．

 ハ 架空電線と架空弱電流電線との間に，引張強さ5.26 kN以上の金属線又は直径4 mm以上の硬銅線を2条以上施設し，これにD種接地工事を施すこと．

 ニ 架空電線路が中性点接地式高圧架空電線路である場合は，地絡電流を制限するか，又は2以上の接地箇所がある場合において，その接地箇所を変更する等の方法を講じること．

2 次の各号のいずれかに該当する場合は，前項の規定によらないことができる．

一 低圧又は高圧の架空電線が，ケーブルである場合

二 架空弱電流電線が，通信用ケーブルである場合

三 架空弱電流電線路の管理者の承諾を得た場合

3 中性点接地式高圧架空電線路は，架空弱電流電線路と並行しない場合においても，大地に流れる電流の電磁誘導作用により通信上の障害を及ぼすおそれがあるときは，第1項第二号イからニまでに掲げるものその他の対策のうち一つ以上を施すこと．

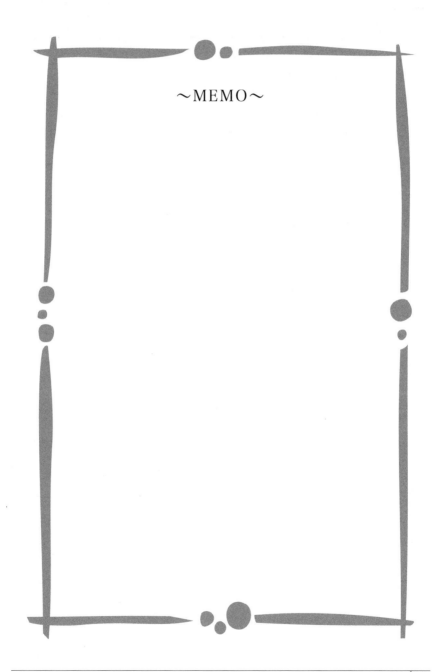

~MEMO~

問71

Check! ☐ ☐ ☐ 　　　　　　　　（令和4年⊕　Ⓐ 問題6）

　次の文章は，「電気設備技術基準」における無線設備への障害の防止に関する記述である．

　電気使用場所に施設する電気機械器具又は ア は， イ ，高周波電流等が発生することにより，無線設備の機能に ウ かつ重大な障害を及ぼすおそれがないように施設しなければならない．

　上記の記述中の空白箇所(ア)～(ウ)に当てはまる組合せとして，正しいものを次の(1)～(5)のうちから一つ選べ．

	(ア)	(イ)	(ウ)
(1)	接触電線	高調波	継続的
(2)	屋内配線	電波	一時的
(3)	接触電線	高調波	一時的
(4)	屋内配線	高調波	継続的
(5)	接触電線	電波	継続的

解71 解答 (5)

電気機械器具または接触電線による無線設備への障害の防止からの出題である.

技術基準第 67 条（電気機械器具又は接触電線による無線設備への障害の防止）

電気使用場所に施設する電気機械器具又は**接触電線**は，**電波**，高周波電流等が発生することにより，無線設備の機能に**継続的**かつ重大な障害を及ぼすおそれがないように施設しなければならない.

接触電線とは，解釈第 142 条（電気使用場所の施設及び小規模発電設備に係る用語の定義）において，次のように定められている.

七　接触電線　電線に接触してしゅう動する集電装置を介して，移動起重機，オートクリーナその他の移動して使用する電気機械器具に電気の供給を行うための電線.

問72 Check! ☐☐☐

次の文章は，「電気設備技術基準の解釈」における発電機の保護装置に関する記述である．

発電機には，次に掲げる場合に，発電機を自動的に電路から遮断する装置を施設すること．

a）発電機に ｜ (ｱ) ｜ を生じた場合

b）容量が 500 kV·A 以上の発電機を駆動する ｜ (ｲ) ｜ の圧油装置の油圧又は電動式ガイドベーン制御装置，電動式ニードル制御装置若しくは電動式デフレクタ制御装置の電源電圧が著しく ｜ (ｳ) ｜ した場合

c）容量が 100 kV·A 以上の発電機を駆動する ｜ (ｴ) ｜ の圧油装置の油圧，圧縮空気装置の空気圧又は電動式ブレード制御装置の電源電圧が著しく ｜ (ｳ) ｜ した場合

d）容量が 2 000 kV·A 以上の ｜ (ｲ) ｜ 発電機のスラスト軸受の温度が著しく上昇した場合

e）容量が 10 000 kV·A 以上の発電機の ｜ (ｵ) ｜ に故障を生じた場合

f）定格出力が 10 000 kW を超える蒸気タービンにあっては，そのスラスト軸受が著しく摩耗し，又はその温度が著しく上昇した場合

上記の記述中の空白箇所(ｱ)～(ｵ)に当てはまる組合せとして，正しいものを次の(1)～(5)のうちから一つ選べ．

	(ｱ)	(ｲ)	(ｳ)	(ｴ)	(ｵ)
(1)	過電圧	水車	上昇	風車	外部
(2)	過電圧	風車	上昇	水車	内部
(3)	過電流	水車	低下	風車	内部
(4)	過電流	風車	低下	水車	外部
(5)	過電流	水車	低下	風車	外部

解72 解答 (3)

電気設備技術基準の解釈第42条（発電機の保護装置）からの出題で，次のように規定されている．

1 発電機には，次の各号に掲げる場合に，発電機を自動的に電路から遮断する装置を施設すること．

一 発電機に**過電流**を生じた場合

二 容量が500 kV·A以上の発電機を駆動する**水車**の圧油装置の油圧又は電動式ガイドベーン制御装置，電動式ニードル制御装置若しくは電動式デフレクタ制御装置の電源電圧が著しく**低下**した場合

三 容量が100 kV·A以上の発電機を駆動する**風車**の圧油装置の油圧，圧縮空気装置の空気圧又は電動式ブレード制御装置の電源電圧が著しく**低下**した場合

四 容量が2 000 kV·A以上の**水車**発電機のスラスト軸受の温度が著しく上昇した場合

五 容量が10 000 kV·A以上の発電機の**内部**に故障を生じた場合

六 定格出力が10 000 kWを超える蒸気タービンにあっては，そのスラスト軸受が著しく摩耗し，又はその温度が著しく上昇した場合

問73　Check! □□□

（平成 28 年　Ⓐ 問題 5）

　次の文章は，「電気設備技術基準の解釈」における蓄電池の保護装置に関する記述である．

　発電所，蓄電所又は変電所若しくはこれに準ずる場所に施設する蓄電池（常用電源の停電時又は電圧低下発生時の非常用予備電源として用いるものを除く．）には，次の各号に掲げる場合に，自動的にこれを電路から遮断する装置を施設すること．

a　蓄電池に 　(ア)　 が生じた場合

b　蓄電池に 　(イ)　 が生じた場合

c　 　(ウ)　 装置に異常が生じた場合

d　内部温度が高温のものにあっては，断熱容器の内部温度が著しく上昇した場合

　上記の記述中の空白箇所(ア)，(イ)及び(ウ)に当てはまる組合せとして，正しいものを次の(1)～(5)のうちから一つ選べ．

	(ア)	(イ)	(ウ)
(1)	過電圧	過電流	制御
(2)	過電圧	地絡	充電
(3)	短絡	過電流	制御
(4)	地絡	過電流	制御
(5)	短絡	地絡	充電

解73 解答 (1)

電気設備技術基準の解釈第44条（蓄電池の保護装置）からの出題で，次のように規定されている.

発電所，蓄電所又は変電所若しくはこれに準ずる場所に施設する蓄電池（常用電源の停電時又は電圧低下発生時の非常用予備電源として用いるものを除く.）には，次の各号に掲げる場合に，自動的にこれを電路から遮断する装置を施設すること.

一　蓄電池に過電圧が生じた場合

二　蓄電池に過電流が生じた場合

三　制御装置に異常が生じた場合

四　内部温度が高温のものにあっては，断熱容器の内部温度が著しく上昇した場合

問74 **Check!** ☐☐☐ （平成23年 Ⓐ 問題5改）

　次の文章は，「電気設備技術基準」における，常時監視をしない発電所等の施設に関する記述の一部である．

a. 異常が生じた場合に人体に危害を及ぼし，若しくは物件に損傷を与えるおそれがないよう，異常の状態に応じた ア が必要となる発電所，又は一般送配電事業若しくは配電事業に係る電気の供給に著しい支障を及ぼすおそれがないよう，異常を早期に発見する必要のある発電所であって，発電所の運転に必要な イ を有する者が当該発電所又は ウ において常時監視をしないものは，施設してはならない．ただし，発電所の運転に必要な知識及び技能を有する者による当該発電所又はこれと同一の構内における常時監視と同等な監視を確実に行う発電所であって，異常が生じた場合に安全かつ確実に停止することができる措置を講じている場合は，この限りでない．

b. 上記aに掲げる発電所以外の発電所，蓄電所又は変電所（これに準ずる場所であって，100 000〔V〕を超える特別高圧の電気を変成するためのものを含む．以下同じ．）であって，発電所，蓄電所又は変電所の運転に必要な イ を有する者が当該発電所若しくは ウ 又は変電所において常時監視をしない発電所，蓄電所又は変電所は，非常用予備電源を除き，異常が生じた場合に安全かつ確実に エ することができるような措置を講じなければならない．

　上記の記述中の空白箇所(ア)，(イ)，(ウ)及び(エ)に当てはまる組合せとして，正しいものを次の(1)～(5)のうちから一つ選べ．

	(ア)	(イ)	(ウ)	(エ)
(1)	制御	経験	これと同一の構内	機能
(2)	制御	知識及び技能	これと同一の構内	停止
(3)	保護	知識及び技能	隣接の施設	停止
(4)	制御	知識	隣接の施設	機能
(5)	保護	経験及び技能	これと同一の構内	停止

解74 解答 (2)

電気設備技術基準第46条（常時監視をしない発電所等の施設）からの出題で，次のように規定されている．

1　異常が生じた場合に人体に危害を及ぼし，若しくは物件に損傷を与えるおそれがないよう，異常の状態に応じた制御が必要となる発電所，又は一般送配電事業若しくは配電事業に係る電気の供給に著しい支障を及ぼすおそれがないよう，異常を早期に発見する必要のある発電所であって，発電所の運転に必要な知識及び技能を有する者が当該発電所又はこれと同一の構内において常時監視をしないものは，施設してはならない．ただし，発電所の運転に必要な知識及び技能を有する者による当該発電所又はこれと同一の構内における常時監視と同等な監視を確実に行う発電所であって，異常が生じた場合に安全かつ確実に停止することができる措置を講じている場合は，この限りでない．

2　前項に掲げる発電所，蓄電所以外の発電所又は変電所（これに準ずる場所であって，100 000〔V〕を超える特別高圧の電気を変成するためのものを含む．以下この条において同じ．）であって，発電所，蓄電所又は変電所の運転に必要な知識及び技能を有する者が当該発電所若しくはこれと同一の構内又は変電所において常時監視をしない発電所，蓄電所又は変電所は，非常用予備電源を除き，異常が生じた場合に安全かつ確実に停止することができるような措置を講じなければならない．

「電気設備技術基準の解釈」に基づく常時監視をしない発電所の施設に関する記述として，誤っているものを次の(1)～(5)のうちから一つ選べ．

(1) 随時巡回方式の技術員は，適当な間隔において発電所を巡回し，運転状態の監視を行う．

(2) 遠隔常時監視制御方式の技術員は，制御所に常時駐在し，発電所の運転状態の監視及び制御を遠隔で行う．

(3) 水力発電所に随時巡回方式を採用する場合に，発電所の出力を3 000 kW とした．

(4) 風力発電所に随時巡回方式を採用する場合に，発電所の出力に制限はない．

(5) 太陽電池発電所に遠隔常時監視制御方式を採用する場合に，発電所の出力に制限はない．

解75　解答（3）

(3)の記述が誤りである.

電気設備技術基準の解釈第47条の2（常時監視をしない発電所の施設）第3項第一号イに関する出題で，常時監視をしない水力発電所を随時巡回方式により施設する場合は，「発電所の出力は，2 000 kW 未満であること.」と規定されている.

問76 Check! ☐☐☐ （平成27年 Ⓐ 問題6）

次の文章は，「電気設備技術基準の解釈」に基づく，常時監視をしない発電所に関する記述の一部である．

a. 随時巡回方式は，[(ア)]が，[(イ)]発電所を巡回し，[(ウ)]の監視を行うものであること．

b. 随時監視制御方式は，[(ア)]が，[(エ)]発電所に出向き，[(ウ)]の監視又は制御その他必要な措置を行うものであること．

c. 遠隔常時監視制御方式は，[(ア)]が，[(オ)]に常時駐在し，発電所の[(ウ)]の監視及び制御を遠隔で行うものであること．

上記の記述中の空白箇所(ア)，(イ)，(ウ)，(エ)及び(オ)に当てはまる組合せとして，正しいものを次の(1)～(5)のうちから一つ選べ．

	(ア)	(イ)	(ウ)	(エ)	(オ)
(1)	技術員	適当な間隔をおいて	運転状態	必要に応じて	制御所
(2)	技術員	必要に応じて	運転状態	適当な間隔をおいて	制御所
(3)	技術員	必要に応じて	計測装置	適当な間隔をおいて	駐在所
(4)	運転員	適当な間隔をおいて	計測装置	必要に応じて	駐在所
(5)	運転員	必要に応じて	計測装置	適当な間隔をおいて	制御所

解76 解答（1）

電気設備技術基準の解釈第47条の2（常時監視をしない発電所の施設）第1項第二号イ，第三号イおよび第四号イからの出題で，次のように規定されている．

技術員が当該発電所又はこれと同一の構内において常時監視をしない発電所は，次の各号によること．

一　発電所の種類に応じ，第3項から第11項までの規定により施設すること．

二　第3項から第6項まで，第8項，第9項及び第11項の規定における「随時巡回方式」は，次に適合するものであること．

　イ　技術員が，適当な間隔をおいて発電所を巡回し，運転状態の監視を行うものであること．

三　第3項から第10項までの規定における「随時監視制御方式」は，次に適合するものであること．

　イ　技術員が，必要に応じて発電所に出向き，運転状態の監視又は制御その他必要な措置を行うものであること．

四　第3項から第9項までの規定における「遠隔常時監視制御方式」は，次に適合するものであること．

　イ　技術員が，制御所に常時駐在し，発電所の運転状態の監視及び制御を遠隔で行うものであること．

問77 Check! ☐☐☐ (平成25年 Ⓐ 問題7)

次の文章は，地中電線路の施設に関する工事例である．「電気設備技術基準の解釈」に基づき，不適切なものを次の(1)～(5)のうちから一つ選べ．

(1) 電線にケーブルを使用し，かつ，暗きょ式により地中電線路を施設した．

(2) 地中電線路を管路式により施設し，電線を収める管には，これに加わる車両その他の重量物の圧力に耐える管を使用した．

(3) 地中電線路を暗きょ式により施設し，地中電線に耐燃措置を施した．

(4) 地中電線路を直接埋設式により施設し，衝撃から防護するため，地中電線を堅ろうなトラフ内に収めた．

(5) 高圧地中電線路を公道の下に管路式により埋設し，埋設表示は，物件の名称，管理者名及び電圧を，10〔m〕の間隔で表示した．

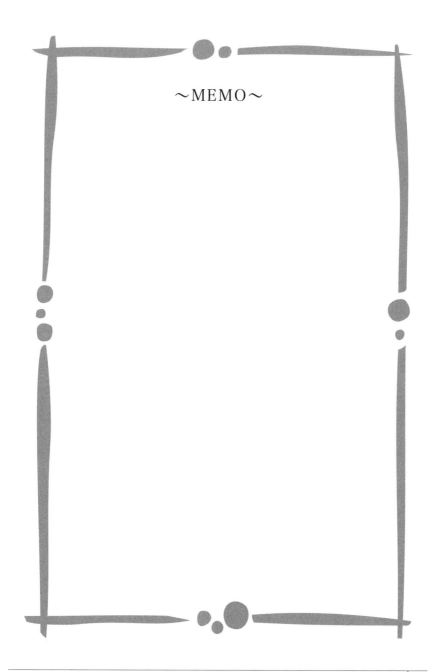

～MEMO～

解77　解答 (5)

　電気設備技術基準の解釈第120条（地中電線路の施設）からの出題である．

　第1項で，「地中電線路は，電線にケーブルを使用し，かつ，管路式，暗きょ式又は直接埋設式により施設すること」としている．したがって，(1)は適切．

　第2項で，地中電線路を管路式により施設する場合は，次によることを定めている．

一　電線を収める管は，これに加わる車両その他の重量物の圧力に耐えるものであること．

　したがって，(2)は適切．

二　高圧又は特別高圧の地中電線路には，次により表示を施すこと．

　イ．物件の名称，管理者名及び電圧（需要場所に施設する場合にあっては，物件の名称及び管理者名を除く．）を表示すること．

　ロ．おおむね2〔m〕の間隔で表示すること．ただし，他人が立ち入らない場所又は当該電線路の位置が十分に認知できる場合は，この限りでない．

　したがって，(5)は不適切．

　第3項で，地中電線路を暗きょ式により施設する場合は，次によることを定めている．

一　暗きょは，車両その他の重量物の圧力に耐えるものであること．

二　地中電線に耐燃措置を施すこと．又は，暗きょ内に自動消火設備を施設すること．

　したがって，(3)は適切．

　第4項で，地中電線路を直接埋設式により施設する場合は，次によることを定めている．

一　地中電線の埋設深さは，車両その他の重量物の圧力を受けるおそれがある場所においては1.2〔m〕以上，その他の場所においては0.6〔m〕以上であること．ただし，使用するケーブルの種類，施設条件等を考慮し，これに加わる圧力に耐えるよう施設する場合はこの限りでない．

二　地中電線を衝撃から防護するため，次のいずれかにより施設すること．

　イ．地中電線を，堅ろうなトラフその他の防護物に収めること．

　したがって，(4)は適切．

　ロ．低圧又は高圧の地中電線を，車両その他の重量物の圧力を受けるおそれがない場所に施設する場合は，地中電線の上部を堅ろうな板又はといで覆うこ

と.

ハ．地中電線に，第6項に規定するがい装を有するケーブルを使用すること．さらに，地中電線の使用電圧が特別高圧である場合は，堅ろうな板又はといで地中電線の上部及び側部を覆うこと．

ニ．地中電線に，パイプ型圧力ケーブルを使用し，かつ，地中電線の上部を堅ろうな板又はといで覆うこと．

三　第2項第二号の規定に準じ，表示を施すこと．

問78 Check! ☐☐☐

　　次の文章は，「電気設備技術基準の解釈」における，地中電線路の施設に関する記述の一部である．

a. 地中電線路を暗きょ式により施設する場合は，次のいずれかにより防火措置を施すこと．

　① 地中電線に ア を施すこと．

　② 暗きょ内に イ を施設すること．

b. 地中電線路を直接埋設式により施設する場合は，地中電線の埋設深さは，車両その他の重量物の圧力を受けるおそれがある場所においては ウ 以上，その他の場所においては エ 以上であること．ただし，使用するケーブルの種類，施設条件等を考慮し，これに加わる圧力に耐えるよう施設する場合はこの限りでない．

　　上記の記述中の空白箇所(ア)，(イ)，(ウ)及び(エ)に当てはまる語句又は数値として，正しいものを組み合わせたのは次のうちどれか．

	(ア)	(イ)	(ウ)	(エ)
(1)	堅ろうな覆い	換気装置	0.6〔m〕	0.3〔m〕
(2)	耐燃措置	自動消火設備	1.2〔m〕	0.6〔m〕
(3)	耐熱措置	換気装置	1.2〔m〕	0.3〔m〕
(4)	耐燃措置	換気装置	1.2〔m〕	0.6〔m〕
(5)	堅ろうな覆い	自動消火設備	0.6〔m〕	0.3〔m〕

問79 Check! ☐☐☐

　　「電気設備技術基準の解釈」では，高圧及び特別高圧の電路中の所定の箇所又はこれに近接する箇所には避雷器を施設することとなっている．この所定の箇所に該当するのは次のうちどれか．

(1) 発電所，蓄電所又は変電所の特別高圧地中電線引込口及び引出口

(2) 高圧側が 6〔kV〕高圧架空電線路に接続される配電用変圧器の高圧側

(3) 特別高圧架空電線路から電気の供給を受ける需要場所の引込口

(4) 特別高圧地中電線路から電気の供給を受ける需要場所の引込口

(5) 高圧架空電線路から電気の供給を受ける受電電力が 300〔kW〕の需要場所の引込口

解78 解答 (2)

　電気設備技術基準の解釈第120条（地中電線路の施設）第3項および第4項第一号からの出題で，次のように規定されている．

3　地中電線路を暗きょ式により施設する場合は，次の各号によること．

　一　暗きょは，車両その他の重量物の圧力に耐えるものであること．

　二　次のいずれかにより，防火措置を施すこと．

　　イ　次のいずれかにより，地中電線に**耐燃措置**を施すこと．

　　(イ)～(ハ)　略

　　ロ　暗きょ内に**自動消火設備**を施設すること．

4　地中電線路を直接埋設式により施設する場合は，次の各号によること．

　一　地中電線の埋設深さは，車両その他の重量物の圧力を受けるおそれがある場所においては1.2〔m〕以上，その他の場所においては0.6〔m〕以上であること．ただし，使用するケーブルの種類，施設条件等を考慮し，これに加わる圧力に耐えるよう施設する場合はこの限りでない．

解79 解答 (3)

　(3)の記述が正しい．

　電気設備技術基準の解釈第37条（避雷器等の施設）第1項からの出題で，次のように規定されている．

1　高圧及び特別高圧の電路中，次の各号に掲げる箇所又はこれに近接する箇所には，避雷器を施設すること．

　一　発電所，蓄電所又は変電所若しくはこれに準ずる場所の架空電線の引込口及び引出口

　二　架空電線路に接続する，第26条に規定する配電用変圧器の高圧側及び特別高圧側

　三　高圧架空電線路から電気の供給を受ける受電電力が500〔kW〕以上の需要場所の引込口

　四　特別高圧架空電線路から電気の供給を受ける需要場所の引込口

問80　Check! □□□

（令和3年 Ⓐ 問題4）

「電気設備技術基準の解釈」に基づく高圧及び特別高圧の電路に施設する避雷器に関する記述として，誤っているものを次の(1)〜(5)のうちから一つ選べ．ただし，いずれの場合も掲げる箇所に直接接続する電線は短くないものとする．

(1)　発電所，蓄電所又は変電所若しくはこれに準ずる場所では，架空電線の引込口（需要場所の引込口を除く．）又はこれに近接する箇所には避雷器を施設しなければならない．

(2)　発電所，蓄電所又は変電所若しくはこれに準ずる場所では，架空電線の引出口又はこれに近接する箇所には避雷器を施設することを要しない．

(3)　高圧架空電線路から電気の供給を受ける受電電力が50 kWの需要場所の引込口又はこれに近接する箇所には避雷器を施設することを要しない．

(4)　高圧架空電線路から電気の供給を受ける受電電力が500 kWの需要場所の引込口又はこれに近接する箇所には避雷器を施設しなければならない．

(5)　使用電圧が60 000 V以下の特別高圧架空電線路から電気の供給を受ける需要場所の引込口又はこれに近接する箇所には避雷器を施設しなければならない．

解80 解答 (2)

(2)の記述が誤りである.

電気設備技術基準の解釈第37条（避雷器等の施設）に基づく出題で，(2)の記述に対し，第1項第一号で次のように規定されている.

1 高圧及び特別高圧の電路中，次の各号に掲げる箇所又はこれに近接する箇所には，避雷器を施設すること.

　一　発電所，蓄電所又は変電所若しくはこれに準ずる場所の架空電線の引込口（需要場所の引込口を除く.）及び引出口

問81 Check! ☐☐☐

（平成27年 Ⓐ 問題4）

　　次の文章は、「電気設備技術基準」における高圧及び特別高圧の電路の避雷器等の施設についての記述である。

　　雷電圧による電路に施設する電気設備の損壊を防止できるよう、当該電路中次の各号に掲げる箇所又はこれに近接する箇所には、避雷器の施設その他の適切な措置を講じなければならない。ただし、雷電圧による当該電気設備の損壊のおそれがない場合は、この限りでない。

　a. 発電所、蓄電所又は　(ア)　若しくはこれに準ずる場所の架空電線引込口及び引出口

　b. 架空電線路に接続する　(イ)　であって、　(ウ)　の設置等の保安上の保護対策が施されているものの高圧側及び特別高圧側

　c. 高圧又は特別高圧の架空電線路から　(エ)　を受ける　(オ)　の引込口

　　上記の記述中の空白箇所(ア)、(イ)、(ウ)、(エ)及び(オ)に当てはまる組合せとして、正しいものを次の(1)～(5)のうちから一つ選べ。

	(ア)	(イ)	(ウ)	(エ)	(オ)
(1)	開閉所	配電用変圧器	開閉器	引込み	需要設備
(2)	変電所	配電用変圧器	過電流遮断器	供給	需要場所
(3)	変電所	配電用変圧器	開閉器	供給	需要設備
(4)	受電所	受電用設備	過電流遮断器	引込み	使用場所
(5)	開閉所	受電用設備	過電圧継電器	供給	需要場所

解81 解答 (2)

電気設備技術基準第49条（高圧及び特別高圧の電路の避雷器等の施設）からの出題で，次のように規定されている.

雷電圧による電路に施設する電気設備の損壊を防止できるよう，当該電路中次の各号に掲げる箇所又はこれに近接する箇所には，避雷器の施設その他の適切な措置を講じなければならない. ただし，雷電圧による当該電気設備の損壊のおそれがない場合は，この限りでない.

一 発電所，蓄電所又は変電所若しくはこれに準ずる場所の架空電線引込口及び引出口

二 架空電線路に接続する配電用変圧器であって，過電流遮断器の設置等の保安上の保護対策が施されているものの高圧側及び特別高圧側

三 高圧又は特別高圧の架空電線路から供給を受ける需要場所の引込口

問82 Check! ☐☐☐

　次の文章は，「電気設備技術基準」におけるサイバーセキュリティの確保に関する記述である.

　事業用電気工作物（小規模事業用電気工作物を除く.）の運転を管理する　(イ)　は，当該電気工作物が人体に危害を及ぼし，又は物件に損傷を与えるおそれ及び　(ウ)　又は配電事業に係る電気の供給に著しい支障を及ぼすおそれがないよう，サイバーセキュリティ（サイバーセキュリティ基本法（平成26年法律第104号）第2条に規定するサイバーセキュリティをいう.）を確保しなければならない.

　上記の記述中の空白箇所(ア)～(ウ)に当てはまる組合せとして，正しいものを次の(1)～(5)のうちから一つ選べ.

	(ア)	(イ)	(ウ)
(1)	発電事業	電子計算機	一般送配電事業
(2)	小売電気事業	制御装置	電気使用場所
(3)	小売電気事業	電子計算機	一般送配電事業
(4)	発電事業	制御装置	電気使用場所
(5)	小売電気事業	電子計算機	電気使用場所

解82 解答 (1)

電気設備技術基準第 15 条の 2（サイバーセキュリティの確保）からの出題である.

第 15 条の 2（サイバーセキュリティの確保）

事業用電気工作物（小規模事業用電気工作物を除く.）の運転を管理する**電子計算機**は，当該電気工作物が人体に危害を及ぼし，又は物件に損傷を与えるおそれ及び**一般送配電事業**又は配電事業に係る電気の供給に著しい支障を及ぼすおそれがないよう，サイバーセキュリティ（サイバーセキュリティ基本法（平成 26 年法律第 104 号）第 2 条に規定するサイバーセキュリティをいう.）を確保しなければならない.

電気設備技術基準の令和 4 年 6 月の改正では，サイバーセキュリティの確保義務の対象を自家用電気工作物を含む事業用電気工作物にも拡大された. これは，近年，諸外国において製鉄所などの産業施設へのサイバー攻撃も発生し，大規模な被害が生じており，また，中小企業も含む今後の電気保安分野におけるスマート化の進展も踏まえ，より幅広い事業主体に対策を求めることが必要であると考えられることから，令和 3 年 11 月および令和 4 年 1 月の産業構造審議会保安・消費生活用製品安全分科会電力安全小委員会電気保安制度 WG（第 8 回および第 9 回）において，自家用電気工作物についてもサイバーセキュリティの確保が重要とされたためである.

対象となる電気工作物は，自家用電気工作物を含む事業用電気工作物に拡大された（令和 4 年 10 月 1 日付けで施行）.

さらに，上記の事業用電気工作物は小規模事業用電気工作物を除く事業用電気工作物とされた（令和 5 年 3 月 20 日付けで施行）.

(注) 設問の ア に関しては，改正により該当する語句がなくなりました.

　次の文章は，「電気設備技術基準の解釈」に基づく，ライティングダクト工事による低圧屋内配線の施設に関する記述として，正しいものを次の(1)～(5)のうちから一つ選べ．

(1)　ダクトの支持点間の距離を2m以下で施設した．

(2)　造営材を貫通してダクト相互を接続したため，貫通部の造営材には接触させず，ダクト相互及び電線相互は堅ろうに，かつ，電気的に完全に接続した．

(3)　ダクトの開口部を上に向けたため，人が容易に触れるおそれのないようにし，ダクトの内部に塵埃が侵入し難いように施設した．

(4)　5mのダクトを人が容易に触れるおそれがある場所に施設したため，ダクトにはD種接地工事を施し，電路に地絡を生じたときに自動的に電路を遮断する装置は施設しなかった．

(5)　ダクトを固定せず使用するため，ダクトは電気用品安全法に適合した附属品でキャブタイヤケーブルに接続して，終端部は堅ろうに閉そくした．

解83 解答 (1)

電気設備技術基準の解釈第165条【特殊な低圧屋内配線工事】第3項（ライティングダクト工事）第三号，第四号，第六号，第七号および第九号に関する出題である．

(1)は，第四号で，「ダクトの支持点間の距離は，2m以下とすること．」と規定されているので正しい．

(2)は，第七号で，「ダクトは，造営材を貫通しないこと．」と規定されているので，誤りである．

(3)は，第六号で，「ダクトの開口部は，下に向けて施設すること．」と規定されているので，誤りである．

(4)は，第九号で，「ダクトの導体に電気を供給する電路には，当該電路に地絡を生じたときに自動的に電路を遮断する装置を施設すること．ただし，ダクトに簡易接触防護措置（金属製のものであって，ダクトの金属製部分と電気的に接続するおそれがあるもので防護する方法を除く．）を施す場合は，この限りでない．」と規定されているので，誤りである．

(5)は，第三号で，「ダクトは，造営材に堅ろうに取り付けること．」と規定されているため，誤りである．

問84

Check! ☐☐☐ （平成23年 Ⓐ問題9）

　「電気設備技術基準の解釈」に基づく，ライティングダクト工事による低圧屋内配線の施設に関する記述として，正しいものを次の(1)～(5)のうちから一つ選べ．

(1)　ダクトの支持点間の距離を2〔m〕以下で施設した．

(2)　造営材を貫通してダクト相互を接続したため，貫通部の造営材には接触させず，ダクト相互及び電線相互は堅ろうに，かつ，電気的に完全に接続した．

(3)　ダクトの開口部を上に向けたため，人が容易に触れるおそれのないようにし，ダクトの内部に塵埃が侵入し難いように施設した．

(4)　5〔m〕のダクトを人が容易に触れるおそれがある場所に施設したため，ダクトにはD種接地工事を施し，電路に地絡を生じたときに自動的に電路を遮断する装置は施設しなかった．

(5)　ダクトを固定せず使用するため，ダクトは電気用品安全法に適合した附属品でキャブタイヤケーブルに接続して，終端部は堅ろうに閉そくした．

解84 解答（1）

電気設備技術基準の解釈第 165 条（特殊な低圧屋内配線工事）第 3 項に関する出題である.

(1)は，第四号で，「ダクトの支持点間の距離は，2〔m〕以下とすること.」と規定されているので，正しい.

(2)は，第七号で，「ダクトは，造営材を貫通しないこと.」と規定されているので，誤りである.

(3)は，第六号で，「ダクトの開口部は，下に向けて施設すること.」と規定されているので，誤りである.

(4)は，第九号で，「ダクトの導体に電気を供給する電路には，当該電路に地絡を生じたときに自動的に電路を遮断する装置を施設すること. ただし，ダクトに簡易接触防護措置（金属製のものであって，ダクトの金属製部分と電気的に接続するおそれのあるもので防護する方法を除く.）を施す場合は，この限りでない.」と規定されているので，誤りである.

(5)は，第三号で，「ダクトは，造営材に堅ろうに取り付けること.」と規定されているので，誤りである.

問85 Check! ☐ ☐ ☐

次の文章は，「電気設備技術基準の解釈」に基づく高圧屋内配線に関する記述である．

高圧屋内配線は，　(ア)　工事（乾燥した場所であって展開した場所に限る．）又はケーブル工事により施設すること．

ケーブル工事による高圧屋内配線で，防護装置としての金属管にケーブルを収めて施設する場合には，その管に　(イ)　接地工事を施すこと．ただし，接触防護措置（金属製のものであって，防護措置を施す設備と電気的に接続するおそれがあるもので防護する方法を除く．）を施す場合は，D種接地工事によることができる．

高圧屋内配線が，他の高圧屋内配線，低圧屋内配線，管灯回路の配線，弱電流電線等又は水管，ガス管若しくはこれらに類するもの（以下この問において「他の屋内電線等」という．）と接近又は交差する場合は，次のa），b）のいずれかによること．

a）　高圧屋内配線と他の屋内電線等との離隔距離は，　(ウ)　（　(ア)　工事により施設する低圧屋内電線が裸電線である場合は，30 cm）以上であること．

b）　高圧屋内配線をケーブル工事により施設する場合においては，次のいずれかによること．

　①　ケーブルと他の屋内電線等との間に　(エ)　のある堅ろうな隔壁を設けること．

　②　ケーブルを　(エ)　のある堅ろうな管に収めること．

　③　他の高圧屋内配線の電線がケーブルであること．

上記の記述中の空白箇所(ア)～(エ)に当てはまる組合せとして，正しいものを次の(1)～(5)のうちから一つ選べ．

	(ア)	(イ)	(ウ)	(エ)
(1)	がいし引き	A種	15 cm	耐火性
(2)	合成樹脂管	C種	25 cm	耐火性
(3)	がいし引き	C種	15 cm	難燃性
(4)	合成樹脂管	A種	25 cm	難燃性
(5)	がいし引き	A種	15 cm	難燃性

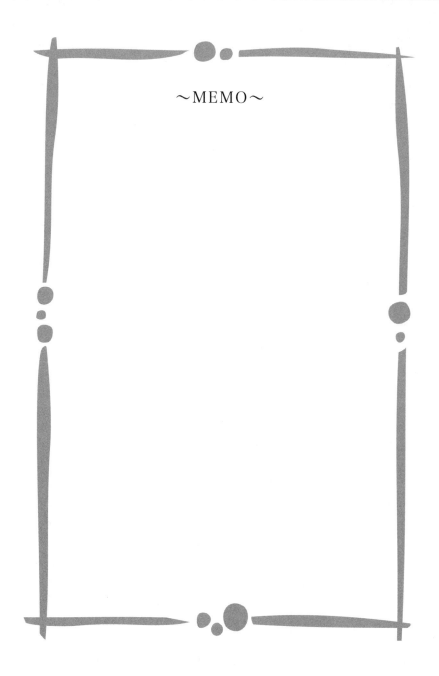

~MEMO~

解85 解答（1）

電気設備技術基準の解釈第168条の条文からの出題である．

第168条【高圧配線の施設】

高圧屋内配線は，次の各号によること．

一　高圧屋内配線は，次に掲げる工事のいずれかにより施設すること．

　イ　がいし引き工事（乾燥した場所であって展開した場所に限る．）

　ロ　ケーブル工事

二　がいし引き工事による高圧屋内配線は，次によること．

　イ　接触防護措置を施すこと．

　ロ　電線は，直径2.6 mmの軟銅線と同等以上の強さ及び太さの，高圧絶縁電
　　　線，特別高圧絶縁電線又は引下げ用高圧絶縁電線であること．

　ハ　電線の支持点間の距離は，6 m以下であること．ただし，電線を造営材の
　　　面に沿って取り付ける場合は，2 m以下とすること．

　ニ　電線相互の間隔は8 cm以上，電線と造営材との離隔距離は5 cm以上で
　　　あること．

　ホ　がいしは，絶縁性，難燃性及び耐水性のあるものであること．

　ヘ　高圧屋内配線は，低圧屋内配線と容易に区別できるように施設すること．

　ト　電線が造営材を貫通する場合は，その貫通する部分の電線を電線ごとにそ
　　　れぞれ別個の難燃性及び耐水性のある堅ろうな物で絶縁すること．

三　ケーブル工事による高圧屋内配線は，次によること．

　イ　ロに規定する場合を除き，電線にケーブルを使用し，第164条第1項第二
　　　号及び第三号の規定に準じて施設すること．

　ロ　電線を建造物の電気配線用のパイプシャフト内に垂直につり下げて施設す
　　　る場合は，第164条第3項（第一号イ(ロ)(2)ただし書を除く．）の規定に準じ
　　　て施設すること．この場合において，同項の規定における「第9条第2項」
　　　は「第10条第3項」と読み替えるものとする．

　ハ　管その他のケーブルを収める防護装置の金属製部分，金属製の電線接続箱
　　　及びケーブルの被覆に使用する金属体には，A種接地工事を施すこと．ただ
　　　し，接触防護措置（金属製のものであって，防護措置を施す設備と電気的に
　　　接続するおそれがあるもので防護する方法を除く．）を施す場合は，D種接
　　　地工事によることができる．

2　高圧屋内配線が，他の高圧屋内配線，低圧屋内電線，管灯回路の配線，弱電

流電線等又は水管，ガス管若しくはこれらに類するもの（以下この項において「他の屋内電線等」という．）と接近又は交差する場合は，次の各号のいずれかによること．

一　高圧屋内配線と他の屋内電線等との離隔距離は，15 cm（がいし引き工事により施設する低圧屋内電線が裸電線である場合は，30 cm）以上であること．

二　高圧屋内配線をケーブル工事により施設する場合においては，次のいずれかによること．

　　イ　ケーブルと他の屋内電線等との間に耐火性のある堅ろうな隔壁を設けること．

　　ロ　ケーブルを耐火性のある堅ろうな管に収めること．

　　ハ　他の高圧屋内配線の電線がケーブルであること．

問86 Check! □□□ （令和4年下 Ⓐ 問題7）

次の文章は，「電気設備技術基準の解釈」に基づく低圧屋内配線の金属ダクト工事に関する記述である．

a) ダクトに収める絶縁電線の断面積（絶縁被覆の断面積を含む．）の総和は，ダクトの内部断面積の ｱ ％以下であること．ただし，電光サイン装置，出退表示灯その他これらに類する装置又は制御回路等（自動制御回路，遠方操作回路，遠方監視装置の信号回路その他これらに類する電気回路をいう．）の配線のみを収める場合は， ｲ ％以下とすることができる．

b) ダクト相互は，堅ろうに，かつ， ｳ に完全に接続すること．

c) ダクトを造営材に取り付ける場合は，ダクトの支持点間の距離を3m（取扱者以外の者が出入りできないように措置した場所において，垂直に取り付ける場合は，6m）以下とし，堅ろうに取り付けること．

d) 低圧屋内配線の ｴ 電圧が300V以下の場合は，ダクトには，D種接地工事を施すこと．

e) 低圧屋内配線の ｴ 電圧が300Vを超える場合は，ダクトには，C種接地工事を施すこと．ただし， ｵ 防護措置（金属製のものであって，防護措置を施すダクトと ｳ に接続するおそれがあるもので防護する方法を除く．）を施す場合は，D種接地工事によることができる．

上記の記述中の空白箇所ｱ～ｵに当てはまる組合せとして，正しいものを次の(1)～(5)のうちから一つ選べ．

	ｱ	ｲ	ｳ	ｴ	ｵ
(1)	20	50	電気的	使用	接触
(2)	32	48	電気的	対地	簡易接触
(3)	32	48	機械的	使用	接触
(4)	32	48	機械的	使用	簡易接触
(5)	20	50	電気的	対地	簡易接触

解86 解答 (1)

電気設備技術基準の解釈第162条の条文からの出題である.

第162条(金属ダクト工事) 金属ダクト工事による低圧屋内配線の電線は,次の各号によること.

一 絶縁電線(屋外用ビニル絶縁電線を除く.)であること.

二 ダクトに収める電線の断面積(絶縁被覆の断面積を含む.)の総和は,ダクトの内部断面積の20%以下であること.ただし,電光サイン装置,出退表示灯その他これらに類する装置又は制御回路等(自動制御回路,遠方操作回路,遠方監視装置の信号回路その他これらに類する電気回路をいう.)の配線のみを収める場合は,50%以下とすることができる.

三 ダクト内では,電線に接続点を設けないこと.ただし,電線を分岐する場合において,その接続点が容易に点検できるときは,この限りでない.

四 ダクト内の電線を外部に引き出す部分は,ダクトの貫通部分で電線が損傷するおそれがないように施設すること.

五 ダクト内には,電線の被覆を損傷するおそれがあるものを収めないこと.

六 ダクトを垂直に施設する場合は,電線をクリート等で堅固に支持すること.
中略

3 金属ダクト工事に使用する金属ダクトは,次の各号により施設すること.

一 ダクト相互は,堅ろうに,かつ,**電気的**に完全に接続すること.

二 ダクトを造営材に取り付ける場合は,ダクトの支持点間の距離を3m(取扱者以外の者が出入りできないように措置した場所において,垂直に取り付ける場合は,6m)以下とし,堅ろうに取り付けること.

三 ダクトのふたは,容易に外れないように施設すること.

四 ダクトの終端部は,閉そくすること.

五 ダクトの内部にじんあいが侵入し難いようにすること.

六 ダクトは,水のたまるような低い部分を設けないように施設すること.

七 低圧屋内配線の**使用**電圧が300V以下の場合は,ダクトには,D種接地工事を施すこと.

八 低圧屋内配線の**使用**電圧が300Vを超える場合は,ダクトには,C種接地工事を施すこと.ただし,**接触**防護措置(金属製のものであって,防護措置を施すダクトと**電気的**に接続するおそれがあるもので防護する方法を除く.)を施す場合は,D種接地工事によることができる.

問87 Check! ☐☐☐ （令和元年 Ⓐ 問題5）

次の文章は，「電気設備技術基準の解釈」に基づく低圧配線及び高圧配線の施設に関する記述である．

a　ケーブル工事により施設する低圧配線が，弱電流電線又は水管，ガス管若しくはこれらに類するもの（以下，「水管等」という．）と接近し又は交差する場合は，低圧配線が弱電流電線又は水管等と ［ (ア) ］ 施設すること．

b　高圧屋内配線工事は，がいし引き工事（乾燥した場所であって ［ (イ) ］ した場所に限る．）又は ［ (ウ) ］ により施設すること．

上記の記述中の空白箇所(ア)，(イ)及び(ウ)に当てはまる組合せとして，正しいものを次の(1)～(5)のうちから一つ選べ．

	(ア)	(イ)	(ウ)
(1)	接触しないように	隠ぺい	ケーブル工事
(2)	の離隔距離を 10 cm 以上となるように	展開	金属管工事
(3)	の離隔距離を 10 cm 以上となるように	隠ぺい	ケーブル工事
(4)	接触しないように	展開	ケーブル工事
(5)	接触しないように	隠ぺい	金属管工事

解87　解答 (4)

　電気設備技術基準の解釈第167条（低圧配線と弱電流電線等又は管との接近又は交差）第2項，第168条（高圧配線の施設）第1項第一号からの出題で，次のように規定されている．

①　第167条（低圧配線と弱電流電線等又は管との接近又は交差）第2項

2　合成樹脂管工事，金属管工事，金属可とう電線管工事，金属線ぴ工事，金属ダクト工事，バスダクト工事，ケーブル工事，フロアダクト工事，セルラダクト工事，ライティングダクト工事又は平形保護層工事により施設する低圧配線が，弱電流電線又は水管等と接近し又は交差する場合は，次項ただし書の規定による場合を除き，低圧配線が弱電流電線又は水管等と**接触しないように**施設すること．

　「水管等」：水管，ガス管若しくはこれらに類するもの

②　第168条（高圧配線の施設）第1項第一号

　高圧屋内配線は，次の各号によること．

　一　高圧屋内配線は，次に掲げる工事のいずれかにより施設すること．

　　イ　がいし引き工事（乾燥した場所であって**展開した場所**に限る．）

　　ロ　ケーブル工事

問88 Check! ☐☐☐

（平成28年 Ⓐ 問題4）

次の文章は，「電気設備技術基準」及び「電気設備技術基準の解釈」に基づく移動電線の施設に関する記述である．

a 移動電線を電気機械器具と接続する場合は，接続不良による感電又は ｜ (ア) ｜ のおそれがないように施設しなければならない．

b 高圧の移動電線に電気を供給する電路には， ｜ (イ) ｜ が生じた場合に，当該高圧の移動電線を保護できるよう， ｜ (イ) ｜ 遮断器を施設しなければならない．

c 高圧の移動電線と電気機械器具とは ｜ (ウ) ｜ その他の方法により堅ろうに接続すること．

d 特別高圧の移動電線は，充電部分に人が触れた場合に人に危険を及ぼすおそれがない電気集じん応用装置に附属するものを ｜ (エ) ｜ に施設する場合を除き，施設しないこと．

上記の記述中の空白箇所(ア)，(イ)，(ウ)及び(エ)に当てはまる組合せとして，正しいものを次の(1)～(5)のうちから一つ選べ．

	(ア)	(イ)	(ウ)	(エ)
(1)	火災	地絡	差込み接続器使用	屋内
(2)	断線	過電流	ボルト締め	屋外
(3)	火災	過電流	ボルト締め	屋内
(4)	断線	地絡	差込み接続器使用	屋外
(5)	断線	過電流	差込み接続器使用	屋外

解88　解答（3）

　電気設備技術基準第56条（配線の感電又は火災の防止）第2項，第66条（異常時における高圧の移動電線及び接触電線における電路の遮断）第1項，電気設備技術基準の解釈第171条（移動電線の施設）第3項第二号，第4項および第191条（電気集じん装置等の施設）第1項第八号からの出題で，次のように規定されている．

電気設備技術基準第56条第2項

2　移動電線を電気機械器具と接続する場合は，接続不良による感電又は火災のおそれがないように施設しなければならない．

電気設備技術基準第66条第1項

　高圧の移動電線又は接触電線（電車線を除く．以下同じ．）に電気を供給する電路には，過電流が生じた場合に，当該高圧の移動電線又は接触電線を保護できるよう，過電流遮断器を施設しなければならない．

電気設備技術基準の解釈第171条第3項第二号，第4項

3　高圧の移動電線は，次の各号によること．

　　二　移動電線と電気機械器具とは，ボルト締めその他の方法により堅ろうに接続すること．

4　特別高圧の移動電線は，第191条第1項第八号の規定により屋内に施設する場合を除き，施設しないこと．

電気設備技術基準の解釈第191条第1項第八号

　移動電線は，充電部分に人が触れた場合に人に危険を及ぼすおそれがない電気集じん応用装置に附属するものに限ること．

問89 Check! ☐☐☐

次の文章は，「電気設備技術基準の解釈」における屋外に施設する移動電線の施設についての記述の一部である．

a. ［ (ア) ］の移動電線と屋側配線又は屋外配線との接続には，差込み接続器を用いること．

b. ［ (イ) ］の移動電線と電気機械器具とは，ボルト締めその他の方法により堅ろうに接続すること．

c. ［ (ウ) ］の移動電線は，屋内に施設する場合を除き，施設しないこと．

上記の記述中の空白箇所(ア)，(イ)及び(ウ)に当てはまる語句として，正しいものを組み合わせたのは次のうちどれか．

	(ア)	(イ)	(ウ)
(1)	使用電圧が 300〔V〕以下	使用電圧が 300〔V〕以下	300〔V〕を 超える低圧
(2)	使用電圧が 300〔V〕以下	300〔V〕を 超える低圧	高圧
(3)	300〔V〕を 超える低圧	低圧	高圧
(4)	300〔V〕を 超える低圧	低圧	特別高圧
(5)	低圧	高圧	特別高圧

解89 解答 (5)

　電気設備技術基準の解釈第171条（移動電線の施設）第1項第五号，第3項第二号，および第4項からの出題で，次のように規定されている．

1　低圧の移動電線は，次の各号によること．

　五　移動電線と屋側配線又は屋外配線との接続には，差込み接続器を用いること．

3　高圧の移動電線は，次の各号によること．

　二　移動電線と電気機械器具とは，ボルト締めその他の方法により堅ろうに接続すること．

4　特別高圧の移動電線は，第191条第1項第八号の規定により屋内に施設する場合を除き，施設しないこと．

「電気設備技術基準の解釈」に基づく住宅及び住宅以外の場所の屋内電路（電気機械器具内の電路を除く．以下同じ）の対地電圧の制限に関する記述として，誤っているものを次の(1)～(5)のうちから一つ選べ．

(1) 住宅の屋内電路の対地電圧を 150 V 以下とすること．

(2) 住宅と店舗，事務所，工場等が同一建造物内にある場合であって，当該住宅以外の場所に電気を供給するための屋内配線を人が触れるおそれがない隠ぺい場所に金属管工事により施設し，その対地電圧を 400 V 以下とすること．

(3) 住宅に設置する太陽電池モジュールに接続する負荷側の屋内配線を次により施設し，その対地電圧を直流 450 V 以下とすること．
・電路に地絡が生じたときに自動的に電路を遮断する装置を施設する．
・ケーブル工事により施設し，電線に接触防護措置を施す．

(4) 住宅に常用電源として用いる蓄電池に接続する負荷側の屋内配線を次により施設し，その対地電圧を直流 450 V 以下とすること．
・直流電路に接続される個々の蓄電池の出力がそれぞれ 10 kW 未満である．
・電路に地絡が生じたときに自動的に電路を遮断する装置を施設する．
・人が触れるおそれのない隠ぺい場所に合成樹脂管工事により施設する．

(5) 住宅以外の場所の屋内に施設する家庭用電気機械器具に電気を供給する屋内電路の対地電圧を，家庭用電気機械器具並びにこれに電気を供給する屋内配線及びこれに施設する配線器具に簡易接触防護措置を施す場合（取扱者以外の者が立ち入らない場所を除く．），300 V 以下とすること．

解90 解答 (2)

　電気設備技術基準の解釈第143条（電路の対地電圧の制限）に基づく出題で，
(2)の記述が誤りである．

　本条第1項第二号で，

　二　当該住宅以外の場所に電気を供給するための屋内配線を次により施設する
　　場合

　　イ　屋内配線の対地電圧は，300 V 以下であること．

　　ロ　人が触れるおそれがない隠ぺい場所に合成樹脂管工事，金属管工事又は
　　　ケーブル工事により施設すること．

と規定されており，対地電圧を 400 V 以下とするのは誤りである．

問91 **Check!** ☐☐☐ 　　　　　　　　　　(令和5年㊤ Ⓐ 問題9)

次の文章は，「電気設備技術基準の解釈」に基づく住宅及び住宅以外の場所の屋内電路（電気機械器具内の電路を除く．以下同じ）の対地電圧の制限に関する記述として，誤っているものを次の(1)～(5)のうちから一つ選べ．

(1) 住宅の屋内電路の対地電圧を 150 V 以下とすること．

(2) 住宅と店舗，事務所，工場等が同一建造物内にある場合であって，当該住宅以外の場所に電気を供給するための屋内配線を人が触れるおそれがない隠ぺい場所に金属管工事により施設し，その対地電圧を 400 V 以下とすること．

(3) 住宅に設置する太陽電池モジュールに接続する負荷側の屋内配線を次により施設し，その対地電圧を直流 450 V 以下とすること．
・電路に地絡が生じたときに自動的に電路を遮断する装置を施設する．
・ケーブル工事により施設し，電線に接触防護措置を施す．

(4) 住宅に常用電源として用いる蓄電池に接続する負荷側の屋内配線を次により施設し，その対地電圧を直流 450 V 以下とすること．
・直流電路に接続される個々の蓄電池の出力がそれぞれ 10 kW 未満である．
・電路に地絡が生じたときに自動的に電路を遮断する装置を施設する．
・人が触れるおそれのない隠ぺい場所に合成樹脂管工事により施設する．

(5) 住宅以外の場所の屋内に施設する家庭用電気機械器具に電気を供給する屋内電路の対地電圧を，家庭用電気機械器具並びにこれに電気を供給する屋内配線及びこれに施設する配線器具に簡易接触防護措置を施す場合（取扱者以外の者が立ち入らない場所を除く．），300 V 以下とすること．

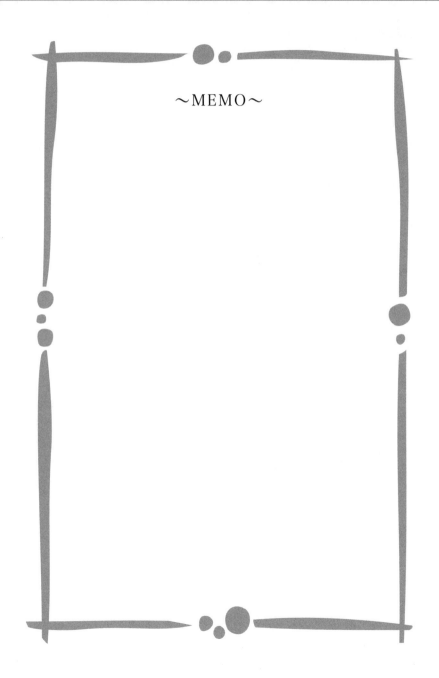

〜MEMO〜

解91　解答（2）

　電気設備技術基準の解釈第143条（電路の対地電圧の制限）の条文からの出題である．

　⑴は，第1項　住宅の屋内電路（電気機械器具内の電路を除く．以下この項において同じ．）の対地電圧は，150 V以下であること．

　⑵は，第1項第二号　当該住宅以外の場所に電気を供給するための屋内配線を次により施設する場合

　イ　屋内配線の対地電圧は，300 V以下であること．

であり，「対地電圧を400 V以下」が間違いである．

　⑶は，第1項第三号　太陽電池モジュールに接続する負荷側の屋内配線（複数の太陽電池モジュールを施設する場合にあっては，その集合体に接続する負荷側の配線）を次により施設する場合

　イ　屋内配線の対地電圧は，直流450 V以下であること．

　ロ　電路に地絡が生じたときに自動的に電路を遮断する装置を施設すること．

　（中略）

　ハ　屋内配線は次のいずれかによること．

　　㈠　省略

　　㈡　ケーブル工事により施設し，電線に接触防護措置を施すこと．

　⑷は，第1項第四号　燃料電池発電設備又は常用電源として用いる蓄電池に接続する負荷側の屋内配線を次により施設する場合

　イ　直流電路を構成する燃料電池発電設備にあっては，当該直流電路に接続される個々の燃料電池発電設備の出力がそれぞれ10 kW未満であること．

　ロ　直流電路を構成する蓄電池にあっては，当該直流電路に接続される個々の蓄電池の出力がそれぞれ10 kW未満であること．

　ハ　屋内配線の対地電圧は，直流450 V以下であること．

　ニ　（中略）

　ホ　屋内配線は次のいずれかによること．

　　㈠　人が触れるおそれのない隠ぺい場所に，合成樹脂管工事，金属管工事又はケーブル工事により施設すること．（以下省略）

　⑸は，第2項　住宅以外の場所の屋内に施設する家庭用電気機械器具に電気を供給する屋内電路の対地電圧は，150 V以下であること．ただし，家庭用電気機械器具並びにこれに電気を供給する屋内配線及びこれに施設する配線器具を，次

の各号のいずれかにより施設する場合は，300 V以下とすることができる．

一　前項第一号ロからホまでの規定に準じて施設すること．

二　簡易接触防護措置を施すこと．ただし，取扱者以外の者が立ち入らない場所にあっては，この限りでない．

問92 **Check!** ☐☐☐　　　　　　(平成25年 Ⓐ問題8)

次の文章は，「電気設備技術基準の解釈」に基づく，住宅の屋内電路の対地電圧の制限に関する記述の一部である．

住宅の屋内電路（電気機械器具内の電路を除く．）の対地電圧は，150〔V〕以下であること．ただし，定格消費電力が ⟨ア⟩ 〔kW〕以上の電気機械器具及びこれに電気を供給する屋内配線を次により施設する場合は，この限りでない．

a. 屋内配線は，当該電気機械器具のみに電気を供給するものであること．

b. 電気機械器具の使用電圧及びこれに電気を供給する屋内配線の対地電圧は， ⟨イ⟩ 〔V〕以下であること．

c. 屋内配線には，簡易接触防護措置を施すこと．

d. 電気機械器具には，簡易接触防護措置を施すこと．

e. 電気機械器具は，屋内配線と ⟨ウ⟩ して施設すること．

f. 電気機械器具に電気を供給する電路には，専用の ⟨エ⟩ 及び過電流遮断器を施設すること．

g. 電気機械器具に電気を供給する電路には，電路に地絡が生じたときに自動的に電路を遮断する装置を施設すること．

上記の記述中の空白箇所(ア)，(イ)，(ウ)及び(エ)に当てはまる組合せとして，正しいものを次の(1)～(5)のうちから一つ選べ．

	(ア)	(イ)	(ウ)	(エ)
(1)	5	450	直接接続	漏電遮断器
(2)	2	300	直接接続	開閉器
(3)	2	450	分岐接続	漏電遮断器
(4)	3	300	直接接続	開閉器
(5)	5	450	分岐接続	漏電遮断器

解92 解答 (2)

　電気設備技術基準の解釈第143条では"電路の対地電圧の制限"について定めており，「住宅の屋内電路の対地電圧は150〔V〕以下であること」としている．ただし，定格消費電力が2〔kW〕以上の電気機械器具及びこれに電気を供給する屋内配線を次により施設する場合は，この限りでない．

a．屋内配線は，当該電気機械器具のみに電気を供給するものであること．

b．電気機械器具の使用電圧及びこれに電気を供給する屋内配線の対地電圧は，300〔V〕以下であること．

c．屋内配線には，簡易接触防護措置を施すこと．

d．電気機械器具には，簡易接触防護措置を施すこと．

e．電気機械器具は，屋内配線と直接接続して施設すること．

f．電気機械器具に電気を供給する電路には，専用の開閉器及び過電流遮断器を施設すること．

g．電気機械器具に電気を供給する電路には，電路に地絡が生じたときに自動的に電路を遮断する装置を施設すること．

　屋内に施設する電気設備は人と最も密接な関係にあり，感電，火災等の危険があるので，その施設については特に安全に配慮して厳しく規制している．

　住宅の屋内電路の対地電圧を，原則として150〔V〕以下に制限している．住宅の屋内電路では200〔V〕も使用されるが，単相3線式により対地電圧が100〔V〕となるように施設される．

　大きな電源を必要とする機器には三相200〔V〕が供給されることがある．この場合，対地電圧が150〔V〕を超えるので，定格消費電力2〔kW〕以上で固定して施設する電気機械器具について，上記a～gの規定により施設する場合には，その対地電圧を300〔V〕まで認めている．本問で穴埋めではないが，"屋内配線と電気機械器具には，簡易接触防護措置を施すこと"，"電気機械器具に電気を供給する電路には，地絡が生じたときに自動的に電路を遮断する装置を施設すること"も覚えておきたい事項である．

問93 **Check!** ☐☐☐　　　　　　　　（平成29年 Ⓐ 問題7）

　次の文章は，「電気設備技術基準の解釈」における低圧幹線の施設に関する記述の一部である．

　低圧幹線の電源側電路には，当該低圧幹線を保護する過電流遮断器を施設すること．ただし，次のいずれかに該当する場合は，この限りでない．

a　低圧幹線の許容電流が，当該低圧幹線の電源側に接続する他の低圧幹線を保護する過電流遮断器の定格電流の 55 % 以上である場合

b　過電流遮断器に直接接続する低圧幹線又は上記 a に掲げる低圧幹線に接続する長さ ⎡ (ア) ⎤ m 以下の低圧幹線であって，当該低圧幹線の許容電流が，当該低圧幹線の電源側に接続する他の低圧幹線を保護する過電流遮断器の定格電流の 35 % 以上である場合

c　過電流遮断器に直接接続する低圧幹線又は上記 a 若しくは上記 b に掲げる低圧幹線に接続する長さ ⎡ (イ) ⎤ m 以下の低圧幹線であって，当該低圧幹線の負荷側に他の低圧幹線を接続しない場合

d　低圧幹線に電気を供給する電源が ⎡ (ウ) ⎤ のみであって，当該低圧幹線の許容電流が，当該低圧幹線を通過する ⎡ (エ) ⎤ 電流以上である場合

　上記の記述中の空白箇所(ア)，(イ)，(ウ)及び(エ)に当てはまる組合せとして，正しいものを次の(1)〜(5)のうちから一つ選べ．

	(ア)	(イ)	(ウ)	(エ)
(1)	10	5	太陽電池	最大短絡
(2)	8	5	太陽電池	定格出力
(3)	10	5	燃料電池	定格出力
(4)	8	3	太陽電池	最大短絡
(5)	8	3	燃料電池	定格出力

解93 解答 (4)

電気設備技術基準の解釈第148条（低圧幹線の施設）第1項第四号からの出題で，次のように規定されている．

第148条　低圧幹線は，次の各号によること．

　四　低圧幹線の電源側電路には，当該低圧幹線を保護する過電流遮断器を施設すること．ただし，次のいずれかに該当する場合は，この限りでない．

　　イ　低圧幹線の許容電流が，当該低圧幹線の電源側に接続する他の低圧幹線を保護する過電流遮断器の定格電流の55％以上である場合

　　ロ　過電流遮断器に直接接続する低圧幹線又はイに掲げる低圧幹線に接続する長さ8m以下の低圧幹線であって，当該低圧幹線の許容電流が，当該低圧幹線の電源側に接続する他の低圧幹線を保護する過電流遮断器の定格電流の35％以上である場合

　　ハ　過電流遮断器に直接接続する低圧幹線又はイ若しくはロに掲げる低圧幹線に接続する長さ3m以下の低圧幹線であって，当該低圧幹線の負荷側に他の低圧幹線を接続しない場合

　　ニ　低圧幹線に電気を供給する電源が太陽電池のみであって，当該低圧幹線の許容電流が，当該低圧幹線を通過する最大短絡電流以上である場合

問94

Check! ☐ ☐ ☐

次の文章は「電気設備技術基準」における，電気使用場所での配線の使用電線に関する記述である．

a) 配線の使用電線（ ⎡ ㋐ ⎤ 及び特別高圧で使用する ⎡ ㋑ ⎤ を除く．）には，感電又は火災のおそれがないよう，施設場所の状況及び ⎡ ㋒ ⎤ に応じ，使用上十分な強度及び絶縁性能を有するものでなければならない．

b) 配線には， ⎡ ㋐ ⎤ を使用してはならない．ただし，施設場所の状況及び ⎡ ㋒ ⎤ に応じ，使用上十分な強度を有し，かつ，絶縁性がないことを考慮して，配線が感電又は火災のおそれがないように施設する場合は，この限りでない．

c) 特別高圧の配線には， ⎡ ㋑ ⎤ を使用してはならない．

上記の記述中の空白箇所㋐～㋒に当てはまる組合せとして，正しいものを次の(1)～(5)のうちから一つ選べ．

	（㋐）	（㋑）	（㋒）
(1)	接触電線	移動電線	施設方法
(2)	接触電線	裸電線	使用目的
(3)	接触電線	裸電線	電圧
(4)	裸電線	接触電線	使用目的
(5)	裸電線	接触電線	電圧

解94 解答 (5)

電気設備技術基準第 57 条（配線の使用電線）の条文からの出題である.

第 57 条（配線の使用電線）　配線の使用電線（**裸電線**及び特別高圧で使用する**接触電線**を除く.）には，感電又は火災のおそれがないよう，施設場所の状況及び電圧に応じ，使用上十分な強度及び絶縁性能を有するものでなければならない.

2　配線には，**裸電線**を使用してはならない. ただし，施設場所の状況及び**電圧**に応じ，使用上十分な強度を有し，かつ，絶縁性がないことを考慮して，配線が感電又は火災のおそれがないように施設する場合は，この限りでない.

3　特別高圧の配線には，**接触電線**を使用してはならない.

電気設備技術基準第 57 条（配線の使用電線）は，配線に使用する電線の強度や絶縁性能に関して定められている.

解釈第 146 条（低圧配線に使用する電線），第 148 条（低圧幹線の施設），第 149 条（低圧分岐回路等の施設），第 144 条（裸電線の使用制限）および第 174 条（高圧又は特別高圧の接触電線の施設）などが関連する解釈となる.

問95 Check! ☐☐☐
（平成25年 Ⓐ 問題3）

次の文章は「電気設備技術基準」における，電気使用場所での配線の使用電線に関する記述である．

a. 配線の使用電線（ (ア) 及び特別高圧で使用する (イ) を除く．）には，感電又は火災のおそれがないよう，施設場所の状況及び (ウ) に応じ，使用上十分な強度及び絶縁性能を有するものでなければならない．

b. 配線には， (ア) を使用してはならない．ただし，施設場所の状況及び (ウ) に応じ，使用上十分な強度を有し，かつ，絶縁性がないことを考慮して，配線が感電又は火災のおそれがないように施設する場合は，この限りでない．

c. 特別高圧の配線には， (イ) を使用してはならない．

上記の記述中の空白箇所(ア)，(イ)及び(ウ)に当てはまる組合せとして，正しいものを次の(1)～(5)のうちから一つ選べ．

	(ア)	(イ)	(ウ)
(1)	接触電線	移動電線	施設方法
(2)	接触電線	裸電線	使用目的
(3)	接触電線	裸電線	電圧
(4)	裸電線	接触電線	使用目的
(5)	裸電線	接触電線	電圧

問96 Check! ☐☐☐
（平成22年 Ⓐ 問題9）

「電気設備技術基準の解釈」に基づく，金属管工事による低圧屋内配線に関する記述として，誤っているのは次のうちどれか．

(1) 絶縁電線相互を接続し，接続部分をその電線の絶縁物と同等以上の絶縁効力のあるもので十分被覆した上で，接続部分を金属管内に収めた．

(2) 使用電圧が200〔V〕で，施設場所が乾燥しており金属管の長さが3〔m〕であったので，管に施すD種接地工事を省略した．

(3) コンクリートに埋め込む部分は，厚さ1.2〔mm〕の電線管を使用した．

(4) 電線は，600Vビニル絶縁電線のより線を使用した．

(5) 湿気の多い場所に施設したので，金属管及びボックスその他の附属品に防湿装置を施した．

解95 解答 (5)

"配線"とは電気の使用場所において施設する電線をいい，人の生活場所に近いところに施設される．したがって，危険防止のため，電線の絶縁性能や使用条件について，電気設備技術基準第57条（配線の使用電線）で次のように定めている．

　配線の使用電線（裸電線及び特別高圧で使用する接触電線を除く．）には，感電又は火災のおそれがないよう，施設場所の状況及び電圧に応じ，使用上十分な強度及び絶縁性能を有するものでなければならない．

2　配線には，裸電線を使用してはならない．ただし，施設場所の状況及び電圧に応じ，使用上十分な強度を有し，かつ，絶縁性がないことを考慮して，配線が感電又は火災のおそれがないように施設する場合は，この限りでない．

3　特別高圧の配線には，接触電線を使用してはならない．

解96 解答 (1)

(1)の記述が誤りである．

電気設備技術基準の解釈第159条（金属管工事）第1項第一号，第二号，第三号，第2項第二号イ，第3項第三号，第四号からの出題で，次のように規定されている．

1　金属管工事による低圧屋内配線の電線は，次の各号によること．

　一　絶縁電線（屋外用ビニル絶縁電線を除く．）であること．

　二　より線又は直径3.2〔mm〕（アルミ線にあっては，4〔mm〕以下の単線であること．）ただし，短小な金属管に収めるものは，この限りでない．

　三　金属管内では，電線に接続点を設けないこと．

2　金属管工事に使用する金属管及びボックスその他の附属品（管相互を接続するもの及び管端に接続するものに限り，レジューサーを除く．）は，次の各号に適合するものであること．

　二　管の厚さは，次によること．

　　イ　コンクリートに埋め込むものは，1.2〔mm〕以上

3　金属管工事に使用する金属管及びボックスその他の附属品は，次の各号により施設すること．

　三　湿気の多い場所又は水気のある場所に施設する場合は，防湿装置を施すこと．

　四　低圧屋内配線の使用電圧が300〔V〕以下の場合は，管には，D種接地工事を施すこと．ただし，次のいずれかに該当する場合は，この限りでない．

　　イ　管の長さが4〔m〕以下のものを乾燥した場所に施設する場合

(1)は，第1項第三号"金属管内では，電線に接続点を設けないこと"に違反している．

問97 Check! ☐☐☐ (令和6年㊤ Ⓐ 問題8)

次の文章は，「電気設備技術基準」における低圧の電路の絶縁性能に関する記述である．

電気使用場所における使用電圧が低圧の電路の電線相互間及び ［ (ア) ］ と大地との間の絶縁抵抗は，開閉器又は ［ (イ) ］ で区切ることのできる電路ごとに，次の表の左欄に掲げる電路の使用電圧の区分に応じ，それぞれ同表の右欄に掲げる値以上でなければならない．

電路の使用電圧の区分		絶縁抵抗値
［(ウ)］ V以下	［(エ)］（接地式電路においては電線と大地との間の電圧，非接地式電路においては電線間の電圧をいう．以下同じ．）が 150 V 以下の場合	0.1 MΩ
	その他の場合	0.2 MΩ
［(ウ)］ V を超えるもの		［(オ)］ MΩ

上記の記述中の空白箇所(ア)～(オ)に当てはまる組合せとして，正しいものを次の(1)～(5)のうちから一つ選べ．

	(ア)	(イ)	(ウ)	(エ)	(オ)
(1)	電線	配線用遮断器	400	公称電圧	0.3
(2)	電線路	漏電遮断器	400	公称電圧	0.3
(3)	電路	過電流遮断器	300	対地電圧	0.4
(4)	電線	過電流遮断器	300	最大使用電圧	0.4
(5)	電路	配線用遮断器	400	対地電圧	0.4

解97　解答 (3)

電気設備技術基準第58条（低圧の電路の絶縁性能）からの出題で，次のように規定されている．

電気使用場所における使用電圧が低圧の電路の電線相互間及び**電路**と大地との間の絶縁抵抗は，開閉器又は**過電流遮断器**で区切ることのできる電路ごとに，次の表の左欄に掲げる電路の使用電圧の区分に応じ，それぞれ同表の右欄に掲げる値以上でなければならない．

電路の使用電圧の区分		絶縁抵抗値
300 V 以下	**対地電圧**（接地式電路においては電線と大地との間の電圧，非接地式電路においては電線間の電圧をいう．以下同じ．）が 150 V 以下の場合	0.1 MΩ
	その他の場合	0.2 MΩ
300 V を超えるもの		0.4 MΩ

問98　Check! ☐☐☐

（平成26年 Ⓐ 問題6）

次の文章は，「電気設備技術基準」における低圧の電路の絶縁性能に関する記述である．

電気使用場所における使用電圧が低圧の電路の電線相互間及び ［(ア)］ と大地との間の絶縁抵抗は，開閉器又は ［(イ)］ で区切ることのできる電路ごとに，次の表の左欄に掲げる電路の使用電圧の区分に応じ，それぞれ同表の右欄に掲げる値以上でなければならない．

電路の使用電圧の区分		絶縁抵抗値
［(ウ)］ V以下	［(エ)］ （接地式電路においては電線と大地との間の電圧，非接地式電路においては電線間の電圧をいう．以下同じ．）が150 V以下の場合	0.1 MΩ
	その他の場合	0.2 MΩ
［(ウ)］ V を超えるもの		［(オ)］ MΩ

上記の記述中の空白箇所(ア)，(イ)，(ウ)，(エ)及び(オ)に当てはまる組合せとして，正しいものを次の(1)～(5)のうちから一つ選べ．

	(ア)	(イ)	(ウ)	(エ)	(オ)
(1)	電線	配線用遮断器	400	公称電圧	0.3
(2)	電路	過電流遮断器	300	対地電圧	0.4
(3)	電線路	漏電遮断器	400	公称電圧	0.3
(4)	電線	過電流遮断器	300	最大使用電圧	0.4
(5)	電路	配線用遮断器	400	対地電圧	0.4

解98 解答 (2)

電気設備技術基準第58条（低圧の電路の絶縁性能）からの出題で，次のように規定されている．

電気使用場所における使用電圧が低圧の電路の電線相互間及び電路と大地との間の絶縁抵抗は，開閉器又は過電流遮断器で区切ることのできる電路ごとに，次の表の左欄に掲げる電路の使用電圧の区分に応じ，それぞれ同表の右欄に掲げる値以上でなければならない．

電路の使用電圧の区分		絶縁抵抗値
300〔V〕以下	対地電圧（接地式電路においては電線と大地との間の電圧，非接地式電路においては電線間の電圧をいう．以下同じ．）が150〔V〕以下の場合	0.1〔MΩ〕
	その他の場合	0.2〔MΩ〕
300〔V〕を超えるもの		0.4〔MΩ〕

問99 Check! ☐☐☐ （平成30年 Ⓐ問題4）

次の文章は，電気使用場所における異常時の保護対策の工事例である．その内容として，「電気設備技術基準」に基づき，不適切なものを次の(1)～(5)のうちから一つ選べ．

(1) 低圧の幹線から分岐して電気機械器具に至る低圧の電路において，適切な箇所に開閉器を施設したが，当該電路における短絡事故により過電流が生じるおそれがないので，過電流遮断器を施設しなかった．

(2) 出退表示灯の損傷が公共の安全の確保に支障を及ぼすおそれがある場合，その出退表示灯に電気を供給する電路に，過電流遮断器を施設しなかった．

(3) 屋内に施設する出力100 Wの電動機に，過電流遮断器を施設しなかった．

(4) プール用水中照明灯に電気を供給する電路に，地絡が生じた場合に，感電又は火災のおそれがないよう，地絡遮断器を施設した．

(5) 高圧の移動電線に電気を供給する電路に，地絡が生じた場合に，感電又は火災のおそれがないよう，地絡遮断器を施設した．

解99 解答 (2)

(2)が不適切で，出退表示灯に電気を供給する電路に関し，電気設備技術基準第63条（過電流からの低圧幹線等の保護措置）第2項で次のように規定されている．

2　交通信号灯，出退表示灯その他のその損傷により公共の安全の確保に支障を及ぼすおそれがあるものに電気を供給する電路には，過電流による過熱焼損からそれらの電線及び電気機械器具を保護できるよう，過電流遮断器を施設しなければならない．

問100 Check! ☐☐☐

「電気設備技術基準」では，過電流からの電線及び電気機械器具の保護対策について，次のように規定している.

　　 ㋐ 　の必要な箇所には，過電流による 　㋑ 　から電線及び電気機械器具を保護し，かつ， 　㋒ 　の発生を防止できるよう，過電流遮断器を施設しなければならない.

上記の記述中の空白箇所㋐～㋒に当てはまる組合せとして，正しいものを次の(1)～(5)のうちから一つ選べ.

	(ア)	(イ)	(ウ)
(1)	幹線	過熱焼損	感電事故
(2)	配線	温度上昇	感電事故
(3)	電路	電磁力	変形
(4)	配線	温度上昇	火災
(5)	電路	過熱焼損	火災

解100 解答 (5)

電気設備技術基準第14条（過電流からの電線及び電気機械器具の保護対策）の条文からの出題である.

第14条（過電流からの電線及び電気機械器具の保護対策）　**電路**の必要な箇所には，過電流による**過熱焼損**から電線及び電気機械器具を保護し，かつ，**火災の発生を防止**できるよう，過電流遮断器を施設しなければならない.

電気設備技術基準第14条に関連する解釈として主に，解釈第33条（低圧電路に施設する過電流遮断器の性能等）と解釈第34条（高圧又は特別高圧の電路に施設する過電流遮断器の性能等）がある.

解釈第33条第2項では，過電流遮断器として低圧電路に施設するヒューズを使用する場合の性能が定められている．例えば，

一　定格電流の1.1倍の電流に耐えること.

二　33-1表（省略）の左欄に掲げる定格電流の区分に応じ，定格電流の1.6倍及び2倍の電流を通じた場合において，それぞれ同表の右欄に掲げる時間内に溶断すること.

また，過電流遮断器として低圧電路に施設する配線用遮断器においても同様に性能が定められている．例えば，

一　定格電流の1倍の電流で自動的に動作しないこと.

二　33-2表の左欄に掲げる定格電流の区分に応じ，定格電流の1.25倍及び2倍の電流を通じた場合において，それぞれ同表の右欄に掲げる時間内に自動的に動作すること.

解釈第34条（高圧又は特別高圧の電路に施設する過電流遮断器の性能等）では次のように定められている.

第34条　高圧又は特別高圧の電路に施設する過電流遮断器は，次の各号に適合するものであること.

　一　電路に短絡を生じたときに作動するものにあっては，これを施設する箇所を通過する短絡電流を遮断する能力を有すること.

　二　その作動に伴いその開閉状態を表示する装置を有すること．ただし，その開閉状態を容易に確認できるものは，この限りでない.

以下省略

問101 Check! □□□　　　　　　　　（平成26年 Ⓐ 問題10）

　次の文章は，「電気設備技術基準の解釈」に基づき，電源供給用低圧幹線に電動機が接続される場合の過電流遮断器の定格電流及び電動機の過負荷と短絡電流の保護協調に関する記述である．

1. 低圧幹線を保護する過電流遮断器の定格電流は，次のいずれかによることができる．

   a. その幹線に接続される電動機の定格電流の合計の ［ (ア) ］ 倍に，他の電気使用機械器具の定格電流の合計を加えた値以下であること．

   b. 上記aの値が当該低圧幹線の許容電流を ［ (イ) ］ 倍した値を超える場合は，その許容電流を ［ (イ) ］ 倍した値以下であること．

   c. 当該低圧幹線の許容電流が100 Aを超える場合であって，上記a又はbの規定による値が過電流遮断器の標準定格に該当しないときは，上記a又はbの規定による値の ［ (ウ) ］ の標準定格であること．

2. 図は，電動機を電動機保護用遮断器（MCCB）と熱動継電器（サーマルリレー）付電磁開閉器を組み合わせて保護する場合の保護協調曲線の一例である．図中 ［ (エ) ］ は電源配線の電線許容電流時間特性を表す曲線である．

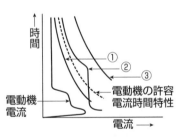

　上記の記述中の空白箇所(ア)，(イ)，(ウ)及び(エ)に当てはまる組合せとして，正しいものを次の(1)～(5)のうちから一つ選べ．

	(ア)	(イ)	(ウ)	(エ)
(1)	3	2.5	直近上位	③
(2)	3	2	115 % 以下	②
(3)	2.5	1.5	直近上位	①
(4)	3	2.5	115 % 以下	③
(5)	2	2	直近上位	②

解101 解答 (1)

電気設備技術基準の解釈第148条（低圧幹線の施設）第1項第四号および第五号に関連した出題で，第五号ただし書において，低圧幹線に電動機等が接続される場合の低圧幹線の電源側電路に施設する当該低圧幹線を保護する過電流遮断器の定格電流は，次のいずれかによることができると規定されている．

イ　電動機等の定格電流の合計の3倍に，他の電気使用機械器具の定格電流の合計を加えた値以下であること．

ロ　イの規定による値が当該低圧幹線の許容電流を2.5倍した値を超える場合は，その許容電流を2.5倍した値以下であること．

ハ　当該低圧幹線の許容電流が100〔A〕を超える場合であって，イ又はロの規定による値が過電流遮断器の標準定格に該当しないときは，イ又はロの規定による値の直近上位の標準定格であること．

また，保護協調曲線は，①が熱動継電器（サーマルリレー）付電磁開閉器の特性，②が電動機保護用遮断器（MCCB），③が電線許容電流時間特性である．

これは，次のように考えればよい．

ⓐ　電動機の始動電流や定格電流で電磁開閉器やMCCBが動作しないこと．

ⓑ　電動機の過負荷運転時（過電流）に電動機許容電流時間特性より先に電磁開閉器が遮断動作すること．

ⓒ　電磁開閉器の定格遮断電流以上の過電流の際にはMCCBが動作すること．

ⓓ　すべての電流領域で電磁開閉器とMCCBの動作は電線の許容電流時間特性より先に遮断動作をすること．

問102　Check! □□□

　次の文章は「電気設備技術基準の解釈」に基づく，低圧屋内幹線に使用する電線の許容電流とその幹線を保護する遮断器の定格電流との組み合わせに関する工事例である．ここで，当該低圧幹線に接続する負荷のうち，電動機又はこれに類する起動電流が大きい電気機械器具を「電動機等」という．

a．電動機等の定格電流の合計が 40〔A〕，他の電気使用機械器具の定格電流の合計が 30〔A〕のとき，許容電流 ［ ア ］〔A〕以上の電線と定格電流が ［ イ ］〔A〕以下の過電流遮断器とを組み合わせて使用した．

b．電動機等の定格電流の合計が 20〔A〕，他の電気使用機械器具の定格電流の合計が 50〔A〕のとき，許容電流 ［ ウ ］〔A〕以上の電線と定格電流が 100〔A〕以下の過電流遮断器とを組み合わせて使用した．

c．電動機等の定格電流の合計が 60〔A〕，他の電気使用機械器具の定格電流の合計が 0〔A〕のとき，許容電流 66〔A〕以上の電線と定格電流が ［ エ ］〔A〕以下の過電流遮断器とを組み合わせて使用した．

　上記の記述中の空白箇所(ア)，(イ)，(ウ)及び(エ)に当てはまる組合せとして，正しいものを次の(1)～(5)のうちから一つ選べ．

	(ア)	(イ)	(ウ)	(エ)
(1)	85	150	75	200
(2)	85	160	70	165
(3)	80	160	75	165
(4)	80	150	70	200
(5)	80	150	70	165

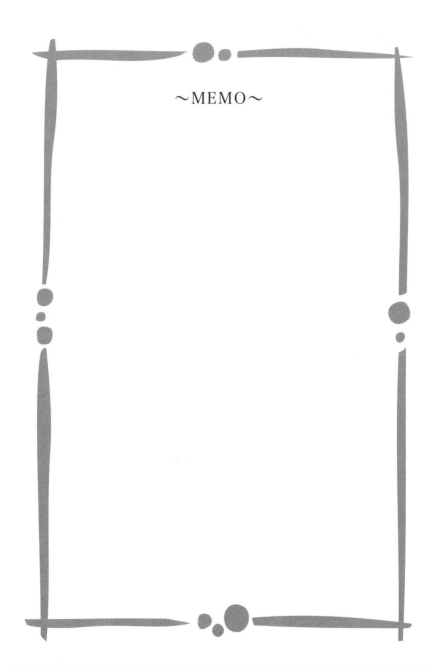

~MEMO~

解102 解答 (5)

　電気設備技術基準の解釈第 148 条（低圧幹線の施設）第 1 項第二号，第四号および第五号に関する出題で，次のように規定されている.

　低圧幹線は，次の各号によること.

二　電線の許容電流は，低圧幹線の各部分ごとに，その部分を通じて供給される電気使用機械器具の定格電流の合計値以上であること. ただし，当該低圧幹線に接続する負荷のうち，電動機又はこれに類する起動電流が大きい電気機械器具（以下この条において「電動機等」という.）の定格電流の合計が，他の電気使用機械器具の定格電流の合計より大きい場合は，他の電気使用機械器具の定格電流の合計に次の値を加えた値以上であること.

　　イ　電動機等の定格電流の合計が 50〔A〕以下の場合は，その定格電流の合計の 1.25 倍

　　ロ　電動機等の定格電流の合計が 50〔A〕を超える場合は，その定格電流の合計の 1.1 倍

四　低圧幹線の電源側電路には，当該低圧幹線を保護する過電流遮断器を施設すること.

五　前号の規定における「当該低圧幹線を保護する過電流遮断器」は，その定格電流が，当該低圧幹線の許容電流以下のものであること. ただし，低圧幹線に電動機等が接続される場合の定格電流は，次のいずれかによることができる.

　　イ　電動機等の定格電流の合計の 3 倍に，他の電気使用機械器具の定格電流の合計を加えた値以下であること.

　　ロ　イの規定による値が当該低圧幹線の許容電流を 2.5 倍した値を超える場合は，その許容電流を 2.5 倍した値以下であること.

　　ハ　当該低圧幹線の許容電流が 100〔A〕を超える場合であって，イ又はロの規定による値が過電流遮断器の標準定格に該当しないときは，イ又はロの規定による値の直近上位の標準定格であること.

　したがって，a〜c の工事例の電線の許容電流 I_{max} および過電流遮断器の定格電流 I_{cbn} は，次のように決められたと考えることができる.

a．電線の許容電流および過電流遮断器の定格電流

　電動機等の定格電流の合計が他の電気使用機械器具の定格電流の合計より大きく，電動機等の定格電流の合計が 50〔A〕以下

$$I_{max} = 40 \times 1.25 + 30 = 80 \text{ (A) 以上}$$

$$I_{cbn} = 40 \times 3 + 30 = 150 \text{ (A) 以下}$$

b．電動機等の定格電流の合計が他の電気使用機械器具の定格電流の合計より小さい．

$$I_{max} = 20 + 50 = 70 \text{ (A) 以上}$$

$$I_{cbn} = 20 \times 3 + 50 = 110 \text{ (A) 以下} > 100 \text{ (A) 以下}$$

c．電動機等の定格電流の合計が 50 (A) 以上

$$I_{max} = 60 \times 1.1 = 66 \text{ (A) 以上}$$

$$I_{cbn} = 60 \times 3 = 180 \text{ (A)}$$

$$\frac{180}{66} \fallingdotseq 2.73 > 2.5 \text{ (倍)}$$

$I_{cbn} = 180$ (A) は電線の許容電流 66 (A) の 2.5 倍を超えるので，

$$I_{cbn} = 66 \times 2.5 = 165 \text{ (A) 以下とする．}$$

以上から，(5)の組合せが正しい．

問103 Check! ☐☐☐

（平成22年 Ⓐ 問題6㊡）

次の文章は，「電気設備技術基準の解釈」における，低圧幹線の施設に関する記述の一部である．

低圧幹線の電源側電路には，当該低圧幹線を保護する過電流遮断器を施設すること．ただし，次のいずれかに該当する場合は，この限りでない．

a. 低圧幹線の許容電流が，当該低圧幹線の電源側に接続する他の低圧幹線を保護する過電流遮断器の定格電流の ［ ア ］〔%〕以上である場合

b. 過電流遮断器に直接接続する低圧幹線又は上記 a に掲げる低圧幹線に接続する長さ ［ イ ］〔m〕以下の低圧幹線であって，当該低圧幹線の許容電流が当該低圧幹線の電源側に接続する他の低圧幹線を保護する過電流遮断器の定格電流の ［ ウ ］〔%〕以上である場合

c. 過電流遮断器に直接接続する低圧幹線又は上記 a 若しくは上記 b に掲げる低圧幹線に接続する長さ ［ エ ］〔m〕以下の低圧幹線であって，当該低圧幹線の負荷側に他の低圧幹線を接続しない場合

上記の記述中の空白箇所(ア)，(イ)，(ウ)及び(エ)に当てはまる数値として，正しいものを組み合わせたのは次のうちどれか．

	(ア)	(イ)	(ウ)	(エ)
(1)	50	7	33	3
(2)	50	6	33	4
(3)	55	8	35	3
(4)	55	8	35	4
(5)	55	7	35	5

解103 解答 (3)

　電気設備技術基準の解釈第148条（低圧幹線の施設）第四号イ，ロ，ハからの出題で，次のように規定されている.

四　低圧幹線の電源側電路には，当該低圧幹線を保護する過電流遮断器を施設すること. ただし，次のいずれかに該当する場合は，この限りでない.

　　イ　低圧幹線の許容電流が，当該低圧幹線の電源側に接続する他の低圧幹線を保護する過電流遮断器の定格電流の 55〔%〕以上である場合

　　ロ　過電流遮断器に直接接続する低圧幹線又はイに掲げる低圧幹線に接続する長さ 8〔m〕以下の低圧幹線であって，当該低圧幹線の許容電流が，当該低圧幹線の電源側に接続する他の低圧幹線を保護する過電流遮断器の定格電流の 35〔%〕以上である場合

　　ハ　過電流遮断器に直接接続する低圧幹線又はイ若しくはロに掲げる低圧幹線に接続する長さ 3〔m〕以下の低圧幹線であって，当該低圧幹線の負荷側に他の低圧幹線を接続しない場合

問104 Check! ☐☐☐

（平成30年 Ⓐ 問題8）

　次の文章は，「電気設備技術基準の解釈」に基づく電動機の過負荷保護装置の施設に関する記述である．

　屋内に施設する電動機には，電動機が焼損するおそれがある過電流を生じた場合に ☐(ア)☐ これを阻止し，又はこれを警報する装置を設けること．ただし，次のいずれかに該当する場合はこの限りでない．

a　電動機を運転中，常時，☐(イ)☐ が監視できる位置に施設する場合

b　電動機の構造上又は負荷の性質上，その電動機の巻線に当該電動機を焼損する過電流を生じるおそれがない場合

c　電動機が単相のものであって，その電源側電路に施設する配線用遮断器の定格電流が ☐(ウ)☐ A 以下の場合

d　電動機の出力が ☐(エ)☐ kW 以下の場合

　上記の記述中の空白箇所(ア), (イ), (ウ)及び(エ)に当てはまる組合せとして，正しいものを次の(1)〜(5)のうちから一つ選べ．

	(ア)	(イ)	(ウ)	(エ)
(1)	自動的に	取扱者	20	0.2
(2)	遅滞なく	取扱者	20	2
(3)	自動的に	取扱者	30	0.2
(4)	遅滞なく	電気係員	30	2
(5)	自動的に	電気係員	30	0.2

解104 解答（1）

　電気設備技術基準の解釈第153条（電動機の過負荷保護装置の施設）からの出題で，次のように規定されている．

　屋内に施設する電動機には，電動機が焼損するおそれがある過電流を生じた場合に自動的にこれを阻止し，又はこれを警報する装置を設けること．ただし，次の各号のいずれかに該当する場合はこの限りでない．

一　電動機を運転中，常時，取扱者が監視できる位置に施設する場合

二　電動機の構造上又は負荷の性質上，その電動機の巻線に当該電動機を焼損する過電流を生じるおそれがない場合

三　電動機が単相のものであって，その電源側電路に施設する過電流遮断器の定格電流が15 A（配線用遮断器にあっては，20 A）以下の場合

四　電動機の出力が0.2 kW以下の場合

次の文章は，「電気設備技術基準の解釈」に基づく水中照明の施設に関する記述である．

水中又はこれに準ずる場所であって，人が触れるおそれのある場所に施設する照明灯は，次によること．

a) 照明灯に電気を供給する電路には，次に適合する絶縁変圧器を施設すること．

① 1次側の ［ア］ 電圧は 300 V 以下，2次側の ［ア］ 電圧は 150 V 以下であること．

② 絶縁変圧器は，その2次側電路の ［ア］ 電圧が 30 V 以下の場合は，1次巻線と2次巻線との間に金属製の混触防止板を設け，これに ［イ］ 種接地工事を施すこと．

b) a) の規定により施設する絶縁変圧器の2次側電路は，次によること．

① 電路は， ［ウ］ であること．

② 開閉器及び過電流遮断器を各極に施設すること．ただし，過電流遮断器が開閉機能を有するものである場合は，過電流遮断器のみとすることができる．

③ ［ア］ 電圧が 30 V を超える場合は，その電路に地絡を生じたときに自動的に電路を遮断する装置を施設すること．

④ b) ②の規定により施設する開閉器及び過電流遮断器並びに b) ③の規定により施設する地絡を生じたときに自動的に電路を遮断する装置は，堅ろうな金属製の外箱に収めること．

⑤ 配線は， ［エ］ 工事によること．

上記の記述中の空白箇所(ア)～(エ)に当てはまる組合せとして，正しいものを次の(1)～(5)のうちから一つ選べ．

	(ア)	(イ)	(ウ)	(エ)
(1)	使用	D	非接地式電路	合成樹脂管
(2)	対地	A	接地式電路	金属管
(3)	使用	D	接地式電路	合成樹脂管
(4)	対地	A	非接地式電路	合成樹脂管
(5)	使用	A	非接地式電路	金属管

解105 解答 (5)

━━━━━━━━━━━━━━━━━━━━━━━━━━━━━━━━

電気設備技術基準の解釈第 187 条（水中照明灯の施設）からの出題である．

第 187 条（水中照明灯の施設）

1 水中又はこれに準ずる場所であって，人が触れるおそれのある場所に施設する照明灯は，次の各号によること．

（省略）

二 照明灯に電気を供給する電路には，次に適合する絶縁変圧器を施設すること．

　イ 1次側の**使用**電圧は300 V 以下，2次側の**使用**電圧は150 V 以下であること．

　ロ 絶縁変圧器は，その 2 次側電路の**使用**電圧が 30V 以下の場合は，1 次巻線と 2 次巻線との間に金属製の混触防止板を設け，これに A 種接地工事を施すこと．この場合において，A 種接地工事に使用する接地線は，次のいずれかによること．

（中略）

三 前号の規定により施設する絶縁変圧器の 2 次側電路は，次によること．

　イ 電路は，**非接地**であること．

　ロ 開閉器及び過電流遮断器を各極に施設すること．ただし，過電流遮断器が開閉機能を有するものである場合は，過電流遮断器のみとすることができる．

　ハ **使用**電圧が 30 V を超える場合は，その電路に地絡を生じたときに自動的に電路を遮断する装置を施設すること．

　ニ ロの規定により施設する開閉器及び過電流遮断器並びにハの規定により施設する地絡を生じたときに自動的に電路を遮断する装置は，堅ろうな金属製の外箱に収めること．

　ホ 配線は，**金属管**工事によること．

　ヘ 照明灯に接続する移動電線は，次によること．

（省略）

問106 Check! □□□ （平成23年 Ⓐ 問題8㉑）

　次のａからｃの文章は，特殊施設に電気を供給する変圧器等に関する記述である．「電気設備技術基準の解釈」に基づき，適切なものと不適切なものの組合せとして，正しいものを次の(1)～(5)のうちから一つ選べ．

　a. 可搬型の溶接電極を使用するアーク溶接装置を施設するとき，溶接変圧器は，絶縁変圧器であること．また，被溶接材又はこれと電気的に接続される治具，定盤等の金属体には，D種接地工事を施すこと．

　b. プール用水中照明灯に電気を供給するためには，一次側電路の使用電圧及び二次側電路の使用電圧がそれぞれ 300〔V〕以下及び 150〔V〕以下の絶縁変圧器を使用し，絶縁変圧器の二次側配線は金属管工事により施設し，かつ，その絶縁変圧器の二次側電路を接地すること．

　c. 遊戯用電車（遊園地，遊戯場等の構内において遊戯用のために施設するものをいう．）に電気を供給する電路の使用電圧に電気を変成するために使用する変圧器は，絶縁変圧器であること．

	a	b	c
(1)	不適切	適切	適切
(2)	適切	不適切	適切
(3)	不適切	適切	不適切
(4)	不適切	不適切	適切
(5)	適切	不適切	不適切

解106 解答 (2)

電気設備技術基準の解釈第187条（水中照明灯の施設），第189条（遊戯用電車の施設）および第190条（アーク溶接装置の施設）に関する出題で，(2)が正解である．

aについては，第190条（アーク溶接装置の施設）第1項第一号および第五号に次のように規定されており，適切である．

・第190条（アーク溶接装置の施設）

1　可搬型の溶接電極を使用するアーク溶接装置は，次の各号によること．

一　溶接変圧器は，絶縁変圧器であること．

五　被溶接材又はこれと電気的に接続される治具，定盤等の金属体には，D種接地工事を施すこと．

bについては，第187条（水中照明灯の施設）第1項第二号イ，第三号イ，ホで次のように規定されており，不適切である．

・第187条（水中照明灯の施設）

1　水中又はこれに準ずる場所であって，人が触れるおそれのある場所に施設する照明灯は，次の各号によること．

二　照明灯に電気を供給する電路には，次に適合する絶縁変圧器を施設すること．

イ　1次側の使用電圧は300〔V〕以下，2次側の使用電圧は150〔V〕以下であること．

三　前号の規定により施設する絶縁変圧器の2次側電路は，次によること．

イ　電路は，非接地であること．

ホ　配線は，金属管工事によること．

cについては，第189条（遊戯用電車の施設）第一号ロで次のように規定されており，適切である．

・第189条（遊戯用電車の施設）

遊戯用電車内の電路及びこれに電気を供給するために使用する電気設備は，次の各号によること．

一　遊戯用電車内の電路は，次によること．

ロ　遊戯用電車内に昇圧用変圧器を施設する場合は，次によること．

（イ）変圧器は，絶縁変圧器であること．

（ロ）変圧器の2次側の使用電圧は，150〔V〕以下であること．

問107 **Check!** □□□ （令和3年 **A** 問題7）

次の文章は，「電気設備技術基準」における，特殊場所における施設制限に関する記述である．

a） 粉じんの多い場所に施設する電気設備は，粉じんによる当該電気設備の絶縁性能又は導電性能が劣化することに伴う ア 又は火災のおそれがないように施設しなければならない．

b） 次に掲げる場所に施設する電気設備は，通常の使用状態において，当該電気設備が点火源となる爆発又は火災のおそれがないように施設しなければならない．

① 可燃性のガス又は イ が存在し，点火源の存在により爆発するおそれがある場所

② 粉じんが存在し，点火源の存在により爆発するおそれがある場所

③ 火薬類が存在する場所

④ セルロイド，マッチ，石油類その他の燃えやすい危険な物質を ウ し，又は貯蔵する場所

上記の記述中の空白箇所㋐～㋒に当てはまる組合せとして，正しいものを次の(1)～(5)のうちから一つ選べ．

	(ア)	(イ)	(ウ)
(1)	短絡	腐食性のガス	保存
(2)	短絡	引火性物質の蒸気	保存
(3)	感電	腐食性のガス	製造
(4)	感電	引火性物質の蒸気	保存
(5)	感電	引火性物質の蒸気	製造

解107 解答 (5)

電気設備技術基準第68条（粉じんにより絶縁性能等が劣化することによる危険のある場所における施設）及び第69条（可燃性のガス等により爆発する危険のある場所における施設の禁止）からの出題で，次のように規定されている．

a) 第68条

1 粉じんの多い場所に施設する電気設備は，粉じんによる当該電気設備の絶縁性能又は導電性能が劣化することに伴う**感電又は火災**のおそれがないように施設しなければならない．

b) 第69条

1 次の各号に掲げる場所に施設する電気設備は，通常の使用状態において，当該電気設備が点火源となる爆発又は火災のおそれがないように施設しなければならない．

　　一　可燃性のガス又は**引火性物質の蒸気**が存在し，点火源の存在により爆発するおそれがある場所

　　二　粉じんが存在し，点火源の存在により爆発するおそれがある場所

　　三　火薬類が存在する場所

　　四　セルロイド，マッチ，石油類その他の燃えやすい危険な物質を**製造**し，又は貯蔵する場所

問108 Check! ☐☐☐

（平成27年 Ⓐ 問題8）

次の文章は，可燃性のガスが漏れ又は滞留し，電気設備が点火源となり爆発するおそれがある場所の屋内配線に関する工事例である．「電気設備技術基準の解釈」に基づき，不適切なものを次の(1)～(5)のうちから一つ選べ．

(1) 金属管工事により施設し，薄鋼電線管を使用した．

(2) 金属管工事により施設し，管相互及び管とボックスその他の附属品とを5山以上ねじ合わせて接続する方法により，堅ろうに接続した．

(3) ケーブル工事により施設し，キャブタイヤケーブルを使用した．

(4) ケーブル工事により施設し，MIケーブルを使用した．

(5) 電線を電気機械器具に引き込むときは，引込口で電線が損傷するおそれがないようにした．

解108 解答(3)

　電気設備技術基準の解釈第176条（可燃性ガス等の存在する場所の施設）第1項第一号イの(イ)，(ロ)からの出題であり，(3)の記述が誤りである．

(1)　(イ)で「金属管工事により，次に適合するように施設すること．」とされ，さらに(1)で「金属管は，薄鋼電線管又はこれと同等以上の強度を有するものであること．」と規定しているので，この記述は正しい．

(2)　(イ)の(2)で，「管相互及び管とボックスその他の附属品，プルボックス又は電気機械器具とは，5山以上ねじ合わせて接続する方法その他これと同等以上の効力のある方法により，堅ろうに接続すること．」と規定しているので，この記述は正しい．

(3)　(ロ)で「ケーブル工事により，次に適合するように施設すること．」とされ，さらに(1)で「電線は，キャブタイヤケーブル以外のケーブルであること．」と規定しているので，この記述は誤りである．

(4)　(ロ)でMIケーブルの使用を禁止していないので，この記述は正しい．

(5)　(ロ)の(3)で，「電線を電気機械器具に引き込むときは，引込口で電線が損傷するおそれがないようにすること．」と規定しているので，この記述は正しい．

問109 Check! ☐☐☐

次の文章は,「電気設備技術基準」における電気さくの施設の禁止に関する記述である.

電気さく(屋外において裸電線を固定して施設したさくであって,その裸電線に充電して使用するものをいう.)は,施設してはならない.ただし,田畑,牧場,その他これに類する場所において野獣の侵入又は家畜の脱出を防止するために施設する場合であって,絶縁性がないことを考慮し,□(ア)□のおそれがないように施設するときは,この限りでない.

次の文章は,「電気設備技術基準の解釈」における電気さくの施設に関する記述である.

電気さくは,次のa)～f)に適合するものを除き施設しないこと.

a) 田畑,牧場,その他これに類する場所において野獣の侵入又は家畜の脱出を防止するために施設するものであること.

b) 電気さくを施設した場所には,人が見やすいように適当な間隔で□(イ)□である旨の表示をすること.

c) 電気さくは,次のいずれかに適合する電気さく用電源装置から電気の供給を受けるものであること.

① 電気用品安全法の適用を受ける電気さく用電源装置

② 感電により人に危険を及ぼすおそれのないように出力電流が制限される電気さく用電源装置であって,次のいずれかから電気の供給を受けるもの

・電気用品安全法の適用を受ける直流電源装置

・蓄電池,太陽電池その他これらに類する直流の電源

d) 電気さく用電源装置(直流電源装置を介して電気の供給を受けるものにあっては,直流電源装置)が使用電圧□(ウ)□V以上の電源から電気の供給を受けるものである場合において,人が容易に立ち入る場所に電気さくを施設するときは,当該電気さくに電気を供給する電路には次に適合する漏電遮断器を施設すること.

① 電流動作型のものであること.

② 定格感度電流が□(エ)□mA以下,動作時間が0.1秒以下のものであること.

e) 電気さくに電気を供給する電路には，容易に開閉できる箇所に専用の開閉器を施設すること．

f) 電気さく用電源装置のうち，衝撃電流を繰り返して発生するものは，その装置及びこれに接続する電路において発生する電波又は高周波電流が無線設備の機能に継続的かつ重大な障害を与えるおそれがある場所には，施設しないこと．

上記の記述中の空白箇所(ア)～(エ)に当てはまる組合せとして，正しいものを次の(1)～(5)のうちから一つ選べ．

	(ア)	(イ)	(ウ)	(エ)
(1)	感電又は火災	危険	100	15
(2)	感電又は火災	電気さく	30	10
(3)	損壊	電気さく	100	15
(4)	感電又は火災	危険	30	15
(5)	損壊	電気さく	100	10

解109　解答 (4)

　電気設備技術基準第74条（電気さくの施設の禁止）および電気設備技術基準の解釈第192条【電気さくの施設】からの出題で，次のように規定されている．

技術基準第74条（電気さくの施設の禁止）電気さく（屋外において裸電線を固定して施設したさくであって，その裸電線に充電して使用するものをいう．）は，施設してはならない．ただし，田畑，牧場，その他これに類する場所において野獣の侵入又は家畜の脱出を防止するために施設する場合であって，絶縁性がないことを考慮し，**感電又は火災**のおそれがないように施設するときは，この限りでない．

解釈第192条【電気さくの施設】電気さくは，次の各号に適合するものを除き施設しないこと．

一　田畑，牧場，その他これに類する場所において野獣の侵入又は家畜の脱出を防止するために施設するものであること．

二　電気さくを施設した場所には，人が見やすいように適当な間隔で**危険**である旨の表示をすること．

三　電気さくは，次のいずれかに適合する電気さく用電源装置から電気の供給を受けるものであること．

　イ　電気用品安全法の適用を受ける電気さく用電源装置

　ロ　感電により人に危険を及ぼすおそれのないように出力電流が制限される電気さく用電源装置であって，次のいずれかから電気の供給を受けるもの

　（イ）　電気用品安全法の適用を受ける直流電源装置

　（ロ）　蓄電池，太陽電池その他これらに類する直流の電源

四　電気さく用電源装置（直流電源装置を介して電気の供給を受けるものにあっては，直流電源装置）が使用電圧30 V以上の電源から電気の供給を受けるものである場合において，人が容易に立ち入る場所に電気さくを施設するときは，当該電気さくに電気を供給する電路には次に適合する漏電遮断器を施設すること．

　イ　電流動作型のものであること．

　ロ　定格感度電流が15 mA以下，動作時間が0.1秒以下のものであること．

五　電気さくに電気を供給する電路には，容易に開閉できる箇所に専用の開閉器を施設すること．

六　電気さく用電源装置のうち，衝撃電流を繰り返して発生するものは，その装

置及びこれに接続する電路において発生する電波又は高周波電流が無線設備の
機能に継続的かつ重大な障害を与えるおそれがある場所には，施設しないこと．

次の文章は，「電気設備技術基準」における電気さくの施設の禁止に関する記述である．

電気さく（屋外において裸電線を固定して施設したさくであって，その裸電線に充電して使用するものをいう．）は，施設してはならない．ただし，田畑，牧場，その他これに類する場所において野獣の侵入又は家畜の脱出を防止するために施設する場合であって，絶縁性がないことを考慮し， ⎡ (ア) ⎤ のおそれがないように施設するときは，この限りでない．

次の文章は，「電気設備技術基準の解釈」における電気さくの施設に関する記述である．

電気さくは，次のaからfに適合するものを除き施設しないこと．

a　田畑，牧場，その他これに類する場所において野獣の侵入又は家畜の脱出を防止するために施設するものであること．

b　電気さくを施設した場所には，人が見やすいように適当な間隔で ⎡ (イ) ⎤ である旨の表示をすること．

c　電気さくは，次のいずれかに適合する電気さく用電源装置から電気の供給を受けるものであること．

　①　電気用品安全法の適用を受ける電気さく用電源装置

　②　感電により人に危険を及ぼすおそれのないように出力電流が制限される電気さく用電源装置であって，次のいずれかから電気の供給を受けるもの

　　・電気用品安全法の適用を受ける直流電源装置

　　・蓄電池，太陽電池その他これらに類する直流の電源

d　電気さく用電源装置（直流電源装置を介して電気の供給を受けるものにあっては，直流電源装置）が使用電圧 ⎡ (ウ) ⎤ V以上の電源から電気の供給を受けるものである場合において，人が容易に立ち入る場所に電気さくを施設するときは，当該電気さくに電気を供給する電路には次に適合する漏電遮断器を施設すること．

　①　電流動作型のものであること．

　②　定格感度電流が ⎡ (エ) ⎤ mA以下，動作時間が0.1秒以下のものであること．

e 電気さくに電気を供給する電路には，容易に開閉できる箇所に専用の開閉器を施設すること．

f 電気さく用電源装置のうち，衝撃電流を繰り返して発生するものは，その装置及びこれに接続する電路において発生する電波又は高周波電流が無線設備の機能に継続的かつ重大な障害を与えるおそれがある場所には，施設しないこと．

上記の記述中の空白箇所(ア)，(イ)，(ウ)及び(エ)に当てはまる組合せとして，正しいものを次の(1)～(5)のうちから一つ選べ．

	(ア)	(イ)	(ウ)	(エ)
(1)	感電又は火災	危険	100	15
(2)	感電又は火災	電気さく	30	10
(3)	損壊	電気さく	100	15
(4)	感電又は火災	危険	30	15
(5)	損壊	電気さく	100	10

解110 解答 (4)

電気設備技術基準第74条（電気さくの施設の禁止）および電気設備技術基準の解釈第192条（電気さくの施設）からの出題で，次のように規定されている．

電気設備技術基準第74条

電気さく（屋外において裸電線を固定して施設したさくであって，その裸電線に充電して使用するものをいう．）は，施設してはならない．ただし，田畑，牧場，その他これに類する場所において野獣の侵入又は家畜の脱出を防止するために施設する場合であって，絶縁性がないことを考慮し，感電又は火災のおそれがないように施設するときは，この限りでない．

電気設備技術基準の解釈第192条

電気さくは，次の各号に適合するものを除き施設しないこと．

一　田畑，牧場，その他これに類する場所において野獣の侵入又は家畜の脱出を防止するために施設するものであること．

二　電気さくを施設した場所には，人が見やすいように適当な間隔で危険である旨の表示をすること．

三　電気さくは，次のいずれかに適合する電気さく用電源装置から電気の供給を受けるものであること．

　イ　電気用品安全法の適用を受ける電気さく用電源装置

　ロ　感電により人に危険を及ぼすおそれのないように出力電流が制限される電気さく用電源装置であって，次のいずれかから電気の供給を受けるもの

　　(イ)　電気用品安全法の適用を受ける直流電源装置

　　(ロ)　蓄電池，太陽電池その他これらに類する直流の電源

四　電気さく用電源装置（直流電源装置を介して電気の供給を受けるものにあっては，直流電源装置）が使用電圧30 V以上の電源から電気の供給を受けるものである場合において，人が容易に立ち入る場所に電気さくを施設するときは，当該電気さくに電気を供給する電路には次に適合する漏電遮断器を施設すること．

　イ　電流動作型のものであること．

　ロ　定格感度電流が15 mA以下，動作時間が0.1秒以下のものであること．

五　電気さくに電気を供給する電路には，容易に開閉できる箇所に専用の開閉器を施設すること．

六　電気さく用電源装置のうち，衝撃電流を繰り返して発生するものは，その装

　置及びこれに接続する電路において発生する電波又は高周波電流が無線設備の
機能に継続的かつ重大な障害を与えるおそれがある場所には, 施設しないこと.

次の文章は，「電気設備技術基準の解釈」に基づく特殊機器等の施設に関する記述である．

a) 遊戯用電車（遊園地の構内等において遊戯用のために施設するものであって，人や物を別の場所へ運送することを主な目的としないものをいう．）に電気を供給するために使用する変圧器は，絶縁変圧器であるとともに，その1次側の使用電圧は ☐ (ア) ☐ V 以下であること．

b) 電気浴器の電源は，電気用品安全法の適用を受ける電気浴器用電源装置（内蔵されている電源変圧器の2次側電路の使用電圧が ☐ (イ) ☐ V 以下のものに限る．）であること．

c) 電気自動車等（カタピラ及びそりを有する軽自動車，大型特殊自動車，小型特殊自動車並びに被牽引自動車を除く．）から供給設備（電力変換装置，保護装置等の電気自動車等から電気を供給する際に必要な設備を収めた筐体等をいう．）を介して，一般用電気工作物に電気を供給する場合，当該電気自動車等の出力は， ☐ (ウ) ☐ kW 未満であること．

上記の記述中の空白箇所(ア)～(ウ)に当てはまる組合せとして，正しいものを次の(1)～(5)のうちから一つ選べ．

	(ア)	(イ)	(ウ)
(1)	300	10	10
(2)	150	5	10
(3)	300	5	20
(4)	150	10	10
(5)	300	10	20

解111 解答（1）

電気設備技術基準の解釈第189条（遊戯用電車の施設）第二号ロ，第198条（電気浴器等の施設）第1項第一号aおよび第199条の2（電気自動車等から電気を供給するための設備等の施設）第1項第一号からの出題で，それぞれ次のように規定されている．

a) 電気設備技術基準の解釈第189条第二号ロ

　二　遊戯用電車に電気を供給する電路は，次によること．

　　ロ　イに規定する使用電圧に電気を変成するために使用する変圧器は，次によること．

　　　⑴　変圧器は，絶縁変圧器であること．

　　　⑵　変圧器の1次側の使用電圧は，300 V以下であること．

b) 電気設備技術基準の解釈第198条第1項第一号

　一　電気浴器の電源は，電気用品安全法の適用を受ける電気浴器用電源装置(内蔵されている電源変圧器の2次側電路の使用電圧が10 V以下のものに限る.)であること．

c) 電気設備技術基準の解釈第199条の2第1項第一号

　電気自動車等（道路運送車両の保安基準（昭和26年運輸省令第67号）第17条の2第5項に規定される電力により作動する原動機を有する自動車をいう．以下この条において同じ．）から供給設備（電力変換装置，保護装置又は開閉器等の電気自動車等から電気を供給する際に必要な設備を収めた筐体等をいう．以下この項において同じ．）を介して，一般用電気工作物に電気を供給する場合は，次の各号により施設すること．

　一　電気自動車等の出力は，10 kW未満であるとともに，低圧幹線の許容電流以下であること．

問112　Check! ☐☐☐

　　次の文章は，「電気設備技術基準の解釈」に基づく低圧屋内配線の施設場所による工事の種類に関する記述である．

　　低圧屋内配線は，次の表に規定する工事のいずれかにより施設すること．ただし，ショウウィンドー又はショウケース内，粉じんの多い場所，可燃性ガス等の存在する場所，危険物等の存在する場所及び火薬庫内に低圧屋内配線を施設する場合を除く．

施設場所の区分		使用電圧の区分	工事の種類											
			がいし引き工事	合成樹脂管工事	金属管工事	金属可とう電線管工事	(ア)工事	(イ)工事	(ウ)工事	ケーブル工事	フロアダクト工事	セルラダクト工事	ライティングダクト工事	平形保護層工事
展開した場所	乾燥した場所	300 V以下	○	○	○	○	○	○	○	○			○	
		300 V超過	○	○	○	○		○	○	○				
	湿気の多い場所又は水気のある場所	300 V以下	○	○	○	○			○	○				
		300 V超過	○	○	○	○				○				
点検できる隠ぺい場所	乾燥した場所	300 V以下	○	○	○	○	○	○	○	○		○	○	○
		300 V超過	○	○	○	○		○	○	○				
	湿気の多い場所又は水気のある場所	—		○	○	○				○				
点検できない隠ぺい場所	乾燥した場所	300 V以下		○	○	○				○	○	○		
		300 V超過		○	○	○				○				
	湿気の多い場所又は水気のある場所	—		○	○	○				○				

備考：○は使用できることを示す．

上記の表の空白箇所(ア)～(ウ)に当てはまる組合せとして，正しいものを次の(1)～(5)のうちから一つ選べ.

	(ア)	(イ)	(ウ)
(1)	金属線ぴ	金属ダクト	バスダクト
(2)	金属線ぴ	バスダクト	金属ダクト
(3)	金属ダクト	金属線ぴ	バスダクト
(4)	金属ダクト	バスダクト	金属線ぴ
(5)	バスダクト	金属線ぴ	金属ダクト

解112 解答（1）

　電気設備技術基準の解釈第156条（低圧屋内配線の施設場所による工事の種類）からの出題で，低圧屋内配線の施設場所による工事の種類が156–1表のように規定されている．

156–1 表

施設場所の区分		使用電圧の区分	工事の種類											
			がいし引き工事	合成樹脂管工事	金属管工事	金属可とう電線管工事	金属線ぴ工事	金属ダクト工事	バスダクト工事	ケーブル工事	フロアダクト工事	セルラダクト工事	ライティングダクト工事	平形保護層工事
展開した場所	乾燥した場所	300 V 以下	○	○	○	○	○	○	○	○			○	
		300 V 超過	○	○	○	○		○	○	○				
	湿気の多い場所又は水気のある場所	300 V 以下	○	○	○	○			○	○				
		300 V 超過	○	○	○	○				○				
点検できる隠ぺい場所	乾燥した場所	300 V 以下	○	○	○	○	○	○	○	○		○	○	○
		300 V 超過	○	○	○	○		○	○	○				
	湿気の多い場所又は水気のある場所	—								○				
点検できない隠ぺい場所	乾燥した場所	300 V 以下		○	○	○				○	○	○		
		300 V 超過		○	○	○				○				
	湿気の多い場所又は水気のある場所	—		○	○	○				○				

備考：○は使用できることを示す．

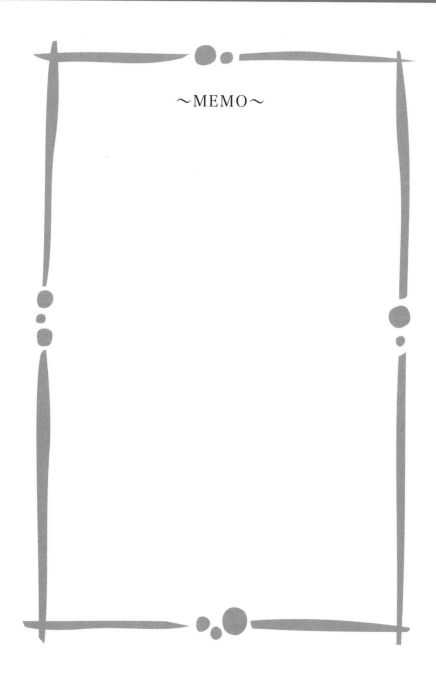

~MEMO~

問113 Check! ☐☐☐

　次の文章は，我が国の電気設備の技術基準への国際規格の取り入れに関する記述である．

　「電気設備技術基準の解釈」において，需要場所に施設する低圧で使用する電気設備は，国際電気標準会議が建築電気設備に関して定めたIEC 60364規格に対応した規定により施設することができる．その際，守らなければならないことの一つは，その電気設備を一般送配電事業者及び特定送配電事業者の電気設備と直接に接続する場合は，その事業者の低圧の電気の供給に係る設備の　　　と整合がとれていなければならないことである．

　上記の記述中の空白箇所に当てはまる最も適切なものを次の(1)〜(5)のうちから一つ選べ．

(1)　電路の絶縁性能

(2)　接地工事の施設

(3)　変圧器の施設

(4)　避雷器の施設

(5)　離隔距離

解113 解答 (2)

　電気設備技術基準の解釈第218条第1項で，「需要場所に施設する低圧で使用する電気設備は，第3条から第217条の規定によらず，218-1表に掲げる日本産業規格又は国際電気標準会議規格の規定により施設することができる．ただし，一般送配電事業者，配電業者又は特定送配電事業者の電気設備と直接に接続する場合は，これらの事業者の低圧の電気の供給に係る設備の接地工事の施設と整合がとれていること」と定めている．

　これは，「低圧で使用する電気設備は，IEC 60364規格を満たせば電気設備技術基準の解釈の規定によらなくてもよい」と言い換えることができる．ただし，IEC規格の接地系統は日本の接地方式と異なるものも認めているため，異なる接地方式を混在させると事故の原因になりかねない．そこで，IEC 60364規格に対応する低圧電気設備を一般送配電事業者や特定送配電事業者の電気設備と直接に接続する場合は，これらの事業者の接地工事の施設と整合がとれていることを求めている．

　電気設備技術基準の解釈第218条第2項では，「同一の電気使用場所においては，前項の規定と第3条から第217条までの規定とを混用して低圧の電気設備を施設しないこと」が規定されている．すなわち，第1項と同様の理由で「同一の電気使用場所において異なる規格の電気設備を混用することの禁止」を定めている．これも併せて覚えておくとよい．

第4章
施設管理等（論説・空白）

問1 Check! ☐☐☐ （令和6年㊤ Ⓐ問題10）

図はある配電用変電所の送り出し遮断器Aから需要家構内の主遮断器までの電路を表したものである．図中に×印で示した地点で短絡事故が発生した場合の遮断器Aと，区分開閉器B（SOG機能付PAS）の動作の記述として，正しいものを次の(1)～(5)のうちから一つ選べ．

ただし，遮断器Aの配電系統及びこれに接続する全ての需要家構内に分散型電源は無いものとする．

なお，本問でSOG機能付PASとは，過電流蓄勢トリップ付地絡トリップ形トリップ装置付過電流ロック形高圧気中負荷開閉器をいう．

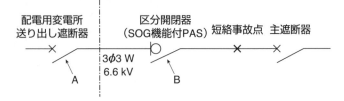

(1) Aが開路したのち，Bが開路し，その後Aが閉路する．

(2) Bが開路したのち，Aが開路し，その後Aが閉路する．

(3) AとBが同時に開路し，その後Aが閉路する．

(4) Aが開路する．（Bは開路しない．）

(5) Bが開路する．（Aは開路しない．）

解1　解答 (1)

　区分開閉器 B（SOG 機能付 PAS）には短絡電流を遮断する能力はないので，一般送配電事業者の配電用変電所に設置された送り出し遮断器 A にて短絡電流を遮断する．遮断器 A が開路した後，配電線は無電圧となるので，区分開閉器 B はこれを検知して開路する．（無電圧トリップ）．一般に配電用変電所では，約 1 分後に遮断器 A を強制再投入（再閉路）する．この際，区分開閉器 B が開路されているため，事故点は分離されており，配電線は送電を継続できることになる(再閉路成功)．この動作を表しているのは(1)の記述であり，この記述が正しい．

　一方，区分開閉器 B の無電圧トリップ（開路）が失敗すると，再閉路時に事故点が分離されていないため，再度遮断器 A がトリップ（開路）する（再閉路失敗）．配電用変電所はさらに約 3 分後に強制再々投入（再々閉路）する．この時点で区分開閉器 B によって事故点が分離されていると送電が継続される（再々閉路成功）が区分開閉器 B によって事故点が分離されていないと，再度遮断器 A はトリップする（再々閉路失敗）．以降は，強制再投入はされず，配電線は停電となる．

問2 **Check!** ☐☐☐

（平成23年 Ⓐ 問題10）

キュービクル式高圧受電設備には主遮断装置の形式によってCB形とPF・S形がある．CB形は主遮断装置として ⬚(ア)⬚ が使用されているが，PF・S形は変圧器設備容量の小さなキュービクルの設備簡素化の目的から，主遮断装置は ⬚(イ)⬚ と ⬚(ウ)⬚ の組み合わせによっている．

高圧母線等の高圧側の短絡事故に対する保護は，CB形では ⬚(ア)⬚ と ⬚(エ)⬚ で行うのに対し，PF・S形は ⬚(イ)⬚ で行う仕組みとなっている．

上記の記述中の空白箇所(ア)，(イ)，(ウ)及び(エ)に当てはまる組合せとして，正しいものを次の(1)～(5)のうちから一つ選べ．

	(ア)	(イ)	(ウ)	(エ)
(1)	高圧限流ヒューズ	高圧交流遮断器	高圧交流負荷開閉器	過電流継電器
(2)	高圧交流負荷開閉器	高圧限流ヒューズ	高圧交流遮断器	過電圧継電器
(3)	高圧交流遮断器	高圧交流負荷開閉器	高圧限流ヒューズ	不足電圧継電器
(4)	高圧交流負荷開閉器	高圧交流遮断器	高圧限流ヒューズ	不足電圧継電器
(5)	高圧交流遮断器	高圧限流ヒューズ	高圧交流負荷開閉器	過電流継電器

解2 解答 (5)

　キュービクル式高圧受電設備には主遮断装置の形式によって CB 形と PF・S 形がある．CB 形は主遮断装置として（高圧交流）遮断器（CB）が用いられ，比較的設備容量が大きいものに採用されている．CB 形では，過負荷や短絡事故に対する保護はともに過電流継電器（OCR）と遮断器で行う．PF・S 形は主遮断装置として，高圧限流ヒューズ（PF）と高圧交流負荷開閉器（LBS）が用いられ，比較的設備容量が小さいものに用いられている．PF・S 形では，高圧交流負荷開閉器の定格電流程度の過負荷は過電流継電器と高圧交流負荷開閉器で保護するが，短絡事故などの大きな電流は高圧交流負荷開閉器では遮断できないので，高圧限流ヒューズで保護する．

次の文章は，電力の需給に関する記述である．

電気は ［ ア ］ とが同時的であるため，不断の供給を使命とする電気事業においては，常に変動する需要に対処しうる供給力を準備しなければならない．

しかし，発電設備は事故発生の可能性があり，また，水力発電所の供給力は河川流量の豊渇水による影響で変化する．一方，太陽光発電，風力発電などの供給力は天候により変化する．さらに，原子力発電所や火力発電所も定期検査などの補修作業のため一定期間の停止を必要とする．このように供給力は変動する要因が多い．他方，需要も予想と異なるおそれもある．

したがって，不断の供給を維持するためには，想定される ［ イ ］ に見合う供給力を保有することに加え，常に適量の ［ ウ ］ を保持しなければならない．

電気事業法に基づき設立された電力広域的運営推進機関は毎年，各供給区域（エリア）及び全国の供給力について需給バランス評価を行い，この評価を踏まえてその後の需給の状況を監視し，対策の実施状況を確認する役割を担っている．

上記の記述中の空白箇所(ア)，(イ)及び(ウ)に当てはまる組合せとして，正しいものを次の(1)～(5)のうちから一つ選べ．

	(ア)	(イ)	(ウ)
(1)	発生と消費	最大電力	送電容量
(2)	発電と蓄電	使用電力量	送電容量
(3)	発生と消費	最大電力	供給予備力
(4)	発電と蓄電	使用電力量	供給予備力
(5)	発生と消費	使用電力量	供給予備力

解3 解答 (3)

　電気は発生と消費が同時的であるため，不断の供給を使命とする電気事業においては，常に変動する需要に対処すべく，想定される最大電力に見合う供給力を保有することに加え，常に適量の供給予備力を保持する必要がある．

問4　Check! ☐☐☐　　　　　　　　（令和3年 Ⓐ問題10）

　次のa）〜e）の文章は，図の高圧受電設備における保護協調に関する記述である．

　これらの文章の内容について，適切なものと不適切なものの組合せとして，正しいものを次の(1)〜(5)のうちから一つ選べ．

a）　受電設備内（図中A点）において短絡事故が発生した場合，VCB（真空遮断器）が，一般送配電事業者の配電用変電所の送り出し遮断器よりも早く動作するようにOCR（過電流継電器）の整定値を決定した．

b）　TR2（変圧器）の低圧側で，かつMCCB2（配線用遮断器）の電源側（図中B点）で短絡事故が発生した場合，VCB（真空遮断器）が動作するよりも早くLBS2（負荷開閉器）のPF2（電力ヒューズ）が溶断するように設計した．

c）　低圧のMCCB2（配線用遮断器）の負荷側（図中C点）で短絡事故が発生した場合，MCCB2（配線用遮断器）が動作するよりも先にLBS2（負荷開閉器）のPF2（電力ヒューズ）が溶断しないように設計した．

d）　SC（高圧コンデンサ）の端子間（図中D点）で短絡事故が発生した場合，VCB（真空遮断器）が動作するよりも早くLBS3（負荷開閉器）のPF3（電力ヒューズ）が溶断するように設計した．

e）　GR付PAS（地絡継電装置付高圧交流負荷開閉器）は，高圧引込ケーブルで1線地絡事故が発生した場合であっても動作しないように設計した．

	a	b	c	d	e
(1)	適切	適切	適切	適切	不適切
(2)	不適切	不適切	適切	不適切	適切
(3)	適切	適切	不適切	不適切	不適切
(4)	適切	不適切	適切	適切	適切
(5)	不適切	適切	不適切	不適切	不適切

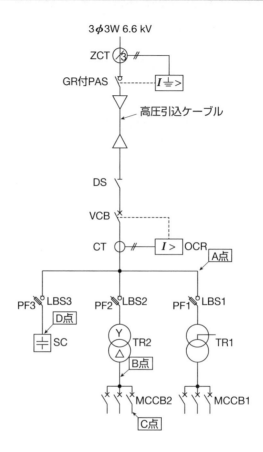

解4 解答（1）

保護協調上，a〜dまでの記述は適切であるが，eの記述は不適切である．

eの記述において，GR付PAS（地絡継電装置付高圧交流負荷開閉器）は，高圧ケーブルの1線地絡事故が発生した場合であっても動作しないように設計したのは誤りで，開放動作するように設計しなければならない．

eの記述の場合だと，高圧ケーブルに1線地絡事故が発生した場合，事故ケーブルを供給を受ける高圧配電線路から除去できず，再閉路・再々閉路とも失敗して波及事故になり，同一配電線から供給を受ける需要家の停電を引き起こすことになる．

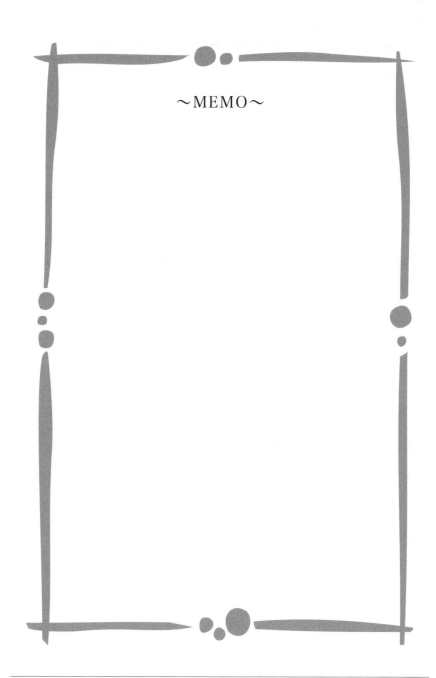

~MEMO~

問5

Check! ☐☐☐

次の文章は，図に示す高圧受電設備において全停電作業を実施するときの操作手順の一例について，その一部を述べたものである．

a) ［ ア ］を全て開放する．

b) ［ イ ］を開放する．

c) 地絡方向継電装置付高圧交流負荷開閉器（DGR付PAS）を開放する．

d) ［ ウ ］を開放する．

e) 断路器(DS)の電源側及び負荷側を検電して無電圧を確認する．

f) 高圧電路に接地金具等を接続して残留電荷を放電させた後，誤通電，他の電路との混触又は他の電路からの誘導による感電の危険を防止するため，断路器（DS）の［ エ ］に短絡接地器具を取り付けて接地する．

g) 断路器（DS），開閉器等にはそれぞれ操作後速やかに，操作禁止，投入禁止，通電禁止等の通電を禁止する表示をする．

上記の記述中の空白箇所(ア)～(エ)に当てはまる組合せとして，正しいものを次の(1)～(5)のうちから一つ選べ．

	(ア)	(イ)	(ウ)	(エ)
(1)	負荷開閉器 (LBS)	断路器 (DS)	真空遮断器 (VCB)	負荷側
(2)	配線用遮断器 (MCCB)	断路器 (DS)	真空遮断器 (VCB)	負荷側
(3)	配線用遮断器 (MCCB)	真空遮断器 (VCB)	断路器 (DS)	電源側
(4)	負荷開閉器 (LBS)	断路器 (DS)	真空遮断器 (VCB)	電源側
(5)	負荷開閉器 (LBS)	真空遮断器 (VCB)	断路器 (DS)	負荷側

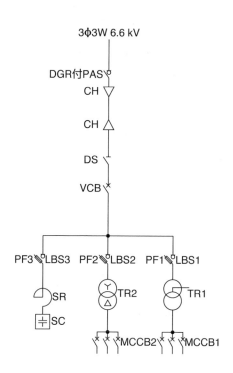

解5 解答 (3)

図に示されている高圧受電設備は，CB形である．

受電設備の全停電時の操作手順としては，

① 負荷側配線用遮断器（MCCB）をすべて開放

② 電流値がゼロであることを確認

③ 真空遮断器（VCB）を開放

④ DGR付PASを開放

⑤ 電圧がゼロになったことを確認

⑥ 断路器（DS）を開放

⑦ 断路器（DS）の電源側および負荷側を検電

⑧ 断路器（DS）の電源側および負荷側の残留電荷を放電

⑨ 断路器（DS）の電源側に短絡接地を取り付ける．

⑩ 断路器等に操作禁止等の誤通電禁止表示の取付

3φ3W6.6 kV
DGR付PAS
CH
CH
DS
VCB
PF3 LBS3　PF2 LBS2　PF1 LBS1
SR
SC
TR2
TR1
MCCB2　MCCB1

操作順番ごとに解説

① 停止時は，負荷側から開放し，復電時は，電源側から操作する．遮断器は開放時の電流値によって接点部分の劣化が進行する可能性があるので，極力小電流を開放とする．

② 負荷側のMCCBを開放したので，真空遮断器（VCB）の負荷側にある電流計はゼロになる．ただし，負荷状況によっては幾分かの電流が流れている場合もあるが，その電流値を想定しているとよい．

③ VCBは，負荷電流および事故電流を遮断することが可能であるが，極力小さくしたほうがよい．ここで，変圧器等が停止するので励磁音等が停止する．

④ DGR付PASを開放することで高圧受電設備が全停となる．

⑤ DGR付PASの開放により遮断器の電源側にあるVTも停止，電圧表示がゼロになる．

⑥ 断路器（DS）は，負荷電流を開放することができないため遮断器の開放後に実施すること．

⑦～⑩に関しては，労働安全衛生規則第339条および第340条により，検電・短絡接地・表示等をする必要がある．

第339条（停電作業を行なう場合の措置）　事業者は，電路を開路して，当該電路又はその支持物の敷設，点検，修理，塗装等の電気工事の作業を行なうときは，当該電路を開路した後に，当該電路について，次に定める措置を講じなければならない．当該電路に近接する電路若しくはその支持物の敷設，点検，修理，塗装等の電気工事の作業又は当該電路に近接する工作物（電路の支持物を除く．以下この章において同じ．）の建設，解体，点検，修理，塗装等の作業を行なう場合も同様とする．

一　開路に用いた開閉器に，作業中，施錠し，若しくは通電禁止に関する所要事項を表示し，又は監視人を置くこと．

二　開路した電路が電力ケーブル，電力コンデンサー等を有する電路で，残留電荷による危険を生ずるおそれのあるものについては，安全な方法により当該残留電荷を確実に放電させること．

三　開路した電路が高圧又は特別高圧であったものについては，検電器具により停電を確認し，かつ，誤通電，他の電路との混触又は他の電路からの誘導による感電の危険を防止するため，短絡接地器具を用いて確実に短絡接地すること．

2　事業者は，前項の作業中又は作業を終了した場合において，開路した電路に通電しようとするときは，あらかじめ，当該作業に従事する労働者について感電の危険が生ずるおそれのないこと及び短絡接地器具を取りはずしたことを確認した後でなければ，行なってはならない．

第340条（断路器等の開路）　事業者は，高圧又は特別高圧の電路の断路器，線路開閉器等の開閉器で，負荷電流をしゃ断するためのものでないものを開路するときは，当該開閉器の誤操作を防止するため，当該電路が無負荷であることを示すためのパイロットランプ，当該電路の系統を判別するためのタブレット等により，当該操作を行なう労働者に当該電路が無負荷であることを確認させなければならない．ただし，当該開閉器に，当該電路が無負荷でなければ開路することができない緊錠装置を設けるときは，この限りでない．

図は，高圧受電設備（受電電力500〔kW〕）の単線結線図の一部である．

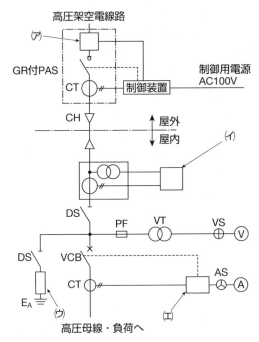

図の矢印で示す(ア)，(イ)，(ウ)及び(エ)に設置する機器及び計器の名称（略号を含む）の組合せとして，正しいものを次の(1)〜(5)のうちから一つ選べ．

	(ア)	(イ)	(ウ)	(エ)
(1)	ZCT	電力量計	避雷器	過電流継電器
(2)	VCT	電力量計	避雷器	過負荷継電器
(3)	ZCT	電力量計	進相コンデンサ	過電流継電器
(4)	VCT	電力計	避雷器	過負荷継電器
(5)	ZCT	電力計	進相コンデンサ	過負荷継電器

解6 解答 (1)

(ア) GR付PAS（地絡継電装置付高圧気中負荷開閉器）は地絡電流を検出し遮断する機能がある．(ア)はGR付PASに内蔵されているから，地絡電流（零相電流）を変成するための機器である．したがって，(ア)はZCT（零相変流器）である．

(イ) VT（計器用変圧器）とCT（計器用変流器）に接続されているから，電力計または電力量計であるが，受電点には取引用計器（電力量計）が設置され，電力料金を積算する．したがって，電力量計である．

(ウ) 500〔kW〕以上の高圧架空電線路から需要場所に受電する引込口には避雷器を設置することが電気設備技術基準の解釈第37条で定められている．

また，(ウ)はE_Aに接続されている．E_AとはA種接地を表す記号であり，高圧の避雷器にはA種接地を施すことが定められていることも解答の根拠になる．

(エ) 過電流継電器，過負荷継電器いずれでもよいように思えるが，電気設備を保護するためには過負荷のみでなく事故電流（短絡電流など）を検出する必要がある．したがって，過電流継電器が適切である．

まぎらわしい選択肢があるが，受電設備の役割は"電気設備の保護"と"電力量の積算"であること理解していれば解答できる．

PAS（高圧気中負荷開閉器）は，電力会社と需要家の責任分界点に設置される機器である．PASは，遮断器に比べ構造が簡単で遮断容量が小さな安価なものであり，通常の負荷電流を遮断することができるが，短絡電流のような大きな事故電流を遮断する能力はない．また，耐用開閉回数も少ない．

本問の受電設備は，真空遮断器（VCB）を主遮断装置として使用したCB形受電設備である．CB形は，計器用変流器（CT），過電流継電器（OCR），遮断器（CB）を組み合わせて過負荷，短絡，その他の障害から電気設備を保護する．OCRを使用することで，動作時間，動作電流を可変調整することができる．ほかの方式の受電設備としては，高圧交流負荷開閉器（LBS）と限流ヒューズ（PF）を組み合わせたPF・S形がある．PF・S形は機器構成が単純で安価という長所があるが，ヒューズを溶断することで事故電流の遮断をするから事故原因除去後に運転再開するためにはヒューズ交換の作業が必要なこと，動作値の整定がOCRのようにきめ細かくできないことが短所である．

問7 Check! ☐☐☐

（平成 26 年 Ⓐ 問題 8）

次の文章は，油入変圧器における絶縁油の劣化についての記述である．

a. 自家用需要家が絶縁油の保守，点検のために行う試験には， ［ (ア) ］試験及び酸価度試験が一般に実施されている．

b. 絶縁油，特に変圧器油は，使用中に次第に劣化して酸価が上がり， ［ (イ) ］や耐圧が下がるなどの諸性能が低下し，ついには泥状のスラッジができるようになる．

c. 変圧器油劣化の主原因は，油と接触する［ (ウ) ］が油中に溶け込み，その中の酸素による酸化であって，この酸化反応は変圧器の運転による［ (エ) ］の上昇によって特に促進される．そのほか，金属，絶縁ワニス，光線なども酸化を促進し，劣化生成物のうちにも反応を促進するものが数多くある．

上記の記述中の空白箇所(ア)，(イ)，(ウ)及び(エ)に当てはまる組合せとして，正しいものを次の(1)～(5)のうちから一つ選べ．

	(ア)	(イ)	(ウ)	(エ)
(1)	絶縁耐力	抵抗率	空気	温度
(2)	濃度	熱伝導率	絶縁物	温度
(3)	絶縁耐力	熱伝導率	空気	湿度
(4)	絶縁抵抗	濃度	絶縁物	温度
(5)	濃度	抵抗率	空気	湿度

解7　解答（1）

　高圧受電設備規程（資料1-3-1）からの出題で，絶縁油の劣化診断について次のように示している．

　自家用需要家が保守，点検のために行う絶縁油の試験には，絶縁耐力試験及び酸価度試験が一般に実施されている．

　絶縁油，特に変圧器油は，使用中に次第に劣化して酸価が上がり，抵抗率や耐圧が下がるなどの諸性能が低下し，ついには泥状のスラッジができるようになる．変圧器油劣化の主原因は，油と接触する空気が油中に溶け込み，その中の酸素による酸化であって，この酸化反応は変圧器の運転による温度上昇によって特に促進される．そのほか，金属，絶縁ワニス，光線なども酸化を促進し，劣化生成物のうちにも反応を促進するものが数多くある．

　運転中の変圧器は周囲温度や負荷の変化による油温変化により油の容積変化となって，変圧器に外気が出入りする．これを変圧器の呼吸作用という．これによって，外気中の湿気や酸素と油が反応し，不溶解性のスラッジが生じ，絶縁耐力や冷却効果が低下し，絶縁油の性能が劣化する．

　絶縁耐力試験は，変圧器より取り出した絶縁油を試験用容器に入れ，絶縁油中に置かれた直径 12.5〔mm〕，ギャップ長 2.5〔mm〕の一対の球ギャップに商用周波数の電圧を印加し，3〔kV/s〕の割合で電圧を上昇させて絶縁破壊電圧を測るもので，一般的に絶縁破壊電圧の管理値は，20〔kV〕以上を良好，15〔kV〕〜20〔kV〕を要注意，15〔kV〕未満を不良としている．

　また，酸価度試験（全酸価試験）は，絶縁油 1〔g〕中に含まれる酸を中和するのに要する水酸化カリウム（KOH）の mg 数を酸価値といい，一般的な酸価値の管理値は，0.2〔mgKOH/g〕以下を良好，0.2〜0.4〔mgKOH/g〕を要注意，0.4〔mgKOH/g〕以上を不良としている．

問8

Check! ☐ ☐ ☐　　　　　　　　(平成22年 Ⓐ 問題10)

　次の文章は，配電系統の高調波についての記述である．不適切なものは次のうちどれか．

(1) 高調波電流を多く含んだ程度に応じて電圧ひずみが大きくなる．

(2) 高調波発生機器を設置していない高圧需要家であっても直列リアクトルを付けないコンデンサ設備が存在する場合，電圧ひずみを増大させることがある．

(3) 低圧側の第3次高調波は，零相（各相が同相）となるため高圧側にあまり現れない．

(4) 高調波電流流出抑制対策のコンデンサ設備は，高調波発生源が変圧器の低圧側にある場合，高圧側に設置した方が高調波電流流出抑制の効果が大きい．

(5) 高調波電流流出抑制対策設備に，高調波電流を吸収する受動フィルタと高調波電流の逆極性の電流を発生する能動フィルタがある．

解8 解答 (4)

(4)の記述が誤りである.

高調波電流流出抑制対策のコンデンサ設備は，高調波発生源が変圧器の低圧側にある場合，低圧側に設置した方が高調波電流流出抑制の効果が大きい.

いま，図のような簡単なモデルを用いて，高圧系統への高調波流出電流の大きさをコンデンサ設備を高圧側に設置した場合と低圧側に設置した場合について比較してみる.

また，簡単のために，高調波

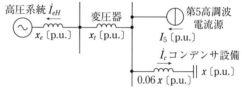

(a) 高圧側に設置した場合

(b) 低圧側に設置した場合

発生源を単位法を用いて第5高調波電流源 I_5〔p.u.〕で表し，変圧器リアクタンス，電源リアクタンスおよびコンデンサの基本波リアクタンスをそれぞれ x_t〔p.u.〕，x_e〔p.u.〕および x〔p.u.〕とし，6〔%〕の直列リアクトルを用いたものとしてその基本波リアクタンスを $0.06\,x$〔p.u.〕とする.

(a) コンデンサ設備を高圧側に設置した場合

高圧系統に流出する高調波電流は，次式で表せる.

$$\dot{I}_{5ea} = \frac{j5 \times 0.06x - j\frac{1}{5}x}{j5x_e + j5 \times 0.06x - j\frac{1}{5}x} I_5 = \frac{0.1x}{5x_e + 0.1x} I_5 = \frac{x}{50x_e + x} I_5 \qquad ①$$

(b) コンデンサ設備を低圧側に設置した場合

$$\dot{I}_{5eb} = \frac{j5 \times 0.06x - j\frac{1}{5}x}{j5x_e + j5x_t + j5 \times 0.06x - j\frac{1}{5}x} I_5$$

$$= \frac{j0.1x}{j5x_e + j5x_t + j0.1x} I_5 = \frac{x}{50(x_e + x_t) + x} I_5 \qquad ②$$

このように，低圧側にコンデンサ設備を設置した場合の方が高圧系統に流出する高調波電流の大きさは変圧器のリアクタンス分だけ小さくなることがわかる.

問9

Check! ☐☐☐　　　　　　　　　　（平成30年　Ⓐ問題10）

次の文章は，電力の需給に関する記述である．

電力システムにおいて，需要と供給の間に不均衡が生じると，周波数が変動する．これを防止するため，需要と供給の均衡を常に確保する必要がある．

従来は，電力需要にあわせて電力供給を調整してきた．

しかし，近年，　(ア)　状況に応じ，スマートに　(イ)　パターンを変化させること，いわゆるディマンドリスポンス（「デマンドレスポンス」ともいう．以下同じ．）の重要性が強く認識されるようになっている．この取組の一つとして，電気事業者（小売電気事業者及び系統運用者をいう．以下同じ．）やアグリゲーター（複数の　(ウ)　を束ねて，ディマンドリスポンスによる　(エ)　削減量を電気事業者と取引する事業者）と　(ウ)　の間の契約に基づき，電力の　(エ)　削減の量や容量を取引する取組（要請による　(エ)　の削減量に応じて，　(ウ)　がアグリゲーターを介し電気事業者から報酬を得る．），いわゆるネガワット取引の活用が進められている．

上記の記述中の空白箇所(ア)，(イ)，(ウ)及び(エ)に当てはまる組合せとして，正しいものを次の(1)～(5)のうちから一つ選べ．

	(ア)	(イ)	(ウ)	(エ)
(1)	電力需要	発電	需要家	需要
(2)	電力供給	発電	発電事業者	供給
(3)	電力供給	消費	需要家	需要
(4)	電力需要	消費	発電事業者	需要
(5)	電力供給	発電	需要家	供給

解9 解答 (3)

ディマンドリスポンス（DR）とは，需要家側エネルギーリソースの保有者もしくは第三者が，そのエネルギーリソースを制御することで，電力需要パターンを変化させることであり，DR は，需要制御のパターンによって，需要を減らす（抑制する）「下げ DR」，需要を増やす（創出する）「上げ DR」の二つに区分される．

また，需要制御の方法によって，電気料金形（電気料金設定により電力需要を制御する）と，インセンティブ形（電力会社やアグリゲータ等と需要家が契約を結び，需要家が要請に応じて電力需要の抑制等をする）の二つに区分され，インセンティブ形の下げ DR のことを，特に「ネガワット取引」と呼んでいる．

問10 **Check!** ☐☐☐ （令和5年㊦ 🅐 問題10）

次の文章は，計器用変成器の変流器に関する記述である．その記述内容として誤っているものを次の(1)～(5)のうちから一つ選べ．

(1) 変流器は，一次電流から生じる磁束によって二次電流を発生させる計器用変成器である．

(2) 変流器は，二次側に開閉器やヒューズを設置してはいけない．

(3) 変流器は，通電中に二次側が開放されると変流器に異常電圧が発生し，絶縁が破壊される危険性がある．

(4) 変流器は，一次電流が一定でも二次側の抵抗値により変流比は変化するので，電流計の選択には注意が必要になる．

(5) 変流器の通電中に，電流計をやむを得ず交換する場合は，二次側端子を短絡して交換し，その後に短絡を外す．

問11 **Check!** ☐☐☐ （平成27年 🅐 問題10）

次の文章は，計器用変成器の変流器に関する記述である．その記述内容として誤っているものを次の(1)～(5)のうちから一つ選べ．

(1) 変流器は，一次電流から生じる磁束によって二次電流を発生させる計器用変成器である．

(2) 変流器は，二次側に開閉器やヒューズを設置してはいけない．

(3) 変流器は，通電中に二次側が開放されると変流器に異常電圧が発生し，絶縁が破壊される危険性がある．

(4) 変流器は，一次電流が一定でも二次側の抵抗値により変流比は変化するので，電流計の選択には注意が必要になる．

(5) 変流器の通電中に，電流計をやむを得ず交換する場合は，二次側端子を短絡して交換し，その後に短絡を外す．

解10 解答 (4)

　変流器（CT）の変流比は一次電流が変化しても，変流器の鉄心が飽和するほどの過電流でなければ一定である．また，二次側の抵抗値が変化しても，二次側が開放に近いような高抵抗にならない限り，変流比は一定であるので，(4)の記述は誤りである．

解11 解答 (4)

　(4)が誤りである．

　変流器（CT）の変流比は一次電流が変化しても，変流器の鉄心が飽和するほどの過電流でなければ一定である．また，二次側の抵抗値が変化しても，二次側が開放に近いような高抵抗にならない限り，変流比は一定であるので，(4)の記述は誤りである．

問12 Check! ☐☐☐ （令和6年㊤ **A** 問題5）

次の文章は，「発電用風力設備に関する技術基準を定める省令」に基づく風車の安全な状態の確保に関する記述である．

a) 風車は，次の場合に安全かつ自動的に停止するような措置を講じなければならない．

① ［ ㋐ ］が著しく上昇した場合

② 風車の［ ㋑ ］の機能が著しく低下した場合

b) 発電用風力設備が一般用電気工作物又は小規模事業用電気工作物である場合には，上記 a) の記述は，同記述中「安全かつ自動的に停止するような措置」とあるのは「安全な状態を確保するような措置」と読み替えて適用するものとする．

c) 最高部の［ ㋒ ］からの高さが 20 m を超える発電用風力設備には，［ ㋓ ］から風車を保護するような措置を講じなければならない．ただし，周囲の状況によって［ ㋓ ］が風車を損傷するおそれがない場合においては，この限りでない．

上記の記述中の空白箇所㋐〜㋓に当てはまる組合せとして，正しいものを次の(1)〜(5)のうちから一つ選べ．

	（ㇵ）	（ㇳ）	（ㇶ）	（㋓）
(1)	回転速度	制御装置	ロータ最低部	雷撃
(2)	発電電圧	圧油装置	地表	雷撃
(3)	回転速度	制御装置	地表	雷撃
(4)	発電電圧	制御装置	ロータ最低部	強風
(5)	回転速度	圧油装置	ロータ最低部	強風

解12 解答 (3)

発電用風力設備に関する技術基準を定める省令第5条（風車の安全な状態の確保）からの出題で，次のように規定されている.

第5条　風車は，次の各号の場合に安全かつ自動的に停止するような措置を講じなければならない.

一　**回転速度**が著しく上昇した場合

二　風車の**制御装置**の機能が著しく低下した場合

2　発電用風力設備が小規模発電設備である場合には，前項の規定は，同項中「安全かつ自動的に停止するような措置」とあるのは 「安全な状態を確保するような措置」と読み替えて適用するものとする.

3　最高部の**地表**からの高さが20 m を超える発電用風力設備には，**雷撃**から風車を保護するような措置を講じなければならない. ただし，周囲の状況によって**雷撃**が風車を損傷するおそれがない場合においては，この限りでない.

問13 Check! ☐☐☐

　次の文章は，「発電用風力設備に関する技術基準を定める省令」に基づく風車の安全な状態の確保に関する記述である．

a　風車（発電用風力設備が一般用電気工作物である場合を除く．以下aにおいて同じ．）は，次の場合に安全かつ自動的に停止するような措置を講じなければならない．

　①　　(ア)　　が著しく上昇した場合

　②　風車の　(イ)　の機能が著しく低下した場合

b　最高部の　(ウ)　からの高さが20 mを超える発電用風力設備には，　(エ)　から風車を保護するような措置を講じなければならない．ただし，周囲の状況によって　(エ)　が風車を損傷するおそれがない場合においては，この限りでない．

　上記の記述中の空白箇所(ア)，(イ)，(ウ)及び(エ)に当てはまる組合せとして，正しいものを次の(1)～(5)のうちから一つ選べ．

	(ア)	(イ)	(ウ)	(エ)
(1)	回転速度	制御装置	ロータ最低部	雷撃
(2)	発電電圧	圧油装置	地表	雷撃
(3)	発電電圧	制御装置	ロータ最低部	強風
(4)	回転速度	制御装置	地表	雷撃
(5)	回転速度	圧油装置	ロータ最低部	強風

解13 解答 (4)

　発電用風力設備に関する技術基準を定める省令第5条（風車の安全な状態の確保）第1項および第3項からの出題で，次のように規定されている.

第5条　風車は，次の各号の場合に安全かつ自動的に停止するような措置を講じなければならない.

　一　回転速度が著しく上昇した場合

　二　風車の制御装置の機能が著しく低下した場合

2　発電用風力設備が小規模発電設備である場合には，前項の規定は，同項中「安全かつ自動的に停止するような措置」とあるのは 「安全な状態を確保するような措置」と読み替えて適用するものとする.

3　最高部の地表からの高さが 20 m を超える発電用風力設備には，雷撃から風車を保護するような措置を講じなければならない. ただし，周囲の状況によって雷撃が風車を損傷するおそれがない場合においては，この限りでない.

次の文章は，「発電用風力設備に関する技術基準を定める省令」における，風車を支持する工作物に関する記述である．

a．風車を支持する工作物は，自重，積載荷重，　(ア)　及び風圧並びに地震その他の振動及び　(イ)　に対して構造上安全でなければならない．

b．発電用風力設備が一般用電気工作物又は小規模事業用電気工作物である場合には，風車を支持する工作物に取扱者以外の者が容易に　(ウ)　ことができないように適切な措置を講じること．

上記の記述中の空白箇所(ア), (イ)及び(ウ)に当てはまる組合せとして，正しいものを次の(1)～(5)のうちから一つ選べ．

	(ア)	(イ)	(ウ)
(1)	飛来物	衝撃	登る
(2)	積雪	腐食	接近する
(3)	飛来物	衝撃	接近する
(4)	積雪	衝撃	登る
(5)	飛来物	腐食	接近する

解14 解答 (4)

　発電用風力設備に関する技術基準を定める省令第7条(風車を支持する工作物)からの出題で，次のように規定されている.

　風車を支持する工作物は，自重，積載荷重，積雪及び風圧並びに地震その他の振動及び衝撃に対して構造上安全でなければならない.

2　発電用風力設備が小規模発電設備である場合には，風車を支持する工作物に取扱者以外の者が容易に登ることができないように適切な措置を講じること.

問15 Check! □□□ （令和4年㊤ ❹ 問題8）

次の文章は，「発電用風力設備に関する技術基準を定める省令」に基づく風車に関する記述である.

風車は，次により施設しなければならない.

a) 負荷を ［ア］ したときの最大速度に対し，構造上安全であること.

b) 風圧に対して構造上安全であること.

c) 運転中に風車に損傷を与えるような ［イ］ がないように施設すること.

d) 通常想定される最大風速においても取扱者の意図に反して風車が ［ウ］ することのないように施設すること.

e) 運転中に他の工作物，植物等に接触しないように施設すること.

上記の記述中の空白箇所㋐〜㋒に当てはまる組合せとして，正しいものを次の(1)〜(5)のうちから一つ選べ.

	(ア)	(イ)	(ウ)
(1)	遮断	振動	停止
(2)	連系	振動	停止
(3)	遮断	雷撃	停止
(4)	連系	雷撃	起動
(5)	遮断	振動	起動

解15 解答 (5)

発電用風力設備に関する技術基準を定める省令第4条（風車）からの出題である.

第4条（風車）

風車は，次の各号により施設しなければならない.

一　負荷を**遮断**したときの最大速度に対し，構造上安全であること.

二　風圧に対して構造上安全であること.

三　運転中に風車に損傷を与えるような**振動**がないように施設すること.

四　通常想定される最大風速においても取扱者の意図に反して風車が**起動**することのないように施設すること.

五　運転中に他の工作物，植物等に接触しないように施設すること.

第5章
電気設備技術基準（計算）

- ・絶縁耐力試験
- ・低圧電路の漏えい電流，絶縁抵抗
- ・B 種接地抵抗
- ・地絡事故時の金属ケース電圧
- ・風圧荷重
- ・支線の強度
- ・金属管工事の絶縁電線の許容電流
- ・低圧幹線の施設

問1 **Check!** ☐☐☐ （平成22年 Ⓐ 問題8）

次の文章は「電気設備技術基準の解釈」に基づく，特別高圧の電路の絶縁耐力試験に関する記述である．

公称電圧 22 000〔V〕，三相3線式電線路のケーブル部分の心線と大地との間の絶縁耐力試験を行う場合，試験電圧と連続加圧時間の記述として，正しいのは次のうちどれか．

(1) 交流 23 000〔V〕の試験電圧を 10 分間加圧する．

(2) 直流 23 000〔V〕の試験電圧を 10 分間加圧する．

(3) 交流 28 750〔V〕の試験電圧を 1 分間加圧する．

(4) 直流 46 000〔V〕の試験電圧を 10 分間加圧する．

(5) 直流 57 500〔V〕の試験電圧を 10 分間加圧する．

解1 解答 (5)

電気設備技術基準の解釈第15条（高圧又は特別高圧の電路の絶縁性能）に関する出題で，次のように規定されている．

高圧又は特別高圧の電路（第13条各号に掲げる部分，次条に規定するもの及び直流電車線を除く．）は，次の各号のいずれかに適合する絶縁性能を有すること．

一　15-1表に規定する試験電圧を電路と大地との間（多心ケーブルにあっては，心線相互間及び心線と大地との間）に連続して10分間加えたとき，これに耐える性能を有すること．

二　電線にケーブルを使用する交流の電路においては，15-1表に規定する試験電圧の2倍の直流電圧を電路と大地との間（多心ケーブルにあっては，心線相互間及び心線と大地との間）に連続して10分間加えたとき，これに耐える性能を有すること（15-1表の一部を下表に示す）．

	電路の種類	試験電圧
最大使用電圧が7 000〔V〕以下の電路	交流の電路	最大使用電圧の1.5倍の交流電圧
	直流の電路	最大使用電圧の1.5倍の直流電圧又は1倍の交流電圧
最大使用電圧が7 000〔V〕を超え，60 000〔V〕以下の電路	最大使用電圧が15 000〔V〕以下の中性点接地式電路（中性線を有するものであって，その中性線に多重接地するものに限る．）	最大使用電圧の0.92倍の電圧
	上記以外	最大使用電圧の1.25倍の電圧（10 500〔V〕未満となる場合は，10 500〔V〕）

ここに，最大使用電圧は，公称電圧 $\times \dfrac{1.15}{1.1}$ で表せる．（電技解釈第1条）

したがって，公称電圧22 000〔V〕の三相3線式電線路のケーブル部分の心線と大地との間の絶縁耐力試験を行う場合の試験電圧は，次のようになる．

$$V_t = 22\,000 \times \frac{1.15}{1.1} \times 1.25 = 28\,750 \text{〔V〕（交流電圧）}$$

また，直流電圧で試験を実施する場合の試験電圧 V_t' は，

$$V_t' = 2V_t = 2 \times 28\,750 = 57\,500 \text{〔V〕}$$

となるから，試験電圧の加圧時間を考慮すれば，(5)の"直流電圧57 500〔V〕の試験電圧を10分間加圧する"が正しい．

問2 Check! □□□

（令和3年 B 問題12）

「電気設備技術基準の解釈」に基づいて，使用電圧6 600 V，周波数50 Hz の電路に使用する高圧ケーブルの絶縁耐力試験を実施する．次の(a)及び(b)の問に答えよ．

(a) 高圧ケーブルの絶縁耐力試験を行う場合の記述として，正しいものを次の(1)～(5)のうちから一つ選べ．

(1) 直流10 350 V の試験電圧を電路と大地との間に1分間加える．

(2) 直流10 350 V の試験電圧を電路と大地との間に連続して10分間加える．

(3) 直流20 700 V の試験電圧を電路と大地との間に1分間加える．

(4) 直流20 700 V の試験電圧を電路と大地との間に連続して10分間加える．

(5) 高圧ケーブルの絶縁耐力試験を直流で行うことは認められていない．

(b) 高圧ケーブルの絶縁耐力試験を，図のような試験回路で行う．ただし，高圧ケーブルは3線一括で試験電圧を印加するものとし，各試験機器の損失は無視する．また，被試験体の高圧ケーブルと試験用変圧器の仕様は次のとおりとする．

【高圧ケーブルの仕様】

ケーブルの種類：6 600 V トリプレックス形架橋ポリエチレン絶縁ビニルシースケーブル（CVT）

公称断面積：100 mm², ケーブルのこう長：220 m

1線の対地静電容量：0.45 μF/km

【試験用変圧器の仕様】

定格入力電圧：AC 0–120 V, 定格出力電圧：AC 0–12 000 V

入力電源周波数：50 Hz

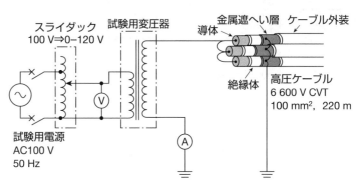

この絶縁耐力試験に必要な皮相電力の値 [kV・A] として，最も近いものを次の(1)〜(5)のうちから一つ選べ.

(1) 4　　(2) 6　　(3) 9　　(4) 10　　(5) 17

解2 解答 (a)－(4), (b)－(4)

(a) (4)の記述が正しい.

　　使用電圧 6 600 V の回路に使用する高圧ケーブルの絶縁耐力試験の交流試験電圧は,

$$6\,600 \times \frac{1.15}{1.1} \times 1.5 = 10\,350 \text{ V}$$

であるから, 絶縁耐力試験を直流で行う場合の試験電圧は,

$$10\,350 \times 2 = 20\,700 \text{ V}$$

となり, この電圧を電路と大地との間に連続して 10 分間加えて試験を行うので, (4)の記述が正しい.

(b) 絶縁耐圧試験に必要な皮相電力 S は, 電源角周波数を ω [rad/s], 1 線の対地静電容量を C [F], 交流試験電圧を V_t [V] とすれば,

$$S = 3\omega C V_t^2$$
$$= 3 \times 2\pi \times 50 \times 0.45 \times 10^{-6} \times 0.22 \times 10\,350^2 \times 10^{-3}$$
$$\fallingdotseq 9.995 \rightarrow 10 \text{ kV·A}$$

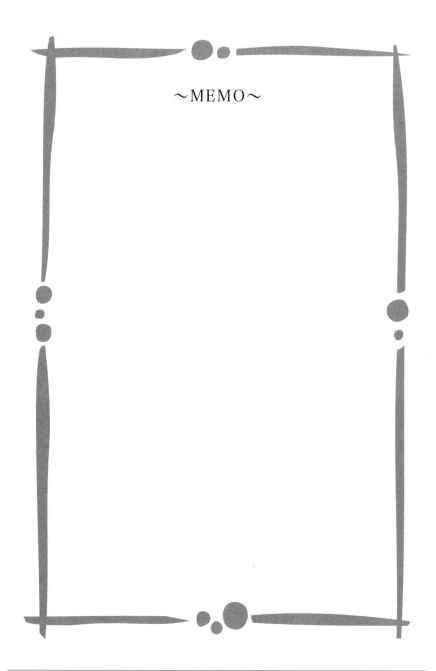

~MEMO~

問3

Check! □□□

「電気設備技術基準の解釈」に基づいて，使用電圧 6 600 V，周波数 50 Hz の電路に接続する高圧ケーブルの交流絶縁耐力試験を実施する．次の(a)及び(b)の問に答えよ．

ただし，試験回路は図のとおりとする．高圧ケーブルは 3 線一括で試験電圧を印加するものとし，各試験機器の損失は無視する．また，被試験体の高圧ケーブルと試験用変圧器の仕様は次のとおりとする．

【高圧ケーブルの仕様】

　　ケーブルの種類：6 600 V トリプレックス形架橋ポリエチレン絶縁ビニルシースケーブル（CVT）

　　公称断面積：100 mm²，ケーブルのこう長：87 m

　　1 線の対地静電容量：0.45 μF/km

【試験用変圧器の仕様】

　　定格入力電圧：AC 0 – 120 V，定格出力電圧：AC 0 – 12 000 V

　　入力電源周波数：50 Hz

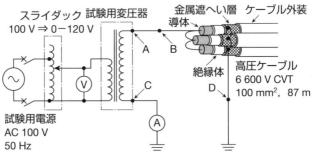

(a)　この交流絶縁耐力試験に必要な皮相電力（以下，試験容量という．）の値 [kV·A] として，最も近いものを次の(1)〜(5)のうちから一つ選べ．

(1)　1.4　　(2)　3.0　　(3)　4.0　　(4)　4.8　　(5)　7.0

(b)　上記(a)の計算の結果，試験容量が使用する試験用変圧器の容量よりも大きいことがわかった．そこで，この試験回路に高圧補償リアクトルを接続し，試験容量を試験用変圧器の容量より小さくすることができた．

　このとき，同リアクトルの接続位置（図中のA〜Dのうちの2点間）と，試験用変圧器の容量の値 [kV·A] の組合せとして，正しいものを次の(1)〜(5)のうちから一つ選べ．

　ただし，接続する高圧補償リアクトルの仕様は次のとおりとし，接続する台数は1台とする．また，同リアクトルによる損失は無視し，A−B間に同リアクトルを接続する場合は，図中のA−B間の電線を取り除くものとする．

【高圧補償リアクトルの仕様】

定格容量：3.5 kvar，定格周波数：50 Hz，定格電圧：12 000 V

電流：292 mA（12 000 V　50 Hz 印加時）

	高圧補償リアクトル 接続位置	試験用変圧器の 容量 [kV·A]
(1)	A − B 間	1
(2)	A − C 間	1
(3)	C − D 間	2
(4)	A − C 間	2
(5)	A − B 間	3

解3 解答 (a)－(3), (b)－(4)

(a) 交流絶縁耐圧試験電圧 V_t は，電気設備技術基準の解釈第1条より，

$$V_t = 6\,600 \times \frac{1.15}{1.1} \times 1.5 = 10\,350 \text{ V}$$

であるから，求める絶縁耐力試験に必要な試験容量 S_t は，

$$S_t = 3\omega C V_t^2 = 3 \times 2\pi \times 50 \times 0.45 \times 10^{-6} \times 0.087 \times 10\,350^2 \times 10^{-3}$$
$$\fallingdotseq 3.952\,6 \fallingdotseq 4.0 \text{ kV·A}$$

(b) 高圧補償リアクトルはA－C間に接続する．

また，高圧補償リアクトルの仕様により，この試験時におけるリアクトルの消費する無効電力 Q_L は，

$$Q_L = 3.5 \times \left(\frac{10\,350}{12\,000}\right)^2 \fallingdotseq 2.603\,7 \text{ kvar}$$

であるから，リアクトルを接続したときの試験用変圧器の試験容量 S_e は，

$$S_e = S_t - Q_L = 3.952\,6 - 2.603\,7 = 1.348\,9 \fallingdotseq 1.35 \text{ kvar}$$

となる．したがって，試験用変圧器の容量は2 kV·Aでよいことになる．

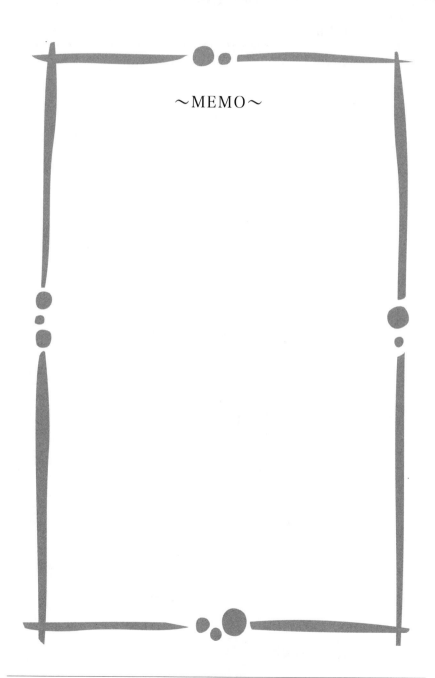

～MEMO～

問4　**Check!** □□□

　公称電圧6 600〔V〕，周波数50〔Hz〕の三相3線式配電線路から受電する需要家の竣工時における自主検査で，高圧引込ケーブルの交流絶縁耐力試験を「電気設備技術基準の解釈」に基づき実施する場合，次の(a)及び(b)の問に答えよ.

　ただし，試験回路は図のとおりとし，この試験は3線一括で実施し，高圧引込ケーブル以外の電気工作物は接続されないものとし，各試験器の損失は無視する.

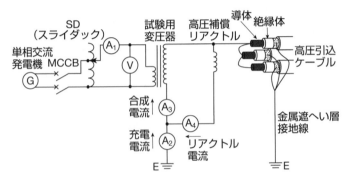

　また，試験対象物である高圧引込ケーブル及び交流絶縁耐力試験に使用する試験器等の仕様は，次のとおりである.

○高圧引込ケーブルの仕様

ケーブルの種類	公称断面積	ケーブルのこう長	1線の対地静電容量
6 600V CVT	38〔mm²〕	150〔m〕	0.22〔μF/km〕

○試験で使用する機器の仕様

試験機器の名称	定　　格	台数〔台〕	備考
試験用変圧器	入力電圧：0–130〔V〕 出力電圧：0–13〔kV〕 巻数比：1/100 30分連続許容出力電流：400〔mA〕，50〔Hz〕	1	電流計付
高圧補償リアクトル	許容印加電圧：13〔kV〕 印加電圧13〔kV〕，50〔Hz〕使用時での電流300〔mA〕	1	電流計付
単相交流発電機	携帯用交流発電機　出力電圧100〔V〕，50〔Hz〕	1	インバータ方式

(a)　交流絶縁耐力試験における試験電圧印加時，高圧引込ケーブルの3線一括の充電電流（電流計 Ⓐ_2 の読み）に最も近い電流値〔mA〕を次の(1)～(5)のうちから一つ選べ．

(1)　80　　(2)　110　　(3)　250　　(4)　330　　(5)　410

(b)　この絶縁耐力試験で必要な電源容量として，単相交流発電機に求められる最小の容量〔kV·A〕に最も近い数値を次の(1)～(5)のうちから一つ選べ．

(1)　1.0　　(2)　1.5　　(3)　2.0　　(4)　2.5　　(5)　3.0

解4 解答 (a)−(4), (b)−(1)

(a) 題意より，高圧引込ケーブルの3線一括対地静電容量 C は，

$$C = 3 \times 0.22 \times 10^{-6} \times 0.15 = 9.9 \times 10^{-8} \text{〔F〕}$$

また，交流絶縁耐力試験の試験電圧 V_T は，電気設備技術基準の解釈第1条より，

$$V_T = 6\,600 \times \frac{1.15}{1.1} \times 1.5 = 10\,350 \text{〔V〕}$$

であるから，交流絶縁耐力試験時の高圧引込ケーブルの充電電流 I_C〔mA〕は，

$$I_C = 2\pi f C V_T = 2\pi \times 50 \times 9.9 \times 10^{-8} \times 10\,350 \times 10^3 = 321.90 \text{〔mA〕}$$

となる.

(b) 交流絶縁耐力試験時の等価回路を描くと，図のようになる.

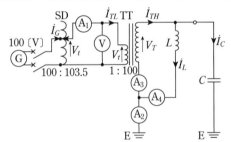

　　ここで，高圧補償リアクトル L に流れる電流 I_L は，題意より，印加電圧 13〔kV〕，50〔Hz〕使用時に 300〔mA〕であるから，

$$I_L = 300 \times \frac{10\,350}{13\,000} \fallingdotseq 238.85 \text{〔mA〕}$$

となるから，試験用変圧器 TT の高圧側巻線を流れる電流 I_{TH} は，

$$I_{TH} = |I_C - I_L| = |321.90 - 238.85| = 83.05 \text{〔mA〕}$$

よって，試験用変圧器の低圧側巻線を流れる電流 I_{TL} は，

$$I_{TL} = 83.05 \times 10^{-3} \times 100 = 8.305 \text{〔A〕}$$

となる.

　　一方，試験用変圧器の低圧側巻線の電圧 V_t は，

$$V_t = \frac{10\,350}{100} = 103.5 \text{〔V〕}$$

であるから，スライダック SD の低圧側入力電流，すなわち単相交流発電機の出力電流 I_G は，

$$I_G = 8.305 \times \frac{103.5}{100} \fallingdotseq 8.60 \, [\text{A}]$$

以上から，交流絶縁耐力試験時に単相交流発電機に求められる最小の容量 S_{min} は，

$$S_{min} = 100 \times I_G \times 10^{-3} = 100 \times 8.60 \times 10^{-3} \fallingdotseq 0.86 \, [\text{kV·A}]$$

となるから，(1)の 1.0 [kV·A] が答となる．

問5 **Check!** □ □ □

　定格容量 50 kV·A，一次電圧 6 600 V，二次電圧 210/105 V の単相変圧器の二次側に接続した単相3線式架空電線路がある．この低圧電線路に最大供給電流が流れたときの絶縁性能が「電気設備技術基準」に適合することを確認するため，低圧電線の3線を一括して大地との間に使用電圧 (105 V) を加える絶縁性能試験を実施した．

　次の(a)及び(b)の問に答えよ．

(a)　この試験で許容される漏えい電流の最大値 [A] として，最も近いものを次の(1)～(5)のうちから一つ選べ．

(1)　0.119　　(2)　0.238　　(3)　0.357

(4)　0.460　　(5)　0.714

(b)　二次側電線路と大地との間で許容される絶縁抵抗値は，1線当たりの最小値 [Ω] として，最も近いものを次の(1)～(5)のうちから一つ選べ．

(1)　295　　(2)　442　　(3)　883　　(4)　1 765　　(5)　3 530

解5　解答 (a)−(3)，(b)−(3)

(a)　電気設備技術基準第 22 条（低圧電線路の絶縁性能）

　1　低圧電線路中絶縁部分の電線と大地との間及び電線の線心相互間の絶縁抵抗は，使用電圧に対する漏えい電流が最大供給電流の 1/2 000 を超えないようにしなければならない．

　　以上から，最大供給電流の 1/2 000 以下とする必要がある．

$$\text{最大供給電流 } I_\mathrm{m} = \frac{P}{2 \times E_2} = \frac{50 \times 10^3}{2 \times 105} = 238.1 \text{ A} \qquad ①$$

　　最大供給電流の 1/2 000 の漏えい電流 I_g は，

$$\text{漏えい電流 } I_\mathrm{g} = \frac{238.1}{2\,000} = 0.119 \text{ A} \qquad ②$$

　　低圧電線の 3 線を一括にして試験を実施しているので②式の値の 3 倍である．

　　　最大漏えい電流 $= 0.119 \times 3 = 0.357$ A

(b)　1 線当たりの最小の絶縁抵抗値は，②式の値から求めればよい．

$$R_\mathrm{g} = \frac{E_2}{I_\mathrm{g}} = \frac{105}{0.119} = 882.4 \ \Omega$$

$$\fallingdotseq 883 \ \Omega$$

問6 **Check!** ☐ ☐ ☐ （平成24年 Ⓐ 問題10改）

　公称電圧 6 600 〔V〕の三相3線式中性点非接地方式の架空配電線路（電線はケーブル以外を使用）があり，そのこう長は 20 〔km〕である．この配電線路に接続される柱上変圧器の低圧電路側に施設される B 種接地工事の接地抵抗値〔Ω〕の上限として，「電気設備技術基準の解釈」に基づき，正しいものを次の(1)～(5)のうちから一つ選べ．

　ただし，高圧電路と低圧電路の混触により低圧電路の対地電圧が150 〔V〕を超えた場合に，1 秒以下で自動的に高圧電路を遮断する装置を施設しているものとする．

　なお，高圧配電線路の 1 線地絡電流 I_1〔A〕は，次式によって求めるものとする．

$$I_1 = 1 + \frac{\dfrac{V}{3}L - 100}{150} \text{〔A〕}$$

V は，配電線路の公称電圧を 1.1 で除した電圧〔kV〕

L は，同一母線に接続される架空配電線路の電線延長〔km〕

(1)　75　　　(2)　150　　　(3)　225　　　(4)　300　　　(5)　600

解6 解答 (4)

電気設備技術基準の解釈第 17 条（接地工事の種類及び施設方法）第 2 項 B 種接地工事に関する出題である.

題意より, 高圧配電線路の 1 線地絡電流 I_1 は与式に,

$$V = \frac{6.6}{1.1} = 6 \,[\text{kV}]$$

$$L = 3 \times 20 = 60 \,[\text{km}]$$

を代入すると,

$$I_1 = 1 + \frac{\dfrac{6}{3} \times 60 - 100}{150} = 1 + 0.133 = 1.133 \Rightarrow 2 \,[\text{A}]$$

となる.

次に, 高圧電路と低圧電路との混触により, 低圧電路の対地電圧が 150 [V] を超えた場合に, 1 秒以下で自動的に高圧電路を遮断する装置を施設しているので, 求める B 種接地工事の接地抵抗値の上限 R_B は,

$$R_B = \frac{600}{I_1} = \frac{600}{2} = 300 \,[\Omega]$$

となる.

問7 Check! ☐☐☐ （令和 5 年㊤　Ⓑ 問題 12）

　　図は三相 3 線式高圧電路に変圧器で結合された変圧器低圧側電路を示したものである．低圧側電路の一端子には B 種接地工事が施されている．この電路の一相当たりの対地静電容量を C とし接地抵抗を R_B とする．

　　低圧側電路の線間電圧 200 V，周波数 50 Hz，対地静電容量 C は 0.1 μF として，次の(a)及び(b)の問に答えよ．

　　ただし，

　　(ｱ)　変圧器の高圧電路の 1 線地絡電流は 5 A とする．

　　(ｲ)　高圧側電路と低圧側電路との混触時に低圧電路の対地電圧が 150 V を超えた場合は 1.3 秒で自動的に高圧電路を遮断する装置が設けられているものとする．

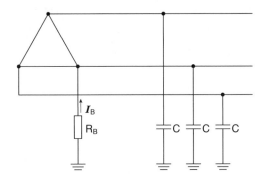

(a)　変圧器に施された，接地抵抗 R_B の抵抗値について「電気設備技術基準の解釈」で許容されている上限の抵抗値 [Ω] として，最も近いものを次の(1)～(5)のうちから一つ選べ．

(1)　20　　(2)　30　　(3)　40　　(4)　60　　(5)　100

(b)　接地抵抗 R_B の抵抗値を 10 Ω としたときに，R_B に常時流れる電流 I_B の値 [mA] として，最も近いものを次の(1)～(5)のうちから一つ選べ．

　　ただし，記載以外のインピーダンスは無視するものとする．

(1)　11　　(2)　19　　(3)　33　　(4)　65　　(5)　192

解7　解答 (a)−(4), (b)−(1)

(a)　電気設備技術基準の解釈第 17 条（接地工事の種類及び施設方法）によると，高圧側電路と低圧側電路との混触時に 1.3 秒で自動遮断する装置が設けられているので，17−1 表の 1 秒を超え 2 秒以下の範囲のため接地抵抗値は $300/I_g$ となる．1 線地絡電流は，題意により 5 A であるから接地抵抗 R_B は，

$$R_B = \frac{300}{5} = 60 \ \Omega$$

(b)　線間電圧が 200 V であるから，総電圧は $E = 200/\sqrt{3}$ V である．

　　各相のコンデンサ並列であり，このコンデンサと接地抵抗 R_B と直列に接続された回路である．

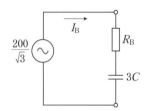

$$I_B = \frac{E}{\sqrt{R_B{}^2 + \left(\dfrac{1}{2\pi f 3C}\right)^2}} = \frac{\dfrac{200}{\sqrt{3}}}{\sqrt{10^2 + \left(\dfrac{1}{2\pi \times 50 \times 3 \times 0.1 \times 10^{-6}}\right)^2}}$$

$$= \frac{\dfrac{200}{\sqrt{3}}}{\sqrt{10^2 + 10\,610^2}} = \frac{200}{10\,610\sqrt{3}} \fallingdotseq 0.010\,9 \ \text{A} \fallingdotseq 11 \ \text{mA}$$

　　図は三相3線式高圧電路に変圧器で結合された変圧器低圧側電路を示したものである．低圧側電路の一端子にはB種接地工事が施されている．この電路の一相当たりの対地静電容量をCとし接地抵抗を R_B とする．

　　低圧側電路の線間電圧200 V，周波数50 Hz，対地静電容量Cは0.1 μFとして，次の(a)及び(b)の問に答えよ．

　　ただし，

　　　㋐　変圧器の高圧電路の1線地絡電流は5 Aとする．

　　　㋑　高圧側電路と低圧側電路との混触時に低圧電路の対地電圧が150 Vを超えた場合は1.3秒で自動的に高圧電路を遮断する装置が設けられているものとする．

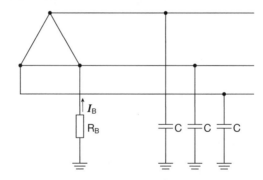

(a)　変圧器に施された，接地抵抗 R_B の抵抗値について「電気設備技術基準の解釈」で許容されている上限の抵抗値 [Ω] として，最も近いものを次の(1)～(5)のうちから一つ選べ．

(1)　20　　(2)　30　　(3)　40　　(4)　60　　(5)　100

(b)　接地抵抗 R_B の抵抗値を10 Ω としたときに，R_B に常時流れる電流 I_B の値 [mA] として，最も近いものを次の(1)～(5)のうちから一つ選べ．

　　ただし，記載以外のインピーダンスは無視するものとする．

(1)　11　　(2)　19　　(3)　33　　(4)　65　　(5)　192

解8　解答 (a)−(4),(b)−(1)

(a) 高低圧混触時，低圧電路の対地電圧が 150 V を超えた場合に 1.3 秒で自動的に高圧電路を遮断する装置が設けられているので，B 種接地工事の接地抵抗の上限値 R_{Bmax} は，電気設備技術基準の解釈第 17 条第 2 項より，

$$R_{Bmax} = \frac{300}{5} = 60 \ \Omega$$

(b) B 種接地点にテブナンの定理を適用すれば，第 1 図の等価回路になる．

したがって，R_B に常時流れる電流 I_B は，次式で与えられる．

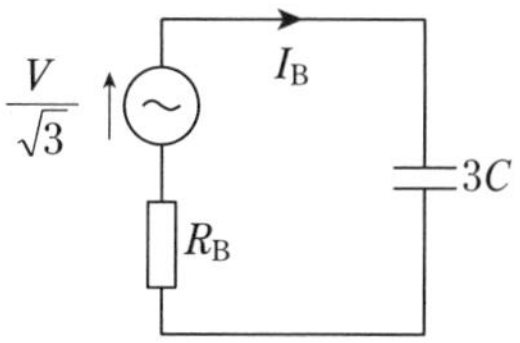

$$I_B = \frac{V/\sqrt{3}}{\sqrt{R_B{}^2 + \left(\dfrac{1}{3\omega C}\right)^2}}$$

第 1 図

ここに，$R_B = 10 \ \Omega$，$\dfrac{1}{3\omega C} = \dfrac{1}{3 \times 2\pi \times 50 \times 0.1 \times 10^{-6}} \fallingdotseq 10\,610.33 \ \Omega \gg R_B$ であるから，

$$I_B = \frac{V/\sqrt{3}}{\sqrt{R_B{}^2 + \left(\dfrac{1}{3\omega C}\right)^2}} \fallingdotseq 3\omega C \cdot \frac{V}{\sqrt{3}} \fallingdotseq \frac{1}{10\,610.33} \times \frac{200}{\sqrt{3}} \fallingdotseq 0.010\,883 \ \text{A}$$

$$= 10.883 \ \text{mA} \fallingdotseq 11 \ \text{mA}$$

問9 **Check!** ☐☐☐
（令和6年㊤ **Ｂ** 問題13）

変圧器によって高圧電路に結合されている低圧電路に施設された使用電圧100Vの金属製外箱を有する空調機がある。この変圧器のB種接地抵抗値及びその低圧電路に施設された空調機の金属製外箱のD種接地抵抗値に関して，次の(a)及び(b)の問に答えよ。

ただし，次の条件によるものとする。

(ア) 変圧器の高圧側の電路の1線地絡電流は5Aで，B種接地工事の接地抵抗値は「電気設備技術基準の解釈」で許容されている最高限度の $\frac{1}{3}$ に維持されている。

(イ) 変圧器の高圧側の電路と低圧側の電路との混触時に低圧電路の対地電圧が150Vを超えた場合に，0.8秒で高圧電路を自動的に遮断する装置が設けられている。

(a) 変圧器の低圧側に施されたB種接地工事の接地抵抗値 [Ω] の値として，最も近いのは次のうちどれか。

(1) 10 (2) 20 (3) 30 (4) 40 (5) 50

(b) 空調機に地絡事故が発生した場合，空調機の金属製外箱に触れた人体に流れる電流を10mA以下としたい。このための空調機の金属製外箱に施すD種接地工事の接地抵抗値 [Ω] の上限値として，最も近いのは次のうちどれか。

ただし，人体の電気抵抗値は6000Ωとする。

(1) 10 (2) 15 (3) 20 (4) 30 (5) 60

解9 解答 (a)−(4), (b)−(5)

(a) 題意より，変圧器の高圧側電路と低圧側電路との混触時に低圧電路の対地電圧が150 Vを超えた場合に，0.8秒（< 1秒）で高圧電路を自動的に遮断する装置が設けられているので，求めるB種接地工事の接地抵抗値 R_B は，題意および解釈第17条17−1表より，

$$R_\mathrm{B} = \frac{1}{3} \times \frac{600}{5} = 40 \ \Omega$$

(b) 空調機の金属製外箱に施すD種接地工事の接地抵抗値を R_D とし，空調機に地絡事故が発生したときの等価回路を描くと図のようになる．

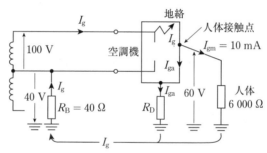

図より，地絡電流 I_g は，

$$I_\mathrm{g} = \frac{40}{40} = 1 \ \mathrm{A}$$

であるから，D種接地工事の接地抵抗 R_D に流れる電流 I_ga は，

$$I_\mathrm{ga} = 1 - 0.01 = 0.99 \ \mathrm{A}$$

したがって，D種接地工事の接地抵抗 R_D は，

$$R_\mathrm{D} = \frac{60}{0.99} \fallingdotseq 60.606 \fallingdotseq 60 \ \Omega$$

問10 Check! ☐☐☐

（平成25年 Ⓑ 問題13）

変圧器によって高圧電路に結合されている低圧電路に施設された使用電圧100〔V〕の金属製外箱を有する電動ポンプがある．この変圧器のB種接地抵抗値及びその低圧電路に施設された電動ポンプの金属製外箱のD種接地抵抗値に関して，次の(a)及び(b)の問に答えよ．

ただし，次の条件によるものとする．

(ア) 変圧器の高圧側電路の1線地絡電流は3〔A〕とする．

(イ) 高圧側電路と低圧側電路との混触時に低圧電路の対地電圧が150〔V〕を超えた場合に，1.2秒で自動的に高圧電路を遮断する装置が設けられている．

(a) 変圧器の低圧側に施されたB種接地工事の接地抵抗値について，「電気設備技術基準の解釈」で許容されている上限の抵抗値〔Ω〕として，最も近いものを次の(1)～(5)のうちから一つ選べ．

(1) 10 (2) 25 (3) 50 (4) 75 (5) 100

(b) 電動ポンプに完全地絡事故が発生した場合，電動ポンプの金属製外箱の対地電圧を25〔V〕以下としたい．このための電動ポンプの金属製外箱に施すD種接地工事の接地抵抗値〔Ω〕の上限値として，最も近いものを次の(1)～(5)のうちから一つ選べ．

ただし，B種接地抵抗値は，上記(a)で求めた値を使用する．

(1) 15 (2) 20 (3) 25 (4) 30 (5) 35

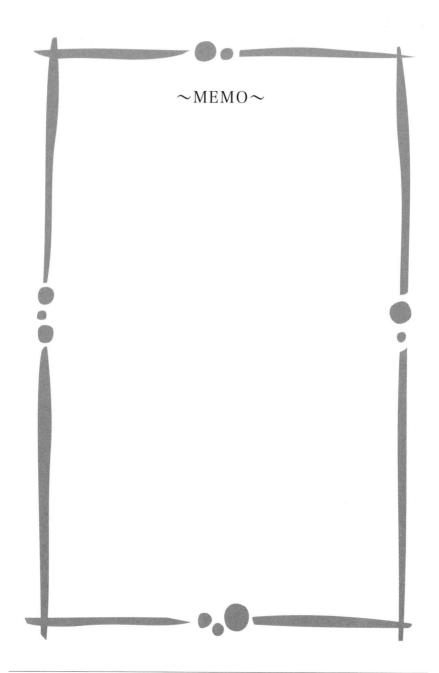

~MEMO~

法 規 5 電気設備技術基準（計算）

解10 解答 (a)−(5),(b)−(4)

(a) 電気設備技術基準の解釈第17条第2項で，B種接地工事は17-1表によることを定めている．

17-1表　B種接地工事の抵抗値（一部略）

高圧・特別高圧回路と低圧回路の混触時の自動遮断時間		接地抵抗値（〔Ω〕以下）
下記以外		$150/I_g$
高圧又は特別高圧回路（35 000〔V〕以下）と低圧回路を結合する場合	1秒を超え2秒以下	$300/I_g$
	1秒以下	$600/I_g$

I_g は，当該変圧器の高圧側又は特別高圧側の回路の1線地絡電流（単位：A）

B種接地工事の接地抵抗値を R_B〔Ω〕とすると，17-1表と条件(イ)より，

$$R_B \leq \frac{300}{I_g} 〔\Omega〕$$

条件(ア)より，$I_g = 3$〔A〕であるので，

$$R_B \leq \frac{300}{3} = 100 〔\Omega〕$$

したがって，変圧器の低圧側に施すB種接地工事の接地抵抗値の上限は，100〔Ω〕である．

(b) 電気設備技術基準の解釈第17条第4項でD種接地工事の接地抵抗値は100〔Ω〕とすることを定めているが，D種接地工事を施す金属製外箱や金属製外箱は人が触れるおそれがあるため，感電事故の危険がない抵抗値としなければならない．接地抵抗と対地電圧の関係を図示すると図のようになる．

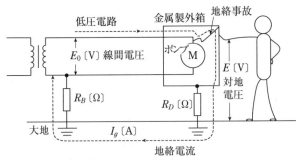

接地抵抗と対地電圧

金属製外箱の対地電圧を E〔V〕，線間電圧を E_0〔V〕，B種接地抵抗を R_B

〔Ω〕，D種接地抵抗を R_D 〔Ω〕とすると，次式のようになる．

$$E = E_0 \frac{R_D}{R_B + R_D} \text{〔V〕}$$

この式に題意の値と(a)の結果を代入すると，

$$25 \geqq E_0 \frac{R_D}{R_B + R_D} = 100 \times \frac{R_D}{100 + R_D}$$

$$25 \times (100 + R_D) \geqq 100 \times R_D$$

$$75 R_D \leqq 2\,500$$

$$R_D \leqq 33.33 \fallingdotseq 33.3 \text{〔Ω〕}$$

選択肢の中で33.3〔Ω〕以下の最も近い値は，30〔Ω〕である．

（注） 選択肢の中では(5) 35〔Ω〕の方が33.3〔Ω〕に近い値だが，33.3〔Ω〕以下でないと，対地電圧は25〔V〕を超過する．したがって，30〔Ω〕が正解である．

問11 Check! □□□ (平成22年 Ｂ 問題12)

変圧器によって高圧回路に結合されている低圧回路に施設された使用電圧 100〔V〕の金属製外箱を有する空調機がある．この変圧器の B 種接地抵抗値及びその低圧回路に施設された空調機の金属製外箱の D 種接地抵抗値に関して，次の(a)及び(b)に答えよ．

ただし，次の条件によるものとする．

(ア) 変圧器の高圧側の回路の 1 線地絡電流は 5〔A〕で，B 種接地工事の接地抵抗値は「電気設備技術基準の解釈」で許容されている最高限度の $\frac{1}{3}$ に維持されている．

(イ) 変圧器の高圧側の回路と低圧側の回路との混触時に低圧電路の対地電圧が 150〔V〕を超えた場合に，0.8 秒で高圧回路を自動的に遮断する装置が設けられている．

(a) 変圧器の低圧側に施された B 種接地工事の接地抵抗値〔Ω〕の値として，最も近いのは次のうちどれか．

(1) 10 　　(2) 20 　　(3) 30 　　(4) 40 　　(5) 50

(b) 空調機に地絡事故が発生した場合，空調機の金属製外箱に触れた人体に流れる電流を 10〔mA〕以下としたい．このための空調機の金属製外箱に施す D 種接地工事の接地抵抗値〔Ω〕の上限値として，最も近いのは次のうちどれか．

ただし，人体の電気抵抗値は 6 000〔Ω〕とする．

(1) 10 　　(2) 15 　　(3) 20 　　(4) 30 　　(5) 60

解11 解答 (a)−(4), (b)−(5)

(a) 題意より，変圧器の高圧側電路と低圧側電路との混触時に低圧電路の対地電圧が150〔V〕を超えた場合に，0.8秒（＜1秒以下）で高圧電路を自動的に遮断する装置が設けられているので，求めるB種接地工事の接地抵抗値は，電気設備技術基準の解釈第17条第2項および題意より，

$$R_B = \frac{1}{3} \times \frac{600}{5} = 40 \ \text{〔Ω〕}$$

となる．

(b) 空調機の金属製外箱に施すD種接地工事の接地抵抗値 R_D とし，空調機に地絡事故が発生したときの等価回路を描くと図のようになる．

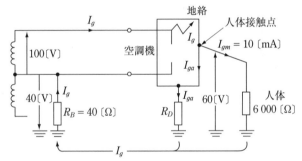

等価回路から，空調機の金属製外箱に触れた人体に流れる電流が10〔mA〕となる場合，次式が成立する．

$$I_{gm} = \frac{100}{40 + \dfrac{6\,000R_D}{6\,000 + R_D}} \times \frac{R_D}{6\,000 + R_D} = 0.01$$

$$\frac{100R_D}{240\,000 + 40R_D + 6\,000R_D} = 0.01$$

$$\frac{100R_D}{240\,000 + 6\,040R_D} = 0.01$$

$$100R_D = 2\,400 + 60.4R_D$$

したがって，求めるD種接地工事の接地抵抗値の上限 R_D は，

$$R_D = \frac{2\,400}{100 - 60.4} \fallingdotseq 60.6 \ \text{〔Ω〕}$$

となる．

　人家が多く連なっている場所以外の場所であって，氷雪の多い地方のうち，海岸その他の低温季に最大風圧を生じる地方に設置されている公称断面積 60 mm²，仕上り外径 15 mm の 6 600 V 屋外用ポリエチレン絶縁電線（6 600 V OE）を使用した高圧架空電線路がある．この電線路の電線の風圧荷重について「電気設備技術基準の解釈」に基づき，次の(a)及び(b)の問に答えよ．

　ただし，電線に対する甲種風圧荷重は 980 Pa，乙種風圧荷重の計算で用いる氷雪の厚さは 6 mm とする．

(a) 低温季において電線1条，長さ1 m 当たりに加わる風圧荷重の値 [N] として，最も近いものを次の(1)～(5)のうちから一つ選べ．

(1) 10.3　　(2) 13.2　　(3) 14.7　　(4) 20.6　　(5) 26.5

(b) 低温季に適用される風圧荷重が乙種風圧荷重となる電線の仕上り外径の値 [mm] として，最も大きいものを次の(1)～(5)のうちから一つ選べ．

(1) 10　　(2) 12　　(3) 15　　(4) 18　　(5) 21

解12 解答 (a)−(3), (b)−(2)

(a) 電気設備技術基準の解釈第58条（架空電線路の強度検討に用いる荷重）に関する出題である.

人家が多く連なっている場所以外の場所であって，氷雪の多い地方のうち，海岸地その他の低温季に最大風圧を生じる地方における風圧荷重の適用は，甲種風圧荷重または乙種風圧荷重のいずれか大きいものとされている.

ここに，公称断面積 $60~\text{mm}^2$，仕上り外径 $15~\text{mm}$ の $6\,600~\text{V}$ 屋外用 OE 線 1 条の単位長当たりに加わる甲種風圧荷重による風圧荷重 F_1 は，

$$F_1 = 980 \times 15 \times 10^{-3} = 14.7~\text{N/m}$$

また，乙種風圧荷重による風圧荷重 F_2 は，

$$F_2 = 980 \times 0.5 \times (15 + 2 \times 6) \times 10^{-3} = 13.23~\text{N/m}$$

したがって，求める風圧荷重は $14.7~\text{N/m}$ となる.

(b) 乙種風圧荷重は，「架渉線の周囲に厚さ 6 mm，比重 0.9 の氷雪が付着した状態に対し，甲種風圧荷重の 0.5 倍を基礎として計算したもの」と規定されている.

いま，電線の仕上り外径を $d~[\text{mm}]$ とすると，乙種風圧荷重による風圧荷重が甲種風圧荷重による風圧荷重より大きくなるとき，次式が成立する.

$$0.5(d + 2 \times 6) \geq d$$

$$0.5d + 6 \geq d$$

$$0.5d \leq 6$$

$$\therefore \quad d \leq \frac{6}{0.5} = 12$$

以上より，電線の仕上り外径が 12 mm 以下のとき，低温季における風圧荷重は乙種風圧荷重となる.

問13 Check! □□□

人家が多く連なっている場所以外の場所であって，氷雪の多い地方のうち，海岸地その他の低温季に最大風圧を生じる地方に設置されている公称断面積 60 mm²，仕上り外径 15 mm の 6 600 V 屋外用ポリエチレン絶縁電線（6 600 V OE）を使用した高圧架空電線路がある．この電線路の電線の風圧荷重について「電気設備技術基準の解釈」に基づき，次の(a)及び(b)の問に答えよ．

ただし，電線に対する甲種風圧荷重は 980 Pa，乙種風圧荷重の計算で用いる氷雪の厚さは 6 mm とする．

(a) 低温季において電線1条，長さ1m当たりに加わる風圧荷重の値 [N] として，最も近いものを次の(1)～(5)のうちから一つ選べ．

(1) 10.3 　(2) 13.2 　(3) 14.7 　(4) 20.6 　(5) 26.5

(b) 低温季に適用される風圧荷重が乙種風圧荷重となる電線の仕上り外径の値 [mm] として，最も大きいものを次の(1)～(5)のうちから一つ選べ．

(1) 10 　(2) 12 　(3) 15 　(4) 18 　(5) 21

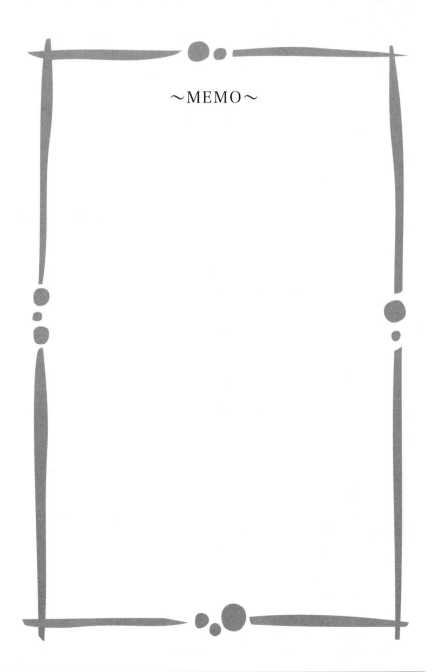

~MEMO~

解13 解答 (a)−(3), (b)−(2)

電気設備技術基準の解釈第58条（架空電線路の強度検討に用いる荷重）を用いて甲種風圧荷重と乙種風圧荷重を導出する問題である.

第58条 架空電線路の強度検討に用いる荷重は, 次の各号によること.

一 風圧荷重 架空電線路の構成材に加わる風圧による荷重であって, 次の規定によるもの

イ 風圧荷重の種類は, 次によること.

(イ) 甲種風圧荷重

58−1表（省略）に規定する構成材の垂直投影面に加わる圧力を基礎として計算したもの, 又は風速40 m/s以上を想定した風洞実験に基づく値より計算したもの

(ロ) 乙種風圧荷重

架渉線の周囲に厚さ6 mm, 比重0.9の氷雪が付着した状態に対し, 甲種風圧荷重の0.5倍を基礎として計算したもの

(ハ) 丙種風圧荷重

甲種風圧荷重の0.5倍を基礎として計算したもの

風圧荷重の適用区分は, 58−2表によること. ただし, 異常着雪時想定荷重の計算においては,同表にかかわらず着雪時風圧荷重を適用すること.

58−2表

季節	地方		適用する風圧荷重
高温季	全ての地方		甲種風圧荷重
低温季	氷雪の多い地方	海岸地その他の低温季に最大風圧を生じる地方	甲種風圧荷重又は乙種風圧荷重のいずれか大きいもの
		上記以外の地方	乙種風圧荷重
	氷雪の多い地方以外の地方		丙種風圧荷重

(a) 題意により甲種風圧荷重は980 Paであり, 氷雪の厚さは6 mmである.

1 m当たりに加わる甲種風圧荷重 F_1 は,

$$F_1 = P_1 S = 980 \times 15 \times 10^{-3} \times 1 = 14.7 \text{ N}$$

1 m当たりに加わる乙種風圧荷重 F_2 は,

$$F_2 = P_2 S = 490 \times (15 + 6 \times 2) \times 10^{-3} \times 1 = 13.23 \text{ N}$$

58−2表から甲種と乙種の大きい方であるから, 14.7 Nとなる.

(b) 電線の仕上がり外径を D とすると, 乙種風圧荷重の方が大きくなる条件は,

$$490 \times (D + 6 \times 2) \times 10^{-3} \times 1 \geqq 980 \times D \times 10^{-3} \times 1$$

$$D + 6 \times 2 \geqq 2D$$

$$D \leqq 12 \text{ mm}$$

最も大きい外形 $D = 12$ mm となる.

問14 Check! □□□

（平成22年 Ⓑ問題13）

氷雪の多い地方のうち，海岸地その他の低温季に最大風圧を生ずる地方以外の地方において，電線に断面積150〔mm²〕（19本/3.2〔mm〕）の硬銅より線を使用する特別高圧架空電線路がある．この電線1条，長さ1〔m〕当たりに加わる水平風圧荷重について，「電気設備技術基準の解釈」に基づき，次の(a)及び(b)に答えよ．

ただし，電線は図のようなより線構成とする．

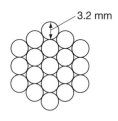

3.2 mm

(a) 高温季における風圧荷重〔N〕の値として，最も近いのは次のうちどれか．

(1) 6.8 　　(2) 7.8 　　(3) 9.4 　　(4) 10.6 　　(5) 15.7

(b) 低温季における風圧荷重〔N〕の値として，最も近いのは次のうちどれか．

(1) 12.6 　　(2) 13.7 　　(3) 18.5 　　(4) 21.6 　　(5) 27.4

解14 解答 (a)−(5), (b)−(2)

(a) 電気設備技術基準の解釈第58条（架空電線路の強度検討に用いる荷重）に関する出題である.

　本条では，高温季における全ての地方では甲種風圧荷重，氷雪の多い地方のうち，海岸地その他の低温季に最大風圧を生ずる地方以外の地方では，低温季においては乙種風圧荷重を適用することが規定されており，甲種風圧荷重および乙種風圧荷重はそれぞれ次のように規定されている.

（甲種風圧荷重）

　構成材の垂直投影面に加わる圧力を基礎として計算したもので，架渉線（多導体を構成する電線を除く.）の場合は980〔Pa〕.

（乙種風圧荷重）

　架渉線の周囲に厚さ6〔mm〕，比重0.9の氷雪が付着した状態に対し，甲種風圧荷重の0.5倍を基礎として計算したもの.

(a) 電線の長さ1〔m〕の垂直投影面積 S は，第1図より，
$$S = 3.2 \times 5 \times 10^{-3} \times 1 = 0.016 \text{〔m}^2\text{〕}$$

また，高温季においては，甲種風圧荷重を適用するので，求める高温季における風圧荷重 W_H は，
$$W_H = 980 \times 0.016 = 15.68 \text{〔N〕}$$
となる.

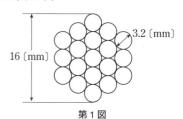

第1図

(b) 硬銅より線の周囲に厚さ6〔mm〕，比重0.9の氷雪が付着した状態の長さ1〔m〕の垂直投影面積は，第2図より，
$$S = (2 \times 6 + 3.2 \times 5) \times 10^{-3} \times 1 = 0.028 \text{〔m}^2\text{〕}$$

また，低温季においては，乙種風圧荷重を適用するので，求める低温季における風圧荷重 W_L は，
$$\begin{aligned} W_L &= 980 \times 0.5 \times 0.028 \\ &= 13.72 \text{〔N〕} \end{aligned}$$
となる.

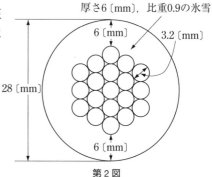

第2図

問15 Check! ☐☐☐

（平成26年 Ⓑ 問題11）

鋼心アルミより線（ACSR）を使用する6 600 V高圧架空電線路がある．この電線路の電線の風圧荷重について「電気設備技術基準の解釈」に基づき，次の(a)及び(b)の問に答えよ．

なお，下記の条件に基づくものとする．

① 氷雪が多く，海岸地その他の低温季に最大風圧を生じる地方で，人家が多く連なっている場所以外の場所とする．

② 電線構造は図のとおりであり，各素線，鋼線ともに全てが同じ直径とする．

③ 電線被覆の絶縁体の厚さは一様とする．

素線の直径2.0 mm
鋼線の直径2.0 mm
絶縁体の厚さ2.0 mm

④ 甲種風圧荷重は980 Pa，乙種風圧荷重の計算に使う氷雪の厚さは6 mmとする．

(a) 高温季において適用する風圧荷重（電線1条，長さ1 m当たり）の値〔N〕として，最も近いものを次の(1)～(5)のうちから一つ選べ．

(1) 4.9 　(2) 5.9 　(3) 7.9 　(4) 9.8 　(5) 21.6

(b) 低温季において適用する風圧荷重（電線1条，長さ1 m当たり）の値〔N〕として，最も近いものを次の(1)～(5)のうちから一つ選べ．

(1) 4.9 　(2) 8.9 　(3) 10.8 　(4) 17.7 　(5) 21.6

解15 解答 (a)－(4), (b)－(3)

電気設備技術基準の解釈第58条第1項第一号風圧荷重イおよびロに関する出題で，架渉線に関わるものである．

風圧荷重は，高温季の全ての地方において甲種風圧荷重が問題の高圧架空電線路が施設されている「氷雪が多く，海岸地その他の低温季に最大風圧を生じる地方で，人家が多く連なっている場所以外の場所」における，低温季は甲種風圧荷重または乙種風圧荷重のいずれか大きいものが適用される．

(a) 問題のような鋼心アルミより線（ACSR）6 600 V高圧架空電線に対する甲種風圧荷重は，架渉線の垂直投影面に加わる圧力が980〔Pa〕と規定されている．

問題の電線1条，長さ1〔m〕当たりの垂直投影面積 S_1 は与えられた図より，

$$S_1 = (2.0 \times 3 + 2.0 \times 2) \times 10^{-3} \times 1 = 0.01 \ [\text{m}^2]$$

であるから，甲種風圧荷重 W_1 は，

$$W_1 = 980 \times 0.01 = 9.8 \ [\text{N}]$$

(b) 乙種風圧荷重は，架渉線の周囲に厚さ6〔mm〕，比重0.9の氷雪が付着した状態に対し，甲種風圧荷重の0.5倍を基礎として計算したものと規定されている．

架渉線の周囲に厚さ6〔mm〕の氷雪が付着した状態の長さ1〔m〕当たりの垂直投影面積 S_2 は，

$$S_2 = (2.0 \times 3 + 2.0 \times 2 + 6 \times 2) \times 10^{-3} \times 1 = 0.022 \ [\text{m}^2]$$

であるから，乙種風圧荷重 W_2 は，

$$W_1 = 0.5 \times 980 \times 0.022 = 10.78 \ [\text{N}]$$

したがって，乙種風圧荷重 W_2 は甲種風圧荷重 W_1 より大きいので，この場所では低温季の風圧荷重は乙種風圧荷重を適用することになり，求める風圧荷重は，$10.78 \fallingdotseq 10.8 \ [\text{N}]$ となる．

問16 Check! ☐☐☐ (令和4年下 B 問題11)

高圧架空電線において，電線に硬銅線を使用して架設する場合，電線の設計に伴う許容引張荷重と弛度について，次の(a)及び(b)の問に答えよ．

ただし，径間 S [m]，電線の引張強さ T [kN]，電線の重量による垂直荷重と風圧による水平荷重の合成荷重が W [kN/m] とする．

(a) 「電気設備技術基準の解釈」によれば，規定する荷重が加わる場合における電線の引張強さに対する安全率が，R 以上となるような弛度に施設しなければならない．この場合 R の値として，正しいものを次の(1)～(5)のうちから一つ選べ．

(1) 1.5　　(2) 1.8　　(3) 2.0　　(4) 2.2　　(5) 2.5

(b) 弛度の計算において，最小の弛度を求める場合の許容引張荷重 [kN] として，正しい式を次の(1)～(5)のうちから一つ選べ．

(1) $\dfrac{T}{R}$　　　　　(2) $T \times R$　　(3) $S \times \dfrac{W}{R}$

(4) $S \times W \times R$　　(5) $\dfrac{T + S \times W}{R}$

解16 解答 (a)−(4),(b)−(1)

(a) 電気設備技術基準の解釈第66条からの出題である.

第66条(低高圧架空電線の引張強さに対する安全率) 高圧架空電線は,ケーブルである場合を除き,次の各号に規定する荷重が加わる場合における引張強さに対する安全率が,66−1表に規定する値以上となるような弛度により施設すること.

66−1表

電線の種類	安全率
硬銅線又は耐熱銅合金線	2.2
その他	2.5

(b) 弛度の計算で,最小の弛度を求める場合の許容引張荷重 T' [kN] は,電線の有する引張荷重(引張強さ)T [kN] を安全率 R で割った値になる.

$$T' = \frac{T}{R} \ [\text{kN}]$$

問17 Check! ☐☐☐

（令和3年 Ⓑ 問題11）

　図のように既設の高圧架空電線路から，高圧架空電線を高低差なく径間30 m延長することにした．

　新設支持物にA種鉄筋コンクリート柱を使用し，引留支持物とするため支線を電線路の延長方向4 mの地点に図のように設ける．電線と支線の支持物への取付け高さはともに8 mであるとき，次の⒜及び⒝の問に答えよ．

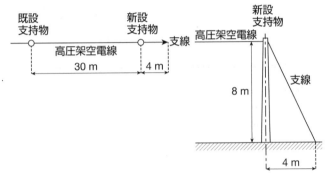

⒜　電線の水平張力が15 kNであり，その張力を支線で全て支えるものとしたとき，支線に生じる引張荷重の値 [kN] として，最も近いものを次の⑴～⑸のうちから一つ選べ．

⑴　7　　⑵　15　　⑶　30　　⑷　34　　⑸　67

⒝　支線の安全率を1.5とした場合，支線の最少素線条数として，最も近いものを次の⑴～⑸のうちから一つ選べ．

　　ただし，支線の素線には，直径2.9 mmの亜鉛めっき鋼より線（引張強さ1.23 kN/mm²）を使用し，素線のより合わせによる引張荷重の減少係数は無視するものとする．

⑴　3　　⑵　5　　⑶　7　　⑷　9　　⑸　19

解17 解答 (a)−(4), (b)−(3)

(a) 問題の新設支持物，高圧架空電線および支線に働く力の関係を図示すると，下図のようになる．

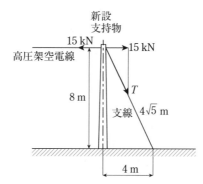

したがって，支線に生じる引張荷重 T は，

$$T = 15 \times \frac{\sqrt{8^2+4^2}}{4} = 15 \times \frac{4\sqrt{5}}{4} = 15\sqrt{5}$$

$$\fallingdotseq 33.541 \fallingdotseq 34 \text{ kN}$$

(b) 支線の必要最少素線条数 N は，支線の安全率が 1.5 であるから，

$$N = \frac{33.541}{1.23 \times \pi \times \dfrac{2.9^2}{4}} \times 1.5 \fallingdotseq 6.193 \rightarrow 7 \text{ 条}$$

問18 Check! ☐☐☐

　図のように既設の高圧架空電線路から，電線に硬銅より線を使用した電線路を高低差なく径間 40 m 延長することにした．

　新設支持物に A 種鉄筋コンクリート柱を使用し，引留支持物とするため支線を電線路の延長方向 10 m の地点に図のように設ける．電線と支線の支持物への取付け高さはともに 10 m であるとき，次の(a)及び(b)の問に答えよ．

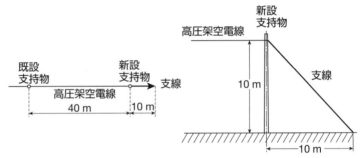

(a)　電線の水平張力を 13 kN として，その張力を支線で全て支えるものとする．

　　支線の安全率を 1.5 としたとき，支線に要求される引張強さの最小の値 [kN] として，最も近いものを次の(1)～(5)のうちから一つ選べ．

(1)　6.5　　(2)　10.7　　(3)　19.5　　(4)　27.6　　(5)　40.5

(b)　電線の引張強さを 28.6 kN，電線の重量と風圧荷重との合成荷重を 18 N/m とし，高圧架空電線の引張強さに対する安全率を 2.2 としたとき，この延長した電線の弛度（たるみ）の値 [m] は，いくら以上としなければならないか．最も近いものを次の(1)～(5)のうちから一つ選べ．

(1)　0.14　　(2)　0.28　　(3)　0.49　　(4)　0.94　　(5)　1.97

解18 解答 (a)−(4), (b)−(2)

(a) 支線の張力 T は図のようになる.

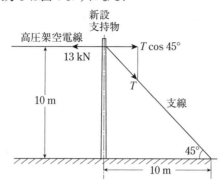

$$T \cos 45° = 13$$

$$\therefore \quad T = \frac{13}{\cos 45°} = 13\sqrt{2} \fallingdotseq 18.385 \text{ kN}$$

ここで, 支線の安全率 1.5 を考慮すれば, 求める支線に要求される引張り強さの最小値 T_0 は,

$$T_0 = 1.5T = 1.5 \times 18.385 \fallingdotseq 27.6 \text{ kN}$$

(b) 電線最下点の張力を T [N], 電線の質量と風圧荷重の合成荷重を W [N/m], 径間を S [m] とすると, 電線の弛度 D は, 次式で与えられる.

$$D = \frac{WS^2}{8T} \text{ [m]} \tag{1}$$

ここに, 電線の引張り強さに対する安全率 2.2 を考慮した場合の電線最下点の張力 T は,

$$T = \frac{28.6}{2.2} = 13 \text{ kN}$$

であるから, 求める電線の弛度 D は, $T = 13\,000$ N, $W = 18$ N/m, $S = 40$ m を(1)式へ代入すると,

$$D = \frac{WS^2}{8T} = \frac{18 \times 40^2}{8 \times 13\,000} \fallingdotseq 0.277 \fallingdotseq 0.28 \text{ m}$$

Check! ☐☐☐ （平成27年 Ⓑ問題12）

　周囲温度が 25 ℃ の場所において，単相 3 線式（100/200 V）の定格電流が 30 A の負荷に電気を供給する低圧屋内配線 A と，単相 2 線式（200 V）の定格電流が 30 A の負荷に電気を供給する低圧屋内配線 B がある．いずれの負荷にも，電動機又はこれに類する起動電流が大きい電気機械器具は含まないものとする．二つの低圧屋内配線は，金属管工事により絶縁電線を同一管内に収めて施設されていて，同配管内に接地線は含まない．低圧屋内配線 A と低圧屋内配線 B の負荷は力率 100 % であり，かつ，低圧屋内配線 A の電圧相の電流値は平衡しているものとする．また，低圧屋内配線 A 及び低圧屋内配線 B に使用する絶縁電線の絶縁体は，耐熱性を有しないビニル混合物であるものとする．

　「電気設備技術基準の解釈」に基づき，この絶縁電線の周囲温度による許容電流補正係数 k_1 の計算式は下式とする．また，絶縁電線を金属管に収めて使用する場合の電流減少係数 k_2 は下表によるものとして，次の(a)及び(b)の問に答えよ．

$$k_1 = \sqrt{\frac{60 - \theta}{30}}$$

　この式において，θ は，周囲温度（単位：℃）とし，周囲温度が 30 ℃ 以下の場合は $\theta = 30$ とする．

同一管内の電線数	電流減少係数 k_2
3 以下	0.70
4	0.63
5 又は 6	0.56

　この表において，中性線，接地線及び制御回路用の電線は同一管に収める電線数に算入しないものとする．

(a)　周囲温度による許容電流補正係数 k_1 の値と，金属管に収めて使用する場合の電流減少係数 k_2 の値の組合せとして，最も近いものを次の(1)～(5)のうちから一つ選べ．

	k_1	k_2
(1)	1.00	0.56
(2)	1.00	0.63
(3)	1.08	0.56
(4)	1.08	0.63
(5)	1.08	0.70

(b) 低圧屋内配線 A に用いる絶縁電線に要求される許容電流 I_A と低圧屋内配線 B に用いる絶縁電線に要求される許容電流 I_B のそれぞれの最小値 [A] の組合せとして，最も近いものを次の(1)～(5)のうちから一つ選べ．

	I_A	I_B
(1)	22.0	44.1
(2)	23.8	47.6
(3)	47.6	47.6
(4)	24.8	49.6
(5)	49.6	49.6

解19 解答 (a)−(2), (b)−(3)

(a) 絶縁電線の周囲温度による許容電流補正係数 k_1 の計算式において，周囲温度が 25 °C の場所であるから，題意より $\theta = 30$ °C とすれば，許容電流補正係数 k_1 は，

$$k_1 = \sqrt{\frac{60 - 30}{30}} = 1.00$$

また，二つの低圧屋内配線 A（単相 3 線式：外線数 2 本，中性線 1 本），低圧屋内配線 B（単相 2 線式：外線 2 本）のうち，接地線を除く 4 本の電線が同一管内に収められているから，金属管に収めて使用する場合の電流減少係数 k_2 は表より，

$$k_2 = 0.63$$

となる．

(b) (a)で求めた電流補正係数 k_1，k_2 のうち，k_1 は 1 であるから，二つの低圧屋内配線に用いる絶縁電線に要求される許容電流の最小値 I_A および I_B はそれぞれ次のようになる．

$$k_2 I_A = 30$$

$$\therefore \quad I_A = \frac{30}{k_2} = \frac{30}{0.63} \fallingdotseq 47.6 \text{ A}$$

$$k_2 I_B = 30$$

$$\therefore \quad I_B = \frac{30}{k_2} = \frac{30}{0.63} \fallingdotseq 47.6 \text{ A}$$

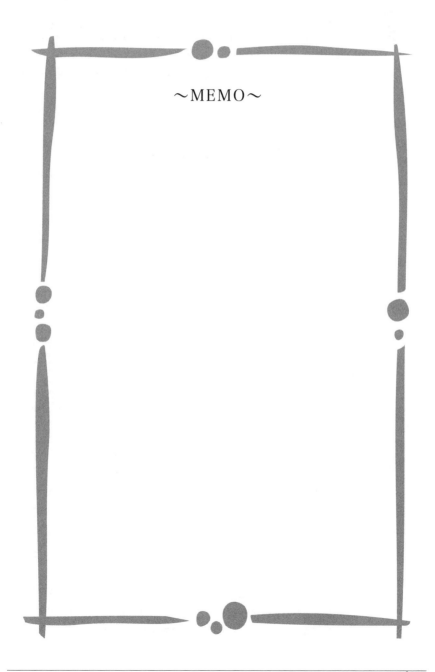

～MEMO～

問20 **Check!** ☐ ☐ ☐ （平成29年 ⒷB 問題11）

電気使用場所の配線に関し，次の(a)及び(b)の問に答えよ．

(a) 次の文章は，「電気設備技術基準」における電気使用場所の配線に関する記述の一部である．

① 配線は，施設場所の ⎡ ⑦ ⎤ 及び電圧に応じ，感電又は火災のおそれがないように施設しなければならない．

② 配線の使用電線（裸電線及び ⎡ ⑦ ⎤ で使用する接触電線を除く．）には，感電又は火災のおそれがないよう，施設場所の ⎡ ⑦ ⎤ 及び電圧に応じ，使用上十分な ⎡ ⑦ ⎤ 及び絶縁性能を有するものでなければならない．

③ 配線は，他の配線，弱電流電線等と接近し，又は ⎡ ⑦ ⎤ する場合は， ⎡ ⑦ ⎤ による感電又は火災のおそれがないように施設しなければならない．

上記の記述中の空白箇所(ア)，(イ)，(ウ)，(エ)及び(オ)に当てはまる組合せとして，正しいものを次の(1)〜(5)のうちから一つ選べ．

	(ア)	(イ)	(ウ)	(エ)	(オ)
(1)	状況	特別高圧	耐熱性	接触	混触
(2)	環境	高圧又は特別高圧	強度	交さ	混触
(3)	環境	特別高圧	強度	接触	電磁誘導
(4)	環境	高圧又は特別高圧	耐熱性	交さ	電磁誘導
(5)	状況	特別高圧	強度	交さ	混触

(b) 周囲温度が 50 ℃ の場所において，定格電圧 210 V の三相3線式で定格消費電力 15 kW の抵抗負荷に電気を供給する低圧屋内配線がある．金属管工事により絶縁電線を同一管内に収めて施設する場合に使用する電線（各相それぞれ1本とする．）の導体の公称断面積 [mm²] の最小値は，「電気設備技術基準の解釈」に基づけば，いくらとなるか．正しいものを次の(1)〜(5)のうちから一つ選べ．

ただし，使用する絶縁電線は，耐熱性を有する 600 V ビニル絶縁電線（軟銅より線）とし，表1の許容電流及び表2の電流減少係数を用いるとともに，この絶縁電線の周囲温度による許容

電流補正係数の計算式は $\sqrt{\dfrac{75-\theta}{30}}$ （θ は周囲温度で，単位は °C）

を用いるものとする.

表 1

導体の公称断面積 [mm²]	許容電流 [A]
3.5	37
5.5	49
8	61
14	88
22	115

表 2

同一管内の電線数	電流減少係数
3 以下	0.70
4	0.63
5 又は 6	0.56

(1) 3.5　　(2) 5.5　　(3) 8　　(4) 14　　(5) 22

解20 解答 (a)−(5), (b)−(4)

(a) 電気設備技術基準第56条（配線の感電又は火災の防止）第1項，第57条（配線の使用電線）および第62条（配線による他の配線等又は工作物への危険の防止）第1項からの出題で，次のように規定されている．

第56条

配線は，施設場所の状況及び電圧に応じ，感電又は火災のおそれがないように施設しなければならない．

第57条

配線の使用電線（裸電線及び特別高圧で使用する接触電線を除く．）には，感電又は火災のおそれがないよう，施設場所の状況及び電圧に応じ，使用上十分な強度及び絶縁性能を有するものでなければならない．

第62条

配線は，他の配線，弱電流電線等と接近し，又は交さする場合は，混触による感電又は火災のおそれがないように施設しなければならない．

(b) ある公称断面積の600 Vビニル絶縁電線の許容電流が I_{m0} [A] であるとき，この電線を周囲温度50 ℃の場所において，3本（3線）を同一金属管に収めて施設する場合，周囲温度および同一管内の電線数による電流減少係数を考慮すれば，「電気設備技術基準の解釈」に基づく実際の許容電流 I_m は，与式および表2の値より，

$$I_m = I_{m0} \times \sqrt{\frac{75-50}{30}} \times 0.70 \fallingdotseq 0.639 I_{m0} \,[A]$$

で表せる．したがって，600 Vビニル絶縁電線を用い，電線3本を同一金属管に収め，周囲温度50 ℃の場所において供給するときの負荷電流が I [A] であるとき，必要な電線の許容電流 I_{m0} は，

$$I_{m0} \geqq \frac{I}{0.639} \fallingdotseq 1.565 I \,[A]$$

であればよいことになる．

さて，定格電圧210 V，15 kWの抵抗負荷に供給する低圧屋内配線を流れる電流 I は，

$$I = \frac{15}{\sqrt{3} \times 0.21} \fallingdotseq 41.24 \,A$$

であるから，必要な電線の許容電流 I_{m0} は，

$I_{m0} \geqq 1.565 \times 41.24 \fallingdotseq 64.54$ A

となり，表 1 より必要な電線導体の公称断面積の最小値は $14\,\text{mm}^2$ となる．

問21 Check! ☐☐☐

（令和元年 **B** 問題11）

　電気使用場所の低圧幹線の施設について，次の(a)及び(b)の問に答えよ.

(a)　次の表は，一つの低圧幹線によって電気を供給される電動機又はこれに類する起動電流が大きい電気機械器具（以下この問において「電動機等」という.）の定格電流の合計値 I_M [A] と，他の電気使用機械器具の定格電流の合計値 I_H [A] を示したものである. また，「電気設備技術基準の解釈」に基づき，当該低圧幹線に用いる電線に必要な許容電流は，同表に示す I_C の値 [A] 以上でなければならない. ただし，需要率，力率等による修正はしないものとする.

I_M [A]	I_H [A]	$I_M + I_H$ [A]	I_C [A]
47	49	96	96
48	48	96	(ア)
49	47	96	(イ)
50	46	96	(ウ)
51	45	96	102

　上記の表中の空白箇所(ア)，(イ)及び(ウ)に当てはまる組合せとして，正しいものを次の(1)～(5)のうちから一つ選べ.

	(ア)	(イ)	(ウ)
(1)	96	109	101
(2)	96	108	109
(3)	96	109	109
(4)	108	108	109
(5)	108	109	101

(b)　次の表は，「電気設備技術基準の解釈」に基づき，低圧幹線に電動機等が接続される場合における電動機等の定格電流の合計値 I_M [A] と，他の電気使用機械器具の定格電流の合計値 I_H [A] と，これらに電気を供給する一つの低圧幹線に用いる電線の許容電流 $I_C{}'$ [A] と，当該低圧幹線を保護する過電流遮断器の定格電流の最大値 I_B [A] を示したものである. ただし，需要率，力率等による修正はしないものとする.

I_M [A]	I_H [A]	$I_C{}'$ [A]	I_B [A]
60	20	88	(エ)
70	10	88	(オ)
80	0	88	(カ)

　上記の表中の空白箇所(エ)，(オ)及び(カ)に当てはまる組合せとして，正しいものを次の(1)～(5)のうちから一つ選べ．

	(エ)	(オ)	(カ)
(1)	200	200	220
(2)	200	220	220
(3)	200	220	240
(4)	220	220	240
(5)	220	200	240

解21 解答 (a)−(3), (b)−(2)

電気設備技術基準の解釈第148条（低圧幹線の施設）第1項第二号，第四号および第五号に関する出題で，次のように規定されている.

二 電線の許容電流は，低圧幹線の各部分ごとに，その部分を通じて供給される電気使用機械器具の定格電流の合計値以上であること. ただし，当該低圧幹線に接続する負荷のうち，電動機又はこれに類する起動電流が大きい電気機械器具（以下この条において「電動機等」という.）の定格電流の合計が，他の電気使用機械器具の定格電流の合計より大きい場合は，他の電気使用機械器具の定格電流の合計に次の値を加えた値以上であること.

イ 電動機等の定格電流の合計が50 A以下の場合は，その定格電流の合計の1.25倍

ロ 電動機等の定格電流の合計が50 Aを超える場合は，その定格電流の合計の1.1倍

四 低圧幹線の電源側電路には，当該低圧幹線を保護する過電流遮断器を施設すること. ただし，次のいずれかに該当する場合は，この限りでない.

以下略

五 前号の規定における「当該低圧幹線を保護する過電流遮断器」は，その定格電流が，当該低圧幹線の許容電流以下のものであること. ただし，低圧幹線に電動機等が接続される場合の定格電流は，次のいずれかによることができる.

イ 電動機等の定格電流の合計の3倍に，他の電気使用機械器具の定格電流の合計を加えた値以下であること.

ロ イの規定による値が当該低圧幹線の許容電流を2.5倍した値を超える場合は，その許容電流を2.5倍した値以下であること.

ハ 当該低圧幹線の許容電流が100 Aを超える場合であって，イ又はロの規定による値が過電流遮断器の標準定格に該当しないときは，イ又はロの規定による値の直近上位の標準定格であること.

(a) (ア) $I_M = I_H = 48$ A

$I_C = I_M + I_H = 48 + 48 = 96$ A

(イ) $I_M > I_H$, $I_M = 49$ A < 50 A

$I_C = 1.25 I_M + I_H = 49 \times 1.25 + 47 = 108.25 \fallingdotseq 109$ A

(ウ) $I_M > I_H$, $I_M = 50$ A $\leqq 50$ A

$I_C = 1.25 I_M + I_H = 50 \times 1.25 + 46 = 108.5 \fallingdotseq 109$ A

(b) (エ) $2.5I_C{}' = 2.5 \times 88 = 220$ A

$\qquad I_B = 3I_M + I_H = 3 \times 60 + 20 = 200$ A < 220 A

$\qquad \therefore \quad I_B = 200$ A

(オ) $2.5I_C{}' = 2.5 \times 88 = 220$ A

$\qquad I_B = 3I_M + I_H = 3 \times 70 + 10 = 220$ A

$\qquad \therefore \quad I_B = 220$ A

(カ) $2.5I_C{}' = 2.5 \times 88 = 220$ A

$\qquad I_B = 3I_M + I_H = 3 \times 80 + 0 = 240$ A > 220 A

$\qquad \therefore \quad I_B = 220$ A

第6章
施設管理（計算）

問1 **Check!** ☐ ☐ ☐ (令和5年⊕　B 問題11)

　　ある事業所内における A 工場及び B 工場の，それぞれのある日の負荷曲線は図のようであった．それぞれの工場の設備容量が，A 工場では 400 kW，B 工場では 700 kW であるとき，次の(a)及び(b)の問に答えよ．

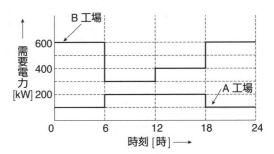

(a)　A 工場及び B 工場を合わせた需要率の値 [%] として，最も近いものを次の(1)～(5)のうちから一つ選べ．

(1)　54.5　　(2)　56.8　　(3)　63.6　　(4)　89.3　　(5)　90.4

(b)　A 工場及び B 工場を合わせた総合負荷率の値 [%] として，最も近いものを次の(1)～(5)のうちから一つ選べ．

(1)　56.8　　(2)　63.6　　(3)　78.1　　(4)　89.3　　(5)　91.6

解1　解答 (a)−(3), (b)−(4)

(a)　A 工場と B 工場を合わせた需要率を求める.

$$需要率 = \frac{最大需要電力}{全設備容量}$$

図から時間帯別の需要電力を求める.

0 〜 6 時：700 kW

6 〜 12 時：500 kW

12 〜 18 時：600 kW

18 〜 24 時：700 kW

以上から, 最大需要電力は 700 kW である.

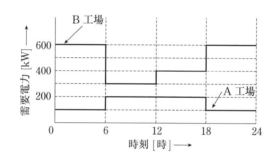

$$需要率 = \frac{700}{400 + 700} ≒ 0.636\,4 ≒ 63.6\,\%$$

(b)　A 工場と B 工場を合わせた総合負荷率を求める.

$$総合負荷率 = \frac{平均需要電力}{最大需要電力}$$

平均需要電力を求める.

$$平均需要電力 = \frac{700 \times 6 + 500 \times 6 + 600 \times 6 + 700 \times 6}{24} = 625\,\text{kW}$$

$$総合負荷率 = \frac{625}{700} ≒ 0.892\,8 ≒ 89.3\,\%$$

問2 Check! □□□

（平成26年 Ⓑ 問題12）

ある事業所内におけるA工場及びB工場の，それぞれのある日の負荷曲線は図のようであった．それぞれの工場の設備容量がA工場では400 kW，B工場では700 kWであるとき，次の(a)及び(b)の問に答えよ．

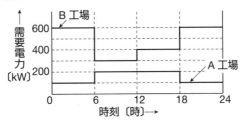

(a) A工場及びB工場を合わせた需要率の値〔%〕として，最も近いものを次の(1)～(5)のうちから一つ選べ．

(1) 54.5　　(2) 56.8　　(3) 63.6　　(4) 89.3　　(5) 90.4

(b) A工場及びB工場を合わせた総合負荷率の値〔%〕として，最も近いものを次の(1)～(5)のうちから一つ選べ．

(1) 56.8　　(2) 63.6　　(3) 78.1　　(4) 89.3　　(5) 91.6

解2　解答 (a)−(3), (b)−(4)

(a)　題意より，A工場およびB工場の設備容量の合計 P_{AB} は，

$$P_{AB} = P_A + P_B = 400 + 700 = 1\,100 \, [\text{kW}]$$

である．また，A工場およびB工場の合成の最大電力 P_{mAB} は，

$$P_{mAB} = 600 + 100 = 700 \, [\text{kW}]$$

であるから，A工場およびB工場を合わせた需要率 α は，

$$\alpha = \frac{P_{mAB}}{P_{AB}} \times 100 = \frac{700}{1\,100} \times 100 \fallingdotseq 63.64 \, [\%]$$

となる．

(b)　1日間のA工場およびB工場の合成消費電力量 W_{AB} は，

$$W_{AB} = (700 + 500 + 600 + 700) \times 6 = 15\,000 \, [\text{kW·h}]$$

であるから，A工場およびB工場の合成の平均電力 P_{aAB} は，

$$P_{aAB} = \frac{15\,000}{24} = 625 \, [\text{kW}]$$

であるから，求める総合負荷率 β は，

$$\beta = \frac{P_{aAB}}{P_{mAB}} \times 100 = \frac{625}{700} \times 100 \fallingdotseq 89.29 \, [\%]$$

　ある工場のある日の9時00分からの電力推移がグラフのとおりであった．この工場では日頃から最大需要電力（正時からの30分間ごとの平均使用電力のことをいう．以下同じ．）を300 kW 未満に抑えるように負荷を管理しているが，その負荷の中で，換気用のファン（全て5.5 kW)は最大8台まで停止する運用を行っている．この日9時00分からファンは10台運転しているが，このままだと9時00分からの最大需要電力が300 kW 以上になりそうなので，9時20分から9時30分の間，ファンを何台かと，その他の負荷を10 kW 分だけ停止することにした．ファンは最低何台停止させる必要があるか，次の(1)～(5)のうちから一つ選べ．

　なお，この工場の負荷は全て管理されており，負荷の増減は無いものとする．

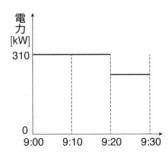

(1) 0　　(2) 2　　(3) 4　　(4) 6　　(5) 8

解3　解答 (3)

　毎正時から 30 分間の最大需要電力が 300 kW 未満になるように負荷の管理を行っている．最初の 20 分間は，310 kW であるので，残りの 10 分間の電力 P を求めることができる．

$$\frac{310 + 310 + P}{3} < 300\,\text{kW}$$

$$P < 900 - 620 = 280\,\text{kW}$$

　題意により 20 分から 30 分の間，その他の負荷を 10 kW 停止しているので，00 分から 20 分までの電力 310 kW より 10 kW 少ない 300 kW となる．

　よって，換気用ファンの停止台数 N は，

$$N = \frac{300 - 280}{5.5} = 3.64$$

以上から，停止する換気用ファンの台数は，4 台となる．

問4 **Check!** ☐☐☐ （令和3年 **B** 問題13）

　需要家 A ～ C にのみ電力を供給している変電所がある.

　各需要家の設備容量と，ある1日（0～24時）の需要率，負荷率及び需要家 A ～ C の不等率を表に示す値とする. 表の記載に基づき，次の(a)及び(b)の問に答えよ.

需要家	設備容量 [kW]	需要率 [%]	負荷率 [%]	不等率
A	800	55	50	
B	500	60	70	1.25
C	600	70	60	

(a) 3需要家 A ～ C の1日の需要電力量を合計した総需要電力量の値 [kW·h] として，最も近いものを次の(1)～(5)のうちから一つ選べ.

(1) 10 480　　(2) 16 370　　(3) 20 460

(4) 26 650　　(5) 27 840

(b) 変電所から見た総合負荷率の値 [%] として，最も近いものを次の(1)～(5)のうちから一つ選べ. ただし，送電損失，需要家受電設備損失は無視するものとする.

(1) 42　　(2) 59　　(3) 62　　(4) 73　　(5) 80

解4 解答 (a)−(2), (b)−(4)

(a)　A〜C の各需要家の最大電力 P_{mA}, P_{mB}, P_{mC} および平均電力 P_{aA}, P_{aB}, P_{aC} はそれぞれ，次のようになる．

$$P_{mA} = 800 \times 0.55 = 440 \text{ kW}$$

$$P_{mB} = 500 \times 0.6 = 300 \text{ kW}$$

$$P_{mC} = 600 \times 0.7 = 420 \text{ kW}$$

$$P_{aA} = 440 \times 0.5 = 220 \text{ kW}$$

$$P_{aB} = 300 \times 0.7 = 210 \text{ kW}$$

$$P_{aC} = 420 \times 0.6 = 252 \text{ kW}$$

以上から，3需要家 A〜C の1日の需要電力量を合計した総需要電力量 W は，

$$W = (P_{aA} + P_{aB} + P_{aC}) \times 24$$
$$= (220 + 210 + 252) \times 24 = 682 \times 24 = 16\,368$$
$$\rightarrow 16\,370 \text{ kW·h}$$

(b)　変電所における最大電力 P_M は需要家間の不等率が 1.25 であるから，

$$P_M = \frac{P_{mA} + P_{mB} + P_{mC}}{1.25} = \frac{440 + 300 + 420}{1.25}$$
$$= 928 \text{ kW}$$

したがって，変電所から見た総合負荷率は，

$$\frac{P_{aA} + P_{aB} + P_{aC}}{P_M} \times 100 = \frac{682}{928} \times 100 \fallingdotseq 73.491$$
$$\fallingdotseq 73 \text{ \%}$$

問5 Check! ☐☐☐

（平成23年 Ⓑ 問題12）

ある変電所において，図のような日負荷特性を有する三つの負荷群 A，B 及び C に電力を供給している．この変電所に関して，次の(a)及び(b)の問に答えよ．

ただし，負荷群 A，B 及び C の最大電力は，それぞれ 6 500 〔kW〕，4 000 〔kW〕及び 2 000 〔kW〕とし，また，負荷群 A，B 及び C の力率は時間に関係なく一定で，それぞれ 100 〔%〕，80 〔%〕及び 60 〔%〕とする．

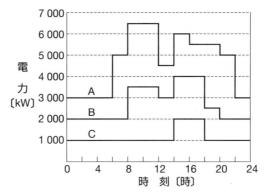

(a) 不等率の値として，最も近いものを次の(1)～(5)のうちから一つ選べ．

(1) 0.98　　(2) 1.00　　(3) 1.02　　(4) 1.04　　(5) 1.06

(b) 最大負荷時における総合力率〔%〕の値として，最も近いものを次の(1)～(5)のうちから一つ選べ．

(1) 86.9　　(2) 87.7　　(3) 90.4　　(4) 91.1　　(5) 94.1

解5 | 解答 (a)−(4), (b)−(3)

(a) 負荷曲線から，時間帯における負荷群 A，B 及び C の合成電力を求めると，

① 0 時～ 6 時

$$P_{ABC} = 3\,000 + 2\,000 + 1\,000 = 6\,000 \text{ (kW)}$$

② 6 時～ 8 時

$$P_{ABC} = 5\,000 + 2\,000 + 1\,000 = 8\,000 \text{ (kW)}$$

③ 8 時～ 12 時

$$P_{ABC} = 6\,500 + 3\,500 + 1\,000 = 11\,000 \text{ (kW)}$$

④ 8 時～ 12 時

$$P_{ABC} = 6\,500 + 3\,500 + 1\,000 = 11\,000 \text{ (kW)}$$

⑤ 12 時～ 14 時

$$P_{ABC} = 4\,500 + 3\,000 + 1\,000 = 8\,500 \text{ (kW)}$$

⑥ 14 時～ 16 時

$$P_{ABC} = 6\,000 + 4\,000 + 2\,000 = 12\,000 \text{ (kW)}$$

⑦ 16 時～ 18 時

$$P_{ABC} = 5\,500 + 4\,000 + 2\,000 = 11\,500 \text{ (kW)}$$

⑧ 18 時～ 20 時

$$P_{ABC} = 5\,500 + 2\,500 + 1\,000 = 9\,000 \text{ (kW)}$$

⑨ 20 時～ 22 時

$$P_{ABC} = 5\,000 + 2\,000 + 1\,000 = 8\,000 \text{ (kW)}$$

⑩ 22 時～ 24 時

$$P_{ABC} = 3\,000 + 2\,000 + 1\,000 = 6\,000 \text{ (kW)}$$

したがって，合成最大電力 P_m は，14 時～ 16 時の $P_m = 12\,000$ (kW) であるから，求める不等率は，次のようになる.

$$不等率 = \frac{6\,500 + 4\,000 + 2\,000}{12\,000} \fallingdotseq 1.042$$

(b) 最大負荷時（合成）の合成無効電力 Q_m は題意より，

$$Q_m = \frac{4\,000}{0.8} \times 0.6 + \frac{2\,000}{0.6} \times 0.8 \fallingdotseq 5\,666.7 \text{ (kvar)}$$

であるから，求める総合力率 pf は，次のようになる.

$$pf = \frac{12\,000}{\sqrt{12\,000^2 + 5\,666.7^2}} \times 100 \fallingdotseq 90.42 \text{ (%)}$$

問6

Check! □□□　　　　　　　　　（令和4年㊤　Ⓑ 問題12）

負荷設備の容量が 800 kW，需要率が 70 %，総合力率が 90 % である高圧受電需要家について，次の(a)及び(b)の問に答えよ．ただし，この需要家の負荷は低圧のみであるとし，変圧器の損失は無視するものとする．

(a) この需要負荷設備に対し 100 kV·A の変圧器，複数台で電力を供給する．この場合，変圧器の必要最小限の台数として，正しいものを次の(1)〜(5)のうちから一つ選べ．

(1)　5　　(2)　6　　(3)　7　　(4)　8　　(5)　9

(b) この負荷の月負荷率を 60 % とするとき，負荷の月間総消費電力量の値 [MW·h] として，最も近いものを次の(1)〜(5)のうちから一つ選べ．ただし，1カ月の日数は 30 日とする．

(1)　218　　(2)　242　　(3)　265　　(4)　270　　(5)　284

解6 **解答** (a)−(3),(b)−(2)

(a) 負荷設備の容量が 800 kW，需要率が 70 %，総合力率が 90 % である．

$$\text{需要率} = \frac{\text{最大電力 [kW]}}{\text{負荷設備容量の合計 [kW]}} \qquad ①$$

①式から最大電力を求める．

$$\text{最大電力} = 0.7 \times 800 = 560 \text{ kW} \qquad ②$$

皮相電力 S は，

$$\text{皮相電力 } S = \frac{\text{有効電力}}{\text{総合力率}} = \frac{560}{0.9} = 622.2 \text{ kV·A} \qquad ③$$

100 kV·A の変圧器なので，622.2 kV·A を供給するには，7 台が必要となる．

(b) 最大電力が，560 kW であり，月負荷率が 60 % で月日数 30 日とすると消費電力 W は，

$$\text{消費電力 } W = 560 \times 0.6 \times 24 \times 30 = 241\,920 \text{ kW·h} \fallingdotseq \textbf{242 MW·h}$$

　　電気事業者から供給を受ける，ある需要家の自家用変電所を送電端とし，高圧三相3線式1回線の専用配電線路で受電している第2工場がある．第2工場の負荷は2 000〔kW〕，受電電圧は6 000〔V〕であるとき，第2工場の力率改善及び受電端電圧の調整を図るため，第2工場に電力用コンデンサを設置する場合，次の(a)及び(b)の問に答えよ．

　　ただし，第2工場の負荷の消費電力及び負荷力率（遅れ）は，受電端電圧によらないものとする．

(a)　第2工場の力率改善のために電力用コンデンサを設置したときの受電端のベクトル図として，正しいものを次の(1)～(5)のうちから一つ選べ．ただし，ベクトル図の文字記号と用語との関係は次のとおりである．

　　　P：有効電力〔kW〕

　　　Q：電力用コンデンサ設置前の無効電力〔kvar〕

　　　Q_C：電力用コンデンサの容量〔kvar〕

　　　θ：電力用コンデンサ設置前の力率角〔°〕

　　　θ'：電力用コンデンサ設置後の力率角〔°〕

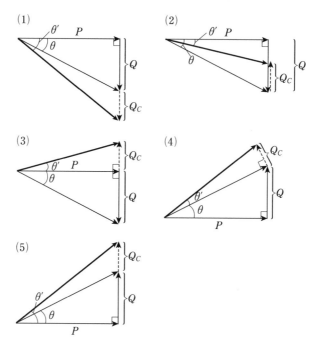

(b) 第2工場の受電端電圧を 6 300〔V〕にするために設置する電力用コンデンサ容量〔kvar〕の値として，最も近いものを次の(1)～(5)のうちから一つ選べ.

　　ただし，自家用変電所の送電端電圧は 6 600〔V〕，専用配電線路の電線1線当たりの抵抗は 0.5〔Ω〕及びリアクタンスは 1〔Ω〕とする.

　　また，電力用コンデンサ設置前の負荷力率は 0.6（遅れ）とする.

　　なお，配電線の電圧降下式は，簡略式を用いて計算するものとする.

(1)　700　　　　(2)　900　　　　(3)　1 500　　　(4)　1 800　　　(5)　2 000

解7 **解答** (a)－(2), (b)－(4)

(a) 有効電力 P 〔kW〕, 無効電力 Q 〔kvar〕, 遅れ力率 $\cos\theta$, 皮相電力 S 〔kV·A〕の第 2 工場に電力用コンデンサ Q_C 〔kvar〕を設置したときの合成無効電力は $Q - Q_C$ 〔kvar〕（遅れ）となり, 合成無効電力は減少するから, 合成皮相電力 S' は減少する. これをベクトル図で表すと, 図のようになるから, (2)のベクトル図が正しい.

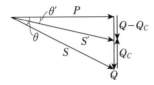

(b) 三相 3 線式 1 回線送電線の 1 線当たりの抵抗を r 〔Ω〕, リアクタンスを x 〔Ω〕とし, 受電端電圧を V_r 〔kV〕, 線電流を I 〔kA〕, 受電端の力率を $\cos\theta$（遅れ）とし, 簡略式を用いれば, 送電端電圧 V_s 〔kV〕は次式で与えられる.

$$V_s = V_r + \sqrt{3}I(r\cos\theta + x\sin\theta)\,\text{〔kV〕} \qquad ①$$

ここで, ①式の両辺に V_r を乗ずると,

$$\begin{aligned}V_s V_r &= V_r{}^2 + \sqrt{3}V_r I(r\cos\theta + x\sin\theta)\\ &= V_r{}^2 + r\sqrt{3}V_r I\cos\theta + x\sqrt{3}V_r I\sin\theta\end{aligned} \qquad ②$$

②式において,

$$P = \sqrt{3}V_r I\cos\theta\,\text{〔MW〕} \text{ および } Q = \sqrt{3}V_r I\sin\theta\,\text{〔Mvar〕}$$

は受電端の有効電力および無効電力を表すから, これを用いると, ②式は,

$$V_s V_r = V_r{}^2 + rP + xQ \qquad ③$$

となり, 受電端の無効電力 Q について, 次式で与えられる.

$$Q = \frac{V_s V_r - V_r{}^2 - rP}{x}\,\text{〔Mvar〕} \qquad ④$$

さて, 第 2 工場に電力用コンデンサを設置して, 受電端電圧を 6 300 〔V〕にしたときの受電端の合成無効電力 Q は, ④式へ, $V_s = 6.6$〔kV〕, $V_r = 6.3$〔kV〕, $r = 0.5$〔Ω〕, $x = 1$〔Ω〕, $P = 2$〔MW〕を代入すれば,

$$Q = \frac{6.6 \times 6.3 - 6.3^2 - 0.5 \times 2}{1} = 0.89\,\text{〔Mvar〕}$$

となる.

一方, 題意より, 負荷の遅れ無効電力 Q_L は,

$$Q_L = \frac{2}{0.6} \times 0.8 = 2.667 \,(\text{Mvar})$$

であるから，求める電力用コンデンサの容量 Q_C は，

$$Q_C = Q_L - Q = 2.667 - 0.89 = 1.777 \,(\text{Mvar}) \fallingdotseq 1\,780 \,(\text{kvar})$$

となる．

問8 Check! ☐ ☐ ☐

（平成27年 Ⓑ 問題13）

　定格容量が 50 kV·A の単相変圧器 3 台を Δ – Δ 結線にし，一つのバンクとして，三相平衡負荷（遅れ力率 0.90）に電力を供給する場合について，次の(a)及び(b)の問に答えよ．

(a)　図 1 のように消費電力 90 kW（遅れ力率 0.90）の三相平衡負荷を接続し使用していたところ，3 台の単相変圧器のうちの 1 台が故障した．負荷はそのままで，残りの 2 台の単相変圧器を V – V 結線として使用するとき，このバンクはその定格容量より何 [kV·A] 過負荷となっているか．最も近いものを次の(1)〜(5)のうちから一つ選べ．

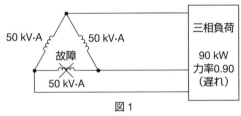

図 1

(1)　0　　(2)　3.4　　(3)　10.0　　(4)　13.4　　(5) 18.4

(b)　上記(a)において，故障した変圧器を同等のものと交換して 50 kV·A の単相変圧器 3 台を Δ – Δ 結線で復旧した後，力率改善のために，進相コンデンサを接続し，バンクの定格容量を超えない範囲で最大限まで三相平衡負荷（遅れ力率 0.90）を増加し使用したところ，力率が 0.96（遅れ）となった．このときに接続されている三相平衡負荷の消費電力の値 [kW] として，最も近いものを次の(1)〜(5)のうちから一つ選べ．

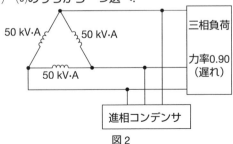

図 2

(1)　135　　(2)　144　　(3)　150　　(4)　156　　(5)　167

解8 　**解答** (a)−(4), (b)−(2)

(a) 図のように, V結線で供給する場合は, 変圧器巻線に三相負荷電流そのもの が流れることになる.

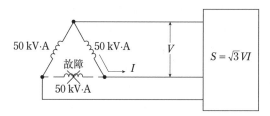

ここに, 線間電圧を V [kV], 単相変圧器の定格電流を I [A] とすると, バン クの定格容量 S_V は,

$$S_V = \sqrt{3}\,VI = \sqrt{3} \times 50 \fallingdotseq 86.60 \text{ kV·A}$$

となる. 一方, 題意より, 三相平衡負荷の皮相電力 S は,

$$S = \frac{90}{0.9} = 100 \text{ kV·A}$$

であるから, 過負荷量 ΔS_V は,

$$\Delta S_V = S - S_V = 100 - 86.60 = 13.40 \text{ kV·A}$$

(b) 定格容量 50 kV·A の単相変圧器 3 台を △ 結線として, 運転する場合のバン ク容量 S_Δ は,

$$S_\Delta = 50 \times 3 = 150 \text{ kV·A}$$

となる. いま, 負荷と並列に進相コンデンサを接続し, 力率遅れ 0.9 の三相平 衡負荷をバンク容量を超えない範囲で増加したとき, 負荷および進相コンデン サの合成力率が 0.96 (遅れ) となったことから, 求める接続されている負荷の 消費電力 P は,

$$P = 150 \times 0.96 = 144 \text{ kW}$$

となる.

　三相3線式，受電電圧 6.6 kV，周波数 50 Hz の自家用電気設備を有する需要家が，直列リアクトルと進相コンデンサからなる定格設備容量 100 kvar の進相設備を施設することを計画した．この計画におけるリアクトルには，当該需要家の遊休中の進相設備から直列リアクトルのみを流用することとした．施設する進相設備の進相コンデンサのインピーダンスを基準として，これを $-j100\%$ と考えて，次の(a)及び(b)の問に答えよ．

　なお，関係する機器の仕様は，次のとおりである．

・施設する進相コンデンサ：回路電圧 6.6 kV，周波数 50 Hz，
　　　　　　　　　　　　　定格容量三相 106 kvar

・遊休中の進相設備：回路電圧 6.6 kV，周波数 50 Hz
　　　　　　　　　　進相コンデンサ　定格容量三相 160 kvar
　　　　　　　　　　直列リアクトル　進相コンデンサのインピーダンスの6 %

施設する進相設備の回路

(a)　回路電圧 6.6 kV のとき，施設する進相設備のコンデンサの端子電圧の値 〔V〕 として，最も近いものを次の(1)〜(5)のうちから一つ選べ．

(1)　6 600　　(2)　6 875　　(3)　7 020

(4)　7 170　　(5)　7 590

(b)　この計画における進相設備の，第5調波の影響に関する対応について，正しいものを次の(1)〜(5)のうちから一つ選べ．

(1)　インピーダンスが0 % の共振状態に近くなり，過電流により流用しようとするリアクトルとコンデンサは共に焼損のおそれがあるため，本計画の機器流用は危険であり，流用してはならない．

⑵　インピーダンスが約 $-j10\%$ となり進み電流が多く流れ，流用しようとするリアクトルの高調波耐量が保証されている確認をしたうえで流用する必要がある．

⑶　インピーダンスが約 $+j10\%$ となり遅れ電流が多く流れ，流用しようとするリアクトルの高調波耐量が保証されている確認をしたうえで流用する必要がある．

⑷　インピーダンスが約 $-j25\%$ となり進み電流が流れ，流用しようとするリアクトルの高調波耐量を確認したうえで流用する必要がある．

⑸　インピーダンスが約 $+j25\%$ となり遅れ電流が流れ，流用しようとするリアクトルの高調波耐量を確認したうえで流用する必要がある．

解9 解答 (a)-(2), (b)-(1)

(a) 題意より，基準容量は 106 〔kvar〕であるから，既設流用する直列リアクトルのインピーダンス $\dot{Z}_L$ は，

$$\dot{Z}_L = j6 \times \frac{106}{160} = j3.975 \,〔\%〕$$

したがって，施設する進相コンデンサ 106 〔kvar〕に，この直列リアクトルを接続して，回路電圧 6 600 〔V〕を印加したときのコンデンサ端子電圧 $\dot{V}$ は，

$$\dot{V} = \frac{-j100}{j3.975 - j100} \times 6\,600 = \frac{100}{96.025} \times 6\,600$$

$$= 6\,873.21 \,〔V〕 \Rightarrow 6\,875 \,〔V〕$$

(b) (1)が正しい．

第5調波に対する進相コンデンサのインピーダンス $\dot{Z}_{5C}$ および直列リアクトルのインピーダンス $\dot{Z}_{5L}$ はそれぞれ，

$$\dot{Z}_{5C} = \frac{1}{5}\dot{Z}_C = \frac{-j100}{5} = -j20 \,〔\%〕$$

$$\dot{Z}_{5L} = 5\dot{Z}_L = 5 \times j3.975 = 19.875 \,〔\%〕$$

となるから，第5調波に対する進相設備の合成インピーダンス $\dot{Z}_5$ は，

$$\dot{Z}_5 = \dot{Z}_{5C} + \dot{Z}_{5L} = -j20 + j19.875 = -j0.125 \,〔\%〕$$

と非常に小さくなり，第5調波に対して直列共振状態に近い状態となる．

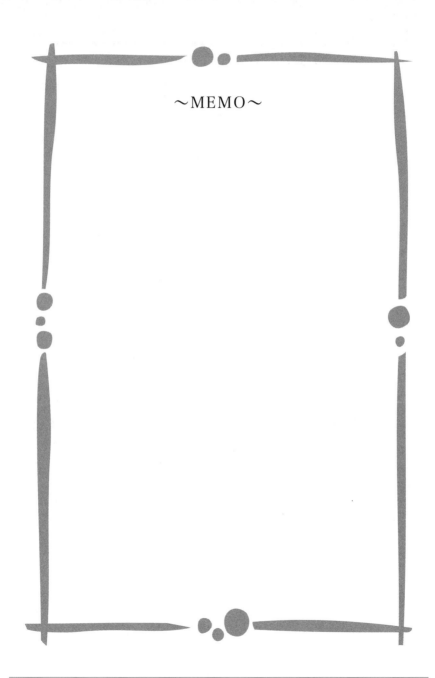

～MEMO～

Check! ☐ ☐ ☐

（令和6年① **B** 問題12）

三相3線式の高圧電路に 300 kW，遅れ力率 0.6 の三相負荷が接続されている．この負荷と並列に進相コンデンサ設備を接続して力率改善を行うものとする．進相コンデンサ設備は図に示すように直列リアクトル付三相コンデンサとし，直列リアクトル SR のリアクタンス X_L [Ω] は，三相コンデンサ SC のリアクタンス X_C [Ω] の 6 % とするとき，次の(a)及び(b)の問に答えよ．

ただし，高圧電路の線間電圧は 6 600 V とし，無効電力によって電圧は変動しないものとする．

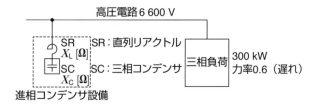

(a) 進相コンデンサ設備を高圧電路に接続したときに三相コンデンサ SC の端子電圧の値 [V] として，最も近いものを次の(1)〜(5)のうちから一つ選べ．

(1) 6 410 (2) 6 795 (3) 6 807 (4) 6 995 (5) 7 021

(b) 進相コンデンサ設備を負荷と並列に接続し，力率を遅れ 0.6 から遅れ 0.8 に改善した．このとき，この設備の三相コンデンサ SC の容量の値 [kvar] として，最も近いものを次の(1)〜(5)のうちから一つ選べ．

(1) 170 (2) 180 (3) 186 (4) 192 (5) 208

解10 解答 (a)−(5), (b)−(3)

(a) SC の端子電圧 V_{SC} は,

$$V_{SC} = \frac{-jX_C}{jX_L - jX_C}V = \frac{-jX_C}{j0.06X_C - jX_C} \times 6\,600 = \frac{1}{0.94} \times 6\,600 \fallingdotseq 7\,021.28$$

$$\fallingdotseq 7\,021 \text{ V}$$

(b) 進相コンデンサ設備容量 Q_{LC} は,

$$Q_{LC} = \frac{300}{0.6} \times 0.8 - \frac{300}{0.8} \times 0.6 = 175 \text{ kvar}$$

容量 6 % 直列リアクトルを接続した進相コンデンサ設備は,三相コンデンサ SC の容量 Q_C の 94 % となるから,三相コンデンサ SC の容量 Q_C は,

$$Q_C = \frac{175}{0.94} \fallingdotseq 186.17 \fallingdotseq 186 \text{ kvar}$$

問11 Check! ☐☐☐

（令和 5 年㊦ Ｂ 問題 12）

三相 3 線式の高圧電路に 300 kW，遅れ力率 0.6 の三相負荷が接続されている．この負荷と並列に進相コンデンサ設備を接続して力率改善を行うものとする．進相コンデンサ設備は図に示すように直列リアクトル付三相コンデンサとし，直列リアクトル SR のリアクタンス X_L [Ω] は，三相コンデンサ SC のリアクタンス X_C [Ω] の 6 % とするとき，次の(a)及び(b)の問に答えよ．

ただし，高圧電路の線間電圧は 6 600 V とし，無効電力によって電圧は変動しないものとする．

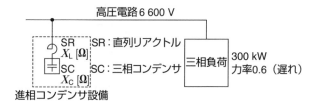

(a) 進相コンデンサ設備を高圧電路に接続したときに三相コンデンサ SC の端子電圧の値 [V] として，最も近いものを次の(1)～(5)のうちから一つ選べ．

(1) 6 410　　(2) 6 795　　(3) 6 807　　(4) 6 995　　(5) 7 021

(b) 進相コンデンサ設備を負荷と並列に接続し，力率を遅れ 0.6 から遅れ 0.8 に改善した．このとき，この設備の三相コンデンサ SC の容量の値 [kvar] として，最も近いものを次の(1)～(5)のうちから一つ選べ．

(1) 170　　(2) 180　　(3) 186　　(4) 192　　(5) 208

解11 解答 (a)−(5), (b)−(3)

(a) SC の端子電圧 V_{SC} は,

$$V_{SC} = \frac{-jX_C}{j0.06X_C - jX_C} \times 6\,600 = \frac{1}{0.94} \times 6\,600 \fallingdotseq 7\,021.28 \fallingdotseq 7\,021\ \text{V}$$

(b) 進相コンデンサ設備容量 Q_{LC} は,

$$Q_{LC} = \frac{300}{0.6} \times 0.8 - \frac{300}{0.8} \times 0.6 = 175\ \text{kvar}$$

容量 6 ％直列リアクトルを接続した進相コンデンサ設備は, 三相コンデンサ SC の容量 Q_C の 94 ％となるから, 三相コンデンサ SC の容量 Q_C は,

$$Q_C = \frac{175}{0.94} \fallingdotseq 186.17 \fallingdotseq 186\ \text{kvar}$$

三相 3 線式の高圧電路に 300 kW，遅れ力率 0.6 の三相負荷が接続されている．この負荷と並列に進相コンデンサ設備を接続して力率改善を行うものとする．進相コンデンサ設備は図に示すように直列リアクトル付三相コンデンサとし，直列リアクトル SR のリアクタンス X_L [Ω] は，三相コンデンサ SC のリアクタンス X_C [Ω] の 6 ％ とするとき，次の(a)及び(b)の問に答えよ．

ただし，高圧電路の線間電圧は 6 600 V とし，無効電力によって電圧は変動しないものとする．

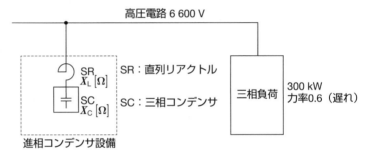

(a) 進相コンデンサ設備を高圧電路に接続したときに三相コンデンサ SC の端子電圧の値 [V] として，最も近いものを次の(1)～(5)のうちから一つ選べ．

(1) 6 410　(2) 6 795　(3) 6 807　(4) 6 995　(5) 7 021

(b) 進相コンデンサ設備を負荷と並列に接続し，力率を遅れ 0.6 から遅れ 0.8 に改善した．このとき，この設備の三相コンデンサ SC の容量の値 [kvar] として，最も近いものを次の(1)～(5)のうちから一つ選べ．

(1) 170　(2) 180　(3) 186　(4) 192　(5) 208

解12 解答 (a)−(5), (b)−(3)

(a) SC の端子電圧

$$V_{SC} = \frac{-jX_C}{j0.06\,X_C - jX_C} \times 6\,600 = \frac{1}{0.94} \times 6\,600$$

$$\doteqdot 7\,021.28 \doteqdot 7\,021 \text{ V}$$

(b) 進相コンデンサ設備容量 Q_{LC} は,

$$Q_{LC} = \frac{300}{0.6} \times 0.8 - \frac{300}{0.8} \times 0.6 = 175 \text{ kvar}$$

容量6%の直列リアクトルを接続した進相コンデンサ設備は, 三相コンデンサ SC の容量 Q_C の94%となるから, 三相コンデンサ SC の容量 Q_C は,

$$Q_C = \frac{175}{0.94} \doteqdot 186.17 \doteqdot 186 \text{ kvar}$$

問13 Check! ☐☐☐

（平成25年 ⒝問題11）

高圧進相コンデンサの劣化診断について，次の(a)及び(b)の問に答えよ．

(a) 三相3線式50〔Hz〕，使用電圧6.6〔kV〕の高圧電路に接続された定格電圧6.6〔kV〕，定格容量50〔kvar〕（Y結線，一相2素子）の高圧進相コンデンサがある．その内部素子の劣化度合い点検のため，運転電流を高圧クランプメータで定期的に測定していた．

ある日の測定において，測定電流〔A〕の定格電流〔A〕に対する比は，図1のとおりであった．測定電流〔A〕に最も近い数値の組合せとして，正しいものを次の(1)～(5)のうちから一つ選べ．

ただし，直列リアクトルはないものとして計算せよ．

	R相	S相	T相
(1)	6.6	5.0	5.0
(2)	7.5	5.7	5.7
(3)	3.8	2.9	2.9
(4)	11.3	8.6	8.6
(5)	7.2	5.5	5.5

図1

(b) (a)の測定により，劣化による内部素子の破壊（短絡）が発生していると判断し，機器停止のうえ各相間の静電容量を2端子測定法（1端子開放で測定）で測定した．

図2のとおりの内部結線における素子破壊（素子極間短絡）が発生しているとすれば，静電容量測定結果の記述として，正しいものを次の(1)～(5)のうちから一つ選べ．ただし，図中×印は，破壊素子を表す．

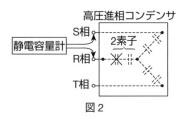

図2

(1) R-S相間の測定値は，最も小さい．

(2) S-T相間の測定値は，最も小さい．

(3) T-R相間は，測定不能である．

(4) R-S相間の測定値は，S-T相間の測定値の約75〔%〕である．

(5) R-S相間とS-T相間の測定値は，等しい．

解13 解答 (a)−(1), (b)−(2)

(a) 進相コンデンサの定格容量を Q_C〔var〕,定格電圧を V_n〔V〕,定格電流を I_n〔A〕とすると,次式の関係にあるので,各値を代入して,

$$I_n = \frac{Q_C}{\sqrt{3}\,V_n} = \frac{50 \times 10^3}{\sqrt{3} \times 6.6 \times 10^3} = 4.373 \fallingdotseq 4.37 \,〔A〕$$

R相,S相,T相それぞれを流れる電流 I_R, I_S, I_T は,

$$I_R = I_n \times 1.50 = 4.37 \times 1.50 = 6.555 \fallingdotseq 6.6 \,〔A〕$$
$$I_S = I_n \times 1.15 = 4.37 \times 1.15 = 5.025 \fallingdotseq 5.0 \,〔A〕$$
$$I_T = I_n \times 1.15 = 4.37 \times 1.15 = 5.025 \fallingdotseq 5.0 \,〔A〕$$

(b) 1素子当たりの静電容量を C_0〔F〕,R相,S相,T相の各相1相当たりの静電容量を C_R〔F〕,C_S〔F〕,C_T〔F〕とすると,R相のうちの1素子は短絡状態にあるから,

$$C_R = C_0$$

S相,T相は,C_0 を2個直列接続した状態であるから,

$$\frac{1}{C_S} = \frac{1}{C_T} = \frac{1}{C_0} + \frac{1}{C_0} = \frac{2}{C_0}$$

$$\therefore \quad C_S = C_T = \frac{C_0}{2} \,〔F〕$$

R–S,S–T,T–R の各相間の2端子測定法による静電容量を C_{RS}〔F〕,C_{ST}〔F〕,C_{TR}〔F〕とすると,

$$\frac{1}{C_{RS}} = \frac{1}{C_R} + \frac{1}{C_S} = \frac{1}{C_0} + \frac{2}{C_0} = \frac{3}{C_0}$$

$$\therefore \quad C_{RS} = \frac{C_0}{3} \,〔F〕$$

$$\frac{1}{C_{TR}} = \frac{1}{C_T} + \frac{1}{C_R} = \frac{2}{C_0} + \frac{1}{C_0} = \frac{3}{C_0}$$

$$\therefore \quad C_{TR} = \frac{C_0}{3} \,〔F〕$$

$$\frac{1}{C_{ST}} = \frac{1}{C_S} + \frac{1}{C_T} = \frac{2}{C_0} + \frac{2}{C_0} = \frac{4}{C_0}$$

$$\therefore \quad C_{ST} = \frac{C_0}{4} \,〔F〕$$

したがって,$C_{RS} = C_{TR} > C_{ST}$ であり,S–T相間の測定値(静電容量)が最も小さい.

問14 Check! ☐ ☐ ☐

（平成24年 Ⓑ 問題13）

発電所の最大出力が 40 000 〔kW〕で最大使用水量が 20 〔m³/s〕，有効容量 360 000 〔m³〕の調整池を有する水力発電所がある．河川流量が 10 〔m³/s〕一定である時期に，河川の全流量を発電に利用して図のような発電を毎日行った．毎朝満水になる 8 時から発電を開始し，調整池の有効容量の水を使い切る x 時まで発電を行い，その後は発電を停止して翌日に備えて貯水のみをする運転パターンである．次の(a)及び(b)の問に答えよ．

ただし，発電所出力〔kW〕は使用水量〔m³/s〕のみに比例するものとし，その他の要素にはよらないものとする．

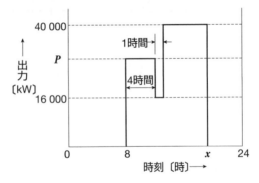

(a) 運転を終了する時刻 x として，最も近いものを次の(1)〜(5)のうちから一つ選べ．

(1) 19 時　(2) 20 時　(3) 21 時　(4) 22 時　(5) 23 時

(b) 図に示す出力 P 〔kW〕の値として，最も近いものを次の(1)〜(5)のうちから一つ選べ．

(1) 20 000　(2) 22 000　(3) 24 000

(4) 26 000　(5) 28 000

解14 解答 (a)−(4), (b)−(4)

(a), (b) 題意より，水力発電所が 16 000〔kW〕で運転する場合の使用水量 Q_1 は，

$$Q_1 = 20 \times \frac{16\,000}{40\,000} = 8\,\text{[m}^3/\text{s]}$$

で表され，出力 P〔kW〕で運転する場合の使用水量 Q_2 は，

$$Q_2 = 20 \times \frac{P}{40\,000} = 0.0005\,P\,\text{[m}^3/\text{s]}$$

となる．

ここに，題意より，発電に使用した全水量は 1 日の全河川流量に等しいから，次式が成立する．

$$0.0005\,P \times 4 \times 3\,600 + 8 \times 1 \times 3\,600 + 20 \times (x - 8 - 5) \times 3\,600$$
$$= 10 \times 24 \times 3\,600$$
$$0.002\,P + 8 + 20\,x - 260 = 240$$
$$0.002\,P + 20\,x = 492 \tag{①}$$

また，発電を停止している時間帯の全貯水量は調整池の有効容量に等しいから，次式が成立する．

$$10 \times (8 + 24 - x) \times 3\,600 = 360\,000$$
$$32 - x = 10 \tag{②}$$

以上から，求める運転終了時刻 x および出力 P はそれぞれ，次のようになる．

②式より，

$$x = 32 - 10 = 22\,\text{[時]}$$

①式より，

$$P = \frac{492 - 20 \times 22}{0.002} = 26\,000\,\text{[kW]}$$

問15 Check! ☐☐☐

（令和4年上　B　問題13）

有効落差 80 m の調整池式水力発電所がある．調整池に取水する自然流量は 10 m³/s 一定であるとし，図のように1日のうち12時間は発電せずに自然流量の全量を貯水する．残り12時間のうち2時間は自然流量と同じ 10 m³/s の使用水量で発電を行い，他の10時間は自然流量より多い Q_p [m³/s] の使用水量で発電して貯水分全量を使い切るものとする．このとき，次の(a)及び(b)の問に答えよ．

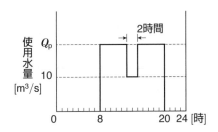

(a)　運用に最低限必要な有効貯水量の値 [m³] として，最も近いものを次の(1)～(5)のうちから一つ選べ．

(1)　220×10^3　　(2)　240×10^3　　(3)　432×10^3

(4)　792×10^3　　(5)　864×10^3

(b)　使用水量 Q_p [m³/s] で運転しているときの発電機出力の値 [kW] として，最も近いものを次の(1)～(5)のうちから一つ選べ．ただし，運転中の有効落差は変わらず，水車効率，発電機効率はそれぞれ 90 %，95 % で一定とし，溢水（いっすい）はないものとする．

(1)　12 400　　(2)　14 700　　(3)　16 600

(4)　18 800　　(5)　20 400

解15 解答 (a)−(3), (b)−(2)

(a) 発電をしていない 12 時間において，貯水できる量を計算する．

下図の太線枠の面積を求める．

$$10 \text{ m}^3/\text{s} \times 12 \text{ h} \times 3\,600 \text{ s} = 432 \times 10^3 \text{ m}^3 \tag{①}$$

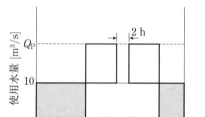

(b) (1)で求めた貯水量を，10 時間で使用するのでその流量 Q_P' は，

$$Q_\text{P}' = \frac{432\,000}{10 \times 3\,600} = 12 \text{ m}^3/\text{s}$$

$$\therefore \quad Q_\text{P} = 10 + 12 = 22 \text{ m}^3/\text{s}$$

使用水量 Q_P 時の発電機出力 $P \text{ [kW]}$ は，

$$P = 9.8 Q H \eta_\text{t} \eta_\text{g} = 9.8 \times 22 \times 80 \times 0.9 \times 0.95 = 14\,747$$

$$\fallingdotseq 14\,700 \text{ kW}$$

法規 6 施設管理（計算）

問16 **Check!** ☐☐☐ （平成25年 **B** 問題12）

　出力 600 〔kW〕の太陽電池発電所を設置したショッピングセンターがある．ある日の太陽電池発電所の発電の状況とこのショッピングセンターにおける電力消費は図に示すとおりであった．すなわち，発電所の出力は朝の6時から12時まで直線的に増大し，その後は夕方18時まで直線的に下降した．また，消費電力は深夜0時から朝の10時までは100〔kW〕，10時から17時までは300〔kW〕，17時から21時までは400〔kW〕，21時から24時は100〔kW〕であった．

　このショッピングセンターは自然エネルギーの活用を推進しており太陽電池発電所の発電電力は自家消費しているが，その発電電力が消費電力を上回って余剰を生じたときは電力系統に送電している．次の(a)及び(b)の問に答えよ．

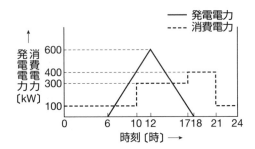

(a)　この日，太陽電池発電所から電力系統に送電した電力量〔kW・h〕の値として，最も近いものを次の(1)～(5)のうちから一つ選べ．

(1)　900　　　(2)　1 300　　　(3)　1 500　　　(4)　2 200　　　(5)　3 600

(b)　この日，ショッピングセンターで消費した電力量に対して太陽電池発電所が発電した電力量により自給した比率〔%〕として，最も近いものを次の(1)～(5)のうちから一つ選べ．

(1)　35　　　(2)　38　　　(3)　46　　　(4)　52　　　(5)　58

解16 解答 (a)−(2), (b)−(3)

(a) 電力系統に送電した電力量を W_S 〔kW·h〕とすると，第1図の斜線部の面積に相当する．W_S のうち，300〔kW〕より上の電力量を W_{S1}〔kW·h〕，下の電力量を W_{S2}〔kW·h〕とする．

発電電力が300〔kW〕となる時刻は図より，9時と15時である．また，発電電力と消費電力が等しくなるのは7時と15時である．よって，図示された数値から W_{S1}，W_{S2} を求めると，

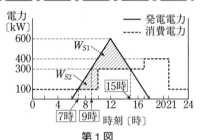

第1図

$$W_{S1}=(600-300)\times(15-9)\times\frac{1}{2}=300\times6\times\frac{1}{2}=900 \text{〔kW·h〕}$$

$$W_{S2}=(300-100)\times\{(10-9)+(10-7)\}\times\frac{1}{2}=200\times(1+3)\times\frac{1}{2}=400 \text{〔kW·h〕}$$

したがって W_S は，

$$W_S = W_{S1}+W_{S2}=900+400=1\,300 \text{〔kW·h〕}$$

(b) 消費電力を W_L〔kW·h〕とすると，第2図の太破線の下の面積に相当し，次式で求まる．

$$W_L = 100\times\{10+(24-21)\}$$
$$+300\times(17-10)+400\times(21-17)$$
$$=100\times13+300\times7+400\times4$$
$$=5\,000 \text{〔kW·h〕}$$

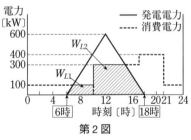

第2図

太陽電池発電所が発電した電力量は斜線部の面積に相当する．斜線部を10時を境にして分け，10時以前の発電電力量を W_{L1}〔kW·h〕，10時以後の発電電力量を W_{L2}〔kW·h〕とすると，次により求まる．

$$W_{L1}=100\times\{(10-7)+(10-6)\}\times\frac{1}{2}=100\times(3+4)\times\frac{1}{2}=350 \text{〔kW·h〕}$$

$$W_{L2}=300\times\{(15-10)+(18-10)\}\times\frac{1}{2}=300\times(5+8)\times\frac{1}{2}=1\,950 \text{〔kW·h〕}$$

したがって，太陽電池発電所の発電比率 n〔%〕は，

$$n=\frac{W_{L1}+W_{L2}}{W_L}\times100=\frac{350+1\,950}{5\,000}\times100=46 \text{〔%〕}$$

Check! □□□

（平成29年 Ⓑ 問題13）

　　自家用水力発電所をもつ工場があり，電力系統と常時系統連系している．

　　ここでは，自家用水力発電所の発電電力は工場内において消費させ，同電力が工場の消費電力よりも大きくなり余剰が発生した場合，その余剰分は電力系統に逆潮流（送電）させる運用をしている．

　　この工場のある日（0時〜24時）の消費電力と自家用水力発電所の発電電力はそれぞれ図1及び図2のように推移した．次の(a)及び(b)の問に答えよ．

　　なお，自家用水力発電所の所内電力は無視できるものとする．

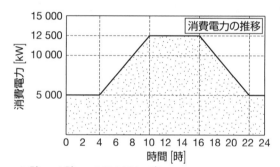

0時〜 4時	5 000 kW 一定
4時〜10時	5 000 kW から12 500 kW まで直線的に増加
10時〜16時	12 500 kW 一定
16時〜22時	12 500 kW から5 000 kW まで直線的に減少
22時〜24時	5 000 kW 一定

図1

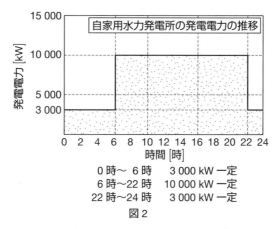

図2

(a) この日の電力系統への送電電力量の値 [MW·h] と電力系統からの受電電力量の値 [MW·h] の組合せとして，最も近いものを次の(1)〜(5)のうちから一つ選べ.

	送電電力量 [MW·h]	受電電力量 [MW·h]
(1)	12.5	26.0
(2)	12.5	38.5
(3)	26.0	38.5
(4)	38.5	26.0
(5)	26.0	12.5

(b) この日，自家用水力発電所で発電した電力量のうち，工場内で消費された電力量の比率 [%] として，最も近いものを次の(1)〜(5)のうちから一つ選べ.

(1) 18.3　　(2) 32.5　　(3) 81.7　　(4) 87.6　　(5) 93.2

解17　解答 (a)−(2), (b)−(5)

(a)　図1より，1日の工場の全消費電力量 W_L は，

$$W_L = 5 \times 6 + 12.5 \times 6 + 2 \times \frac{1}{2} \times (5 + 12.5) \times 6 = 210\,\text{MW·h}$$

また，図2より水力発電所の1日の発電電力量 W_w は，

$$W_w = 3 \times 8 + 10 \times 16 = 184\,\text{MW·h}$$

いま，電力系統への送電電力量を $W_s\,[\text{MW·h}]$，電力系統からの受電電力量を $W_r\,[\text{MW·h}]$ とすると，水力発電所の発電電力量 184 MW·h から電力系統への送電電力量 W_s を差し引いた電力量 $(184 - W_s)\,[\text{MW·h}]$ は工場で使用した電力量に等しいから，電力系統からの受電電力量 W_r は，次式で与えられる．

$$W_r = 210 - (184 - W_s) = 26 + W_s\,[\text{MW·h}] \tag{1}$$

次に，図1より工場の消費電力の推移より，4時から10時までの6時間の消費電力の1時間当たりの増加率 $\alpha\,[\text{MW/h}]$ と16時から22時までの6時間の増加率 $\beta\,[\text{MW/h}]$ はそれぞれ，

$$\alpha = \frac{12.5 - 5}{6} = 1.25\,\text{MW/h}$$

$$\beta = \frac{5 - 12.5}{6} = -1.25\,\text{MW/h}$$

であるから，4時から10時までの間で，発電電力と消費電力が等しくなる時刻 T_1 および16時から22時までの間で，発電電力と消費電力が等しくなる時刻 T_2 はそれぞれ，

$$T_1 = 4 + \frac{10 - 5}{1.25} = 8\,\text{h}$$

$$T_2 = 16 + \frac{10 - 12.5}{-1.25} = 18\,\text{h}$$

であるから，図1の消費電力の推移と図2の自家用水力発電所の発電電力の推移を重ねて表せば，次の図のようになる．

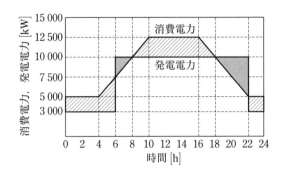

図より，電力系統への送電電力量は，図の影（　）を付けた部分の面積に等しいから，求める送電電力量 W_s は，

$$W_s = \frac{1}{2} \times (10 - 7.5) \times (8 - 6) + \frac{1}{2} \times (10 - 5) \times (22 - 18) = 12.5 \text{ MW·h}$$

また，電力系統からの受電電力量 W_r は，(1)式より，

$$W_r = 26 + W_s = 26 + 12.5 = 38.5 \text{ MW·h}$$

(b) 自家用水力発電所で発電した電力量のうち，工場内で消費された電力量の比率 ε は，(a)の結果より，

$$\varepsilon = \frac{184 - 12.5}{184} \fallingdotseq 0.9321 \fallingdotseq 93.2 \text{ \%}$$

問18　Check! ☐☐☐

ある需要家設備において定格容量 30 〔kV·A〕，鉄損 90 〔W〕及び全負荷銅損 550 〔W〕の単相変圧器が設置してある．ある 1 日の負荷は，

24 〔kW〕，力率 80 〔%〕で 4 時間

15 〔kW〕，力率 90 〔%〕で 8 時間

10 〔kW〕，力率 100 〔%〕で 6 時間

無負荷で 6 時間

であった．この日の変圧器に関して，次の(a)及び(b)の問に答えよ．

(a)　この変圧器の全日効率〔%〕の値として，最も近いものを次の(1)〜(5)のうちから一つ選べ．

(1)　97.4　　(2)　97.6　　(3)　97.8　　(4)　98.0　　(5)　98.2

(b)　この変圧器の日負荷率〔%〕の値として，最も近いものを次の(1)〜(5)のうちから一つ選べ．

(1)　38　　(2)　48　　(3)　61　　(4)　69　　(5)　77

解18 解答 (a)−(3), (b)−(2)

(a) 題意より，1日の鉄損による損失電力量 W_i は，

$$W_i = 0.09 \times 24 = 2.16 \,(\text{kW·h})$$

また，1日の銅損による損失電力量 W_c は，

$$W_c = 0.55 \times \left(\frac{24/0.8}{30}\right)^2 \times 4 + 0.55 \times \left(\frac{15/0.9}{30}\right)^2 \times 8 + 0.55 \times \left(\frac{10}{30}\right)^2 \times 6$$

$$\fallingdotseq 3.925 \,(\text{kW·h})$$

また，変圧器の1日の出力電力量 W は，

$$W = 24 \times 4 + 15 \times 8 + 10 \times 6 = 276 \,(\text{kW·h})$$

であるから，求める変圧器の全日効率 η_d は，

$$\eta_d = \frac{276}{276 + 2.16 + 3.925} \times 100 = 97.84 \,(\%)$$

となる．

(b) 変圧器の1日の平均出力 P_a は，

$$P_a = \frac{276}{24} = 11.5 \,(\text{kW})$$

であるから，求める日負荷率は，

$$日負荷率 = \frac{11.5}{24} \times 100 \fallingdotseq 47.92 \,(\%)$$

となる．

問19 Check! ☐☐☐ （平成30年 B 問題13）

　ある需要家では，図1に示すように定格容量 300 kV·A，定格電圧における鉄損 430 W 及び全負荷銅損 2 800 W の変圧器を介して配電線路から定格電圧で受電し，需要家負荷に電力を供給している．この需要家には出力 150 kW の太陽電池発電所が設置されており，図1に示す位置で連系されている．

　ある日の需要家負荷の日負荷曲線が図2であり，太陽電池発電所の発電出力曲線が図3であるとするとき，次の(a)及び(b)の問に答えよ．

　ただし，需要家の負荷力率は 100 % とし，太陽電池発電所の運転力率も 100 % とする．なお，鉄損，銅損以外の変圧器の損失及び需要家構内の線路損失は無視するものとする．

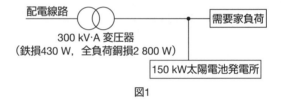

図1

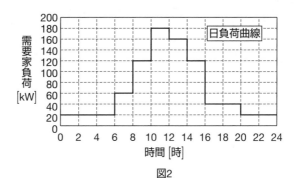

図2

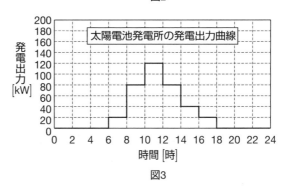

図3

(a) 変圧器の1日の損失電力量の値 [kW·h] として，最も近いものを次の(1)〜(5)のうちから一つ選べ．

(1) 10.3　　(2) 11.8　　(3) 13.2　　(4) 16.3　　(5) 24.4

(b) 変圧器の全日効率の値 [%] として，最も近いものを次の(1)〜(5)のうちから一つ選べ．

(1) 97.5　　(2) 97.8　　(3) 98.7　　(4) 99.0　　(5) 99.4

解19　解答 (a)−(2), (b)−(3)

(a) 問題の図2および図3より，変圧器から供給される力率1の電力および電力の定格に対する比率は，時間帯により次のようになる．

① 0〜6時，16〜18時および20時〜24時まで

12時間，20 kW，比率 $\dfrac{20}{300} \fallingdotseq 0.066\,7$

② 6〜10時および18時〜20時まで

6時間，40 kW，比率 $\dfrac{40}{300} \fallingdotseq 0.133$

③ 10時〜12時まで

2時間，60 kW，比率 $\dfrac{60}{300} = 0.2$

④ 12時〜16時まで

4時間，80 kW，比率 $\dfrac{80}{300} \fallingdotseq 0.267$

したがって，求める変圧器の1日の損失電力量 W_{ld} は，

$$W_{ld} = 0.43 \times 24 + 2.8 \times (0.066\,7^2 \times 12 + 0.133^2 \times 6 + 0.2^2 \times 2 + 0.267^2 \times 4)$$
$$\fallingdotseq 11.789 \fallingdotseq 11.8 \text{ kW·h}$$

(b) (a)より，変圧器の1日の出力電力量 W_d は，

$$W_d = 20 \times 12 + 40 \times 6 + 60 \times 2 + 80 \times 4 = 920 \text{ kW·h}$$

したがって，求める変圧器の全日効率 η_d は，

$$\eta_d = \frac{W_d}{W_d + W_{ld}} = \frac{920}{920 + 11.789} \fallingdotseq 0.987\,3 \fallingdotseq 98.7 \%$$

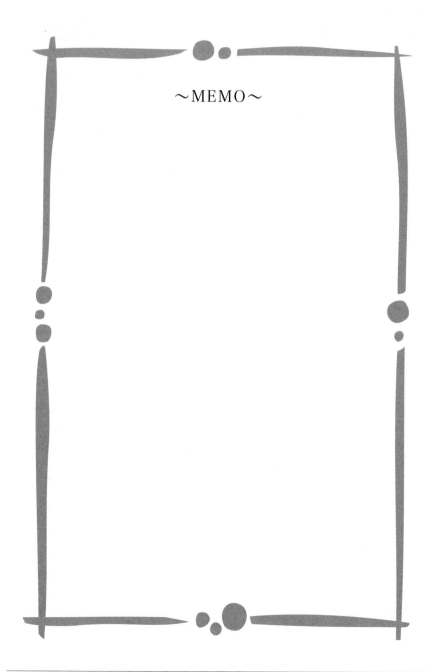

~MEMO~

問20 Check! ☐☐☐

図に示すように，高調波発生機器と高圧進相コンデンサ設備を設置した高圧需要家が配電線インピーダンス Z_S を介して 6.6 kV 配電系統から受電しているとする．

コンデンサ設備は直列リアクトル SR 及びコンデンサ SC で構成されているとし，高調波発生機器からは第5次高調波電流 I_5 が発生するものとして，次の(a)及び(b)の問に答えよ．

ただし，Z_S, SR, SC の基本波周波数に対するそれぞれのインピーダンス $\dot{Z}_{S1}$，$\dot{Z}_{SR1}$，$\dot{Z}_{SC1}$ の値は次のとおりとする．

$$\dot{Z}_{S1} = j4.4 \ \Omega, \quad \dot{Z}_{SR1} = j33 \ \Omega, \quad \dot{Z}_{SC1} = -j545 \ \Omega$$

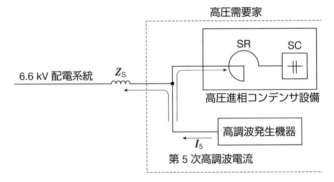

(a) 系統に流出する高調波電流は高調波に対するコンデンサ設備インピーダンスと配電線インピーダンスの値により決まる．

Z_S, SR, SC の第5次高調波に対するそれぞれのインピーダンス $\dot{Z}_{S5}$，$\dot{Z}_{SR5}$，$\dot{Z}_{SC5}$ の値 [Ω] の組合せとして，最も近いものを次の(1)～(5)のうちから一つ選べ．

	$\dot{Z}_{S5}$	$\dot{Z}_{SR5}$	$\dot{Z}_{SC5}$
(1)	j22	j165	−j2 725
(2)	j9.8	j73.8	−j1 218.7
(3)	j9.8	j73.8	−j243.7
(4)	j110	j825	−j21.8
(5)	j22	j165	−j109

(b) 「高圧又は特別高圧で受電する需要家の高調波抑制対策ガイドライン」では需要家から系統に流出する高調波電流の上限値が示されており，6.6 kV 系統への第 5 次高調波の流出電流上限値は契約電力 1 kW 当たり 3.5 mA となっている．

今，需要家の契約電力が 250 kW とし，上記ガイドラインに従うものとする．

このとき，高調波発生機器から発生する第 5 次高調波電流 I_5 の上限値（6.6 kV 配電系統換算値）の値 [A] として，最も近いものを次の(1)～(5)のうちから一つ選べ．

ただし，高調波発生機器からの高調波は第 5 次高調波電流のみとし，その他の高調波及び記載以外のインピーダンスは無視するものとする．

なお，上記ガイドラインの実際の適用に当たっては，需要形態による適用緩和措置，高調波発生機器の種類，稼働率などを考慮する必要があるが，ここではこれらは考慮せず流出電流上限値のみを適用するものとする．

(1) 0.6　　(2) 0.8　　(3) 1.0　　(4) 1.2　　(5) 2.2

解20 解答 (a)−(5), (b)−(4)

(a) Z_S, SR, SC の第5調波に対するインピーダンス $\dot{Z}_{S5}$, $\dot{Z}_{SR5}$ および $\dot{Z}_{SC5}$ はそれぞれ，次のようになる.

$$\dot{Z}_{S5} = 5\dot{Z}_{S1} = 5 \times j4.4 = j22 \ \Omega$$

$$\dot{Z}_{SR5} = 5\dot{Z}_{SR1} = 5 \times j33 = j165 \ \Omega$$

$$\dot{Z}_{SC5} = \frac{\dot{Z}_{SC1}}{5} = \frac{-j545}{5} = -j109 \ \Omega$$

(b) 6.6 kV 系統へ流出する第5調波 $\dot{I}_{5e}$ は，

$$\dot{I}_{5e} = \frac{\dot{Z}_{SR5} + \dot{Z}_{SC5}}{\dot{Z}_{S5} + \dot{Z}_{SR5} + \dot{Z}_{SC5}} I_5$$

で表せるから，高調波発生機器から発生する第5調波電流の上限値 I_5 は，

$$I_5 = \frac{\dot{Z}_{S5} + \dot{Z}_{SR5} + \dot{Z}_{SC5}}{\dot{Z}_{SR5} + \dot{Z}_{SC5}} \dot{I}_{5e}$$

$$= \frac{j22 + j165 - j109}{j165 - j109} \times 250 \times 3.5 = 1\ 218.75 \text{ mA}$$

$$\fallingdotseq 1.2 \text{ A}$$

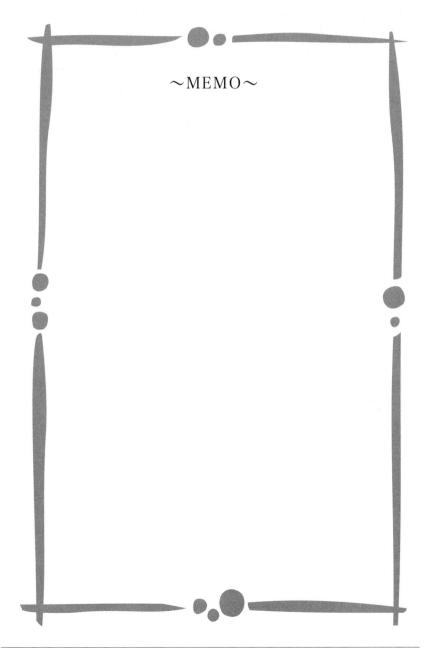

〜MEMO〜

問21 **Check!** ☐ ☐ ☐ （令和6年㊤ **B** 問題11）

　変電所から三相3線式1回線の専用配電線で受電している需要家がある．この配電線路の電線1条当たりの抵抗及びリアクタンスの値は，それぞれ3 Ω及び5 Ωである．この需要家の使用電力が8 000 kW，負荷の力率が0.8（遅れ）であるとき，次の(a)及び(b)の問に答えよ．

(a) 需要家の受電電圧が20 kVのとき，変電所引出口の電圧 [kV] の値として，最も近いのは次のうちどれか．

(1) 21.6 (2) 22.2 (3) 22.7 (4) 22.9 (5) 23.1

(b) 需要家にコンデンサを設置して，負荷の力率を0.95（遅れ）に改善するとき，この配電線の電圧降下の値 [V] の，コンデンサ設置前の電圧降下の値 [V] に対する比率 [%] の値として，最も近いのは次のうちどれか．

　ただし，この需要家の受電電圧 [kV] は，コンデンサ設置前と同一の20 kVとする．

(1) 66.6 (2) 68.8 (3) 75.5 (4) 81.7 (5) 97.0

解21 解答 (a)−(3), (b)−(2)

(a) 題意より，配電線の有効電流 I_P および無効電流 I_Q はそれぞれ，

$$I_P = \frac{8\,000}{\sqrt{3} \times 20} = \frac{400}{\sqrt{3}}\,\text{A} = \frac{0.4}{\sqrt{3}}\,\text{kA}$$

$$I_Q = \frac{I_P}{\cos\theta}\sin\theta = \frac{0.4}{\sqrt{3}} \times \frac{0.6}{0.8} = \frac{0.3}{\sqrt{3}}\,\text{kA}$$

したがって，変電所引出口の電圧 V_S は，

$$V_S = V_R + \sqrt{3} \times (rI_P + xI_Q) = 20 + \sqrt{3} \times \left(3 \times \frac{0.4}{\sqrt{3}} + 5 \times \frac{0.3}{\sqrt{3}}\right) = 20 + 1.2 + 1.5$$

$$= 22.7\,\text{kV}$$

(b) コンデンサを設置して負荷の力率を 0.95（遅れ）に改善したときの配電線の無効電流 I_Q' は，

$$I_Q' = \frac{I_P}{\cos\theta'}\sin\theta' = \frac{0.4}{\sqrt{3}} \times \frac{\sqrt{1 - 0.95^2}}{0.95} \fallingdotseq \frac{0.4}{\sqrt{3}} \times \frac{0.312\,25}{0.95} \fallingdotseq \frac{0.131\,5}{\sqrt{3}}\,\text{kA}$$

この場合の配電線電圧降下 e' は，

$$e' = \sqrt{3}(rI_P + xI_Q') = \sqrt{3} \times \left(3 \times \frac{0.4}{\sqrt{3}} + 5 \times \frac{0.131\,5}{\sqrt{3}}\right)$$

$$= 1.2 + 0.657\,5 = 1.857\,5\,\text{kV}$$

したがって，求める電圧降下の比は，

$$\frac{e'}{e} = \frac{1.857\,5}{2.7} \fallingdotseq 0.688\,0 = \mathbf{68.8\,\%}$$

問22　Check! ☐☐☐

（平成 30 年 🅑 問題 12）

　　図のように電源側 S 点から負荷点 A を経由して負荷点 B に至る線路長 L [km] の三相 3 線式配電線路があり，A 点，B 点で図に示す負荷電流が流れているとする．S 点の線間電圧を 6 600 V，配電線路の 1 線当たりの抵抗を 0.32 Ω/km，リアクタンスを 0.20 Ω/km とするとき，次の(a)及び(b)の問に答えよ．

　　ただし，計算においては S 点，A 点及び B 点における電圧の位相差が十分小さいとの仮定に基づき適切な近似式を用いるものとする．

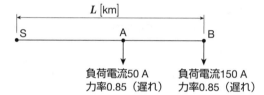

(a)　A-B 間の線間電圧降下を S 点線間電圧の 1 % としたい．このときの A-B 間の線路長の値 [km] として，最も近いものを次の(1)〜(5)のうちから一つ選べ．

(1)　0.39　　(2)　0.67　　(3)　0.75　　(4)　1.17　　(5)　1.30

(b)　A-B 間の線間電圧降下を S 点線間電圧の 1 % とし，B 点線間電圧を S 点線間電圧の 96 % としたときの線路長 L の値 [km] として，最も近いものを次の(1)〜(5)のうちから一つ選べ．

(1)　2.19　　(2)　2.44　　(3)　2.67　　(4)　3.79　　(5)　4.22

解22 解答 (a)－(2)，(b)－(1)

(a) 題意より，A-B 間の線路長を $L_{AB}\,[\mathrm{km}]$ とすると，次式が成立する.

$\cos\theta = 0.85$ のとき，

$$\sin\theta = \sqrt{1 - 0.85^2} \fallingdotseq 0.526\,8$$

$$\sqrt{3} \times 150 \times (0.32 \times 0.85 + 0.2 \times 0.526\,8) \times L_{AB} = 6\,600 \times 0.01$$

$$98.041 L_{AB} = 66$$

$$\therefore\quad L_{AB} = \frac{66}{98.041} \fallingdotseq 0.673\,2 \fallingdotseq 0.67\ \mathrm{km}$$

(b) A-B 間の線間電圧降下 v_{AB} が S 点の線間電圧の 1 ％で，B 点の線間電圧が S 点の線間電圧の 96 ％であることから，S-A 間の線間電圧降下 v_{SA} は S 点の 3 ％となり，

$$\frac{v_{SA}}{v_{AB}} = \frac{3}{1} = 3$$

一方，S-A 間の線路電流 I_{SA} は，

$$I_{SA} = 50 + 150 = 200\ \mathrm{A} \quad (遅れ力率\ 0.85)$$

であり，A-B 間の線路電流 I_{AB} は 150 A（遅れ力率 0.85）であるから，

$$\frac{I_{SA}}{I_{AB}} = \frac{200}{150} = \frac{4}{3}\ 倍$$

となる. ここで，S-A 間の線路長を $L_{SA}\,[\mathrm{km}]$ とすると，配電線路の電圧降下は力率が一定であれば，線路インピーダンスと線路電流の積に比例し，同一線路における線路インピーダンスは距離に比例するから，次式が成立する.

$$\frac{L_{SA} I_{SA}}{L_{AB} I_{AB}} = \frac{L_{SA}}{L_{AB}} \cdot \frac{4}{3} = 3$$

$$L_{SA} = 3 \times \frac{3}{4} L_{AB} = \frac{9}{4} L_{AB} = 2.25 L_{AB}$$

したがって，求める S-A 間の線路長 L は，

$$L = L_{AB} + L_{SA} = L_{AB} + 2.25 L_{AB} = 3.25 L_{AB}$$

$$\therefore\quad L = 3.25 L_{AB} = 3.25 \times 0.673\,2 = 2.187\,9 \fallingdotseq 2.19\ \mathrm{km}$$

問23 Check! ☐ ☐ ☐

　　図に示すような，相電圧 $\dot{E}_R$ [V]，$\dot{E}_S$ [V]，$\dot{E}_T$ [V]，角周波数 ω [rad/s] の対称三相３線式高圧電路があり，変圧器の中性点は非接地方式とする．電路の一相当たりの対地静電容量を C [F] とする．

　　この電路の R 相のみが絶縁抵抗値 R_G [Ω] に低下した．このとき，次の(a)及び(b)の問に答えよ．

　　ただし，上記以外のインピーダンスは無視するものとする．

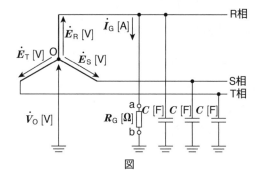

図

(a)　次の文章は，絶縁抵抗 R_G [Ω] を流れる電流 $\dot{I}_G$ [A] を求める記述である．R_G を取り除いた場合

　　　a-b 間の電圧 $\dot{V}_{ab} = \boxed{（ア）}$

　　a-b 間より見たインピーダンス $\dot{Z}_{ab}$ は，変圧器の内部インピーダンスを無視すれば，$\dot{Z}_{ab} = \boxed{（イ）}$ となる．

　　ゆえに，R_G を接続したとき，R_G に流れる電流 $\dot{I}_G$ は，次式となる．

$$\dot{I}_G = \frac{\dot{V}_{ab}}{\dot{Z}_{ab} + R_G} = \boxed{（ウ）}$$

　　上記の記述中の空白箇所(ア)～(ウ)に当てはまる組合せとして，正しいものを次の(1)～(5)のうちから一つ選べ．

	(ア)	(イ)	(ウ)
(1)	$\dot{E}_R$	$\dfrac{1}{j3\omega C}$	$\dfrac{j3\omega C\dot{E}_R}{1+j3\omega CR_G}$
(2)	$\sqrt{3}\,\dot{E}_R$	$-j3\omega C$	$\dfrac{-j3\omega C\dot{E}_R}{1-j3\omega CR_G}$
(3)	$\dot{E}_R$	$\dfrac{3}{j\omega C}$	$\dfrac{j\omega C\dot{E}_R}{3+j\omega CR_G}$
(4)	$\sqrt{3}\,\dot{E}_R$	$\dfrac{1}{j3\omega C}$	$\dfrac{\dot{E}_R}{1-j3\omega CR_G}$
(5)	$\dot{E}_R$	$j3\omega C$	$\dfrac{\dot{E}_R}{1+j3\omega CR_G}$

(b) 次の文章は，変圧器の中性点 O 点に現れる電圧 $\dot{V}_O$ [V] を求める記述である.

$$\dot{V}_O = \boxed{\text{(エ)}} + R_G\dot{I}_G$$

ゆえに $\dot{V}_O = \boxed{\text{(オ)}}$

　上記の記述中の空白箇所(エ)及び(オ)に当てはまる組合せとして，正しいものを次の(1)～(5)のうちから一つ選べ.

	(エ)	(オ)
(1)	$-\dot{E}_R$	$\dfrac{-\dot{E}_R}{1+j3\omega CR_G}$
(2)	$\dot{E}_R$	$\dfrac{\dot{E}_R}{1-j3\omega CR_G}$
(3)	$-\dot{E}_R$	$\dfrac{-\dot{E}_R}{1-j3\omega CR_G}$
(4)	$\dot{E}_R$	$\dfrac{\dot{E}_R}{1+j3\omega CR_G}$
(5)	$\dot{E}_R$	$\dfrac{-\dot{E}_R}{1-j3\omega CR_G}$

解23　解答 (a)−(1), (b)−(1)

(a) 非接地抵抗における1線地絡（絶縁低下）時の地絡電流 $\dot{I}_G$ を求める方法である．

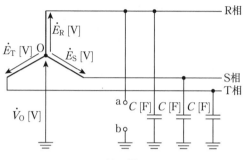

第1図

　抵抗 R_G を除いた場合の a−b 間の電圧は，電源電圧は三相平衡しているので中性点 O は 0 V であり大地電圧と同じとなるため，端子 a は，R 相と同じであることから a−b 間の電圧は，$\dot{E}_R$ [V] となる．

　a−b 間から見たインピーダンスは，**第2図**の等価回路から（題意からその他のインピーダンスは無視する），

$$\dot{Z}_{ab} = \frac{1}{j3\omega C}$$

第2図

　これは，テブナンの法則を使用している．

$$\dot{I}_G = \frac{\dot{V}_{ab}}{\dot{Z}_{ab} + R_G} = \frac{\dot{E}_R}{\dfrac{1}{j\omega 3C} + R_G}$$

$$= \frac{j3\omega C\dot{E}_R}{1 + j3\omega C R_G}$$

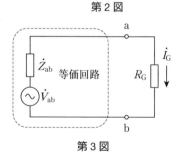

第3図

(b) 変圧器の中性点に現れる電圧を $\dot{V}_0$ とすると**第4図**の等価回路となり以下の式となる．

$$\dot{V}_0 + \dot{E}_R = R_G\dot{I}_G$$

$$\dot{V}_0 = -\dot{E}_R + R_G\dot{I}_G$$

$$= -\dot{E}_R + \frac{j3\omega C\dot{E}_R R_G}{1 + j3\omega C R_G}$$

$$= \frac{-\dot{E}_R - j3\omega C\dot{E}_R R_G + j3\omega C\dot{E}_R R_G}{1 + j3\omega CR_G}$$

$$= \frac{-\dot{E}_R}{1 + j3\omega CR_G}$$

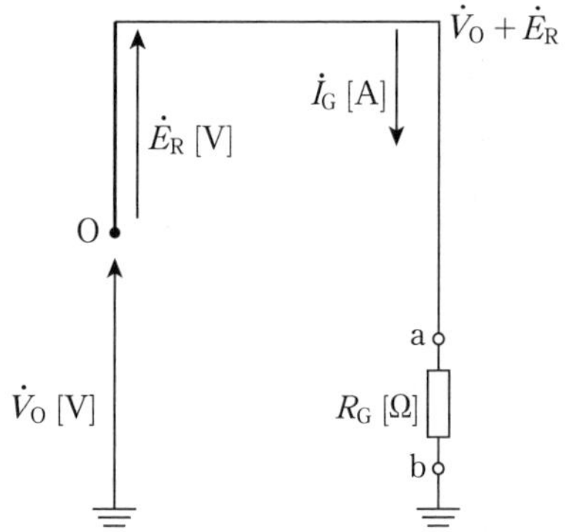

第 4 図

問24 Check! ☐☐☐

（令和5年⑤ B 問題11）

図は，線間電圧 V [V]，周波数 f [Hz] の中性点非接地方式の三相3線式高圧配電線路及びある需要設備の高圧地絡保護システムを簡易に示した単線図である．高圧配電線路一相の全対地静電容量を C_1 [F]，需要設備一相の全対地静電容量を C_2 [F] とするとき，次の(a)及び(b)の問に答えよ．

ただし，図示されていない負荷，線路定数及び配電用変電所の制限抵抗は無視するものとする．

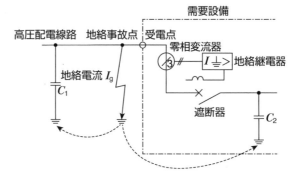

(a) 図の配電線路において，遮断器が「入」の状態で地絡事故点に一線完全地絡事故が発生し地絡電流 I_g [A] が流れた．このとき I_g の大きさを表す式として，正しいものを次の(1)～(5)のうちから一つ選べ．

ただし，間欠アークによる影響等は無視するものとし，この地絡事故によって遮断器は遮断しないものとする．

(1) $\dfrac{2}{\sqrt{3}} V \pi f \sqrt{(C_1{}^2 + C_2{}^2)}$ 　　(2) $2\sqrt{3}\, V \pi f \sqrt{(C_1{}^2 + C_2{}^2)}$

(3) $\dfrac{2}{\sqrt{3}} V \pi f (C_1 + C_2)$ 　　(4) $2\sqrt{3}\, V \pi f (C_1 + C_2)$

(5) $2\sqrt{3}\, V \pi f \sqrt{C_1 C_2}$

(b)　小問(a)の地絡電流 I_g は高圧配電線路側と需要設備側に分流し，需要設備側に分流した電流は零相変流器を通過して検出される．上記のような需要設備構外の事故に対しても，零相変流器が検出する電流の大きさによっては地絡継電器が不必要に動作する場合があるので注意しなければならない．地絡電流 I_g が高圧配電線路側と需要設備側に分流する割合は C_1 と C_2 の比によって決まるものとしたとき，I_g のうち需要設備の零相変流器で検出される電流の値 [mA] として，最も近いものを次の(1)〜(5)のうちから一つ選べ．

　ただし，$V = 6\,600$ V，$f = 60$ Hz，$C_1 = 2.3$ μF，$C_2 = 0.02$ μF とする．

(1)　54　　(2)　86　　(3)　124　　(4)　152　　(5)　256

解24 解答 (a)−(4), (b)−(2)

(a) 地絡故障点にテブナンの定理を適用すると，1線完全地絡故障時の等価回路は，図のようになる．

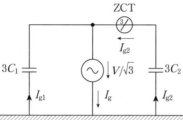

したがって，求める1線地絡電流の大きさ I_g は，次式で与えられる．

$$I_\mathrm{g} = I_\mathrm{g1} + I_\mathrm{g2} = 3\omega C_1 \frac{V}{\sqrt{3}} + 3\omega C_2 \frac{V}{\sqrt{3}} = 2\sqrt{3}\,\pi f C_1 V + 2\sqrt{3}\,\pi f C_2 V$$

$$= 2\sqrt{3}\,V\boldsymbol{\pi} f(C_1 + C_2)\ [\mathrm{A}]$$

(b) 図より，1線地絡電流 I_g のうち需要設備の零相変流器（ZCT）で検出される電流の値 I_g2 は，

$$I_\mathrm{g2} = 2\sqrt{3}\,\pi f C_2 V\ [\mathrm{A}]$$

で表せるから，上式へ，$V = 6.6\ \mathrm{kV}$，$f = 60\ \mathrm{Hz}$，$C_2 = 0.02\ \mathrm{\mu F}$ を代入すれば，

$$I_\mathrm{g2} = 2\sqrt{3}\,\pi \times 60 \times 0.02 \times 6.6 \fallingdotseq 86.192 \fallingdotseq 86\ \mathrm{mA}$$

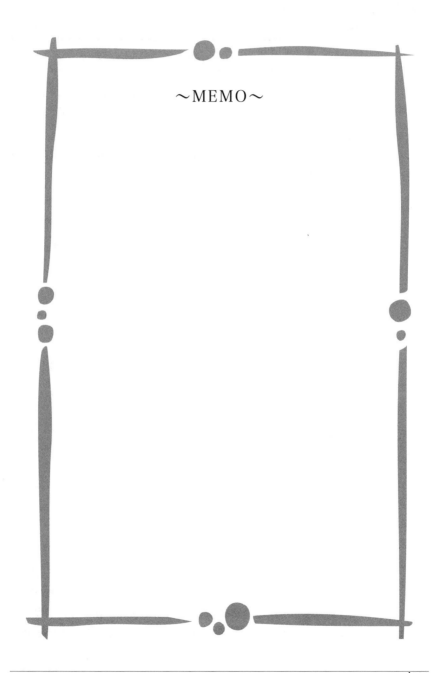

~MEMO~

法 規　6　施設管理（計算）

問25　Check! ☐☐☐

（平成28年　🅱 問題13）

　　図は，線間電圧 V [V]，周波数 f [Hz] の中性点非接地方式の三相3線式高圧配電線路及びある需要設備の高圧地絡保護システムを簡易に示した単線図である．高圧配電線路一相の全対地静電容量を C_1 [F]，需要設備一相の全対地静電容量を C_2 [F] とするとき，次の(a)及び(b)に答えよ．

　　ただし，図示されていない負荷，線路定数及び配電用変電所の制限抵抗は無視するものとする．

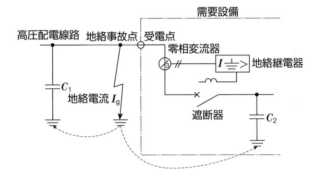

(a)　図の配電線路において，遮断器が「入」の状態で地絡事故点に一線完全地絡事故が発生し地絡電流 I_g [A] が流れた．このとき I_g の大きさを表す式として正しいものは次のうちどれか．

　　ただし，間欠アークによる影響等は無視するものとし，この地絡事故によって遮断器は遮断しないものとする．

(1)　$\dfrac{2}{\sqrt{3}}V\pi f\sqrt{(C_1{}^2+C_2{}^2)}$　　　　(2)　$2\sqrt{3}V\pi f\sqrt{(C_1{}^2+C_2{}^2)}$

(3)　$\dfrac{2}{\sqrt{3}}V\pi f(C_1+C_2)$　　　　(4)　$2\sqrt{3}V\pi f(C_1+C_2)$

(5)　$2\sqrt{3}V\pi f\sqrt{C_1C_2}$

(b)　上記(a)の地絡電流 I_g は高圧配電線路側と需要設備側に分流し，需要設備側に分流した電流は零相変流器を通過して検出される．上記のような需要設備構外の事故に対しても，零相変流器が検出する電流の大きさによっては地絡継電器が不必要に動作する場合があるので注意しなければならない．地絡電流 I_g が高圧配電線

路側と需要設備側に分流する割合は C_1 と C_2 の比によって決まるものとしたとき，I_g のうち需要設備の零相変流器で検出される電流の値 [mA] として，最も近いものを次の(1)〜(5)のうちから一つ選べ．

　ただし，$V = 6\,600$ V，$f = 60$ Hz，$C_1 = 2.3\,\mu$F，$C_2 = 0.02\,\mu$F とする．

(1)　54　　(2)　86　　(3)　124　　(4)　152　　(5)　256

解25　解答 (a)−(4), (b)−(2)

(a)　地絡故障点にテブナンの定理を適用すると，1線地絡故障時の等価回路は，第1図のようになる．

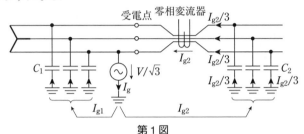

第1図

したがって，求める1線地絡電流の大きさ I_g は，次式で与えられる．

$$I_g = 3\omega(C_1 + C_2)\cdot\frac{V}{\sqrt{3}} = \sqrt{3}\cdot 2\pi f(C_1 + C_2)V = 2\sqrt{3}V\pi f(C_1 + C_2)\ [\mathrm{A}]$$

(b)　1線地絡電流 I_g の高圧配電線路側と電源設備側に分流する割合は C_1 と C_2 の比によって決まるから，需要設備の零相変流器で検出される電流 I_{ZCT} は，

$$I_{ZCT} = \frac{C_2}{C_1 + C_2}I_g = \frac{2\sqrt{3}V\pi f(C_1 + C_2)\cdot C_2}{C_1 + C_2} = 2\sqrt{3}V\pi fC_2\ [\mathrm{A}]$$

で与えられる．よって，求める零相変流器で検出される電流 I_{ZCT} の値は，上式へ，$V = 6\,600\ \mathrm{V}$，$f = 60\ \mathrm{Hz}$，$C_2 = 0.02 \times 10^{-3}\ \mathrm{mF}$ を代入すると，

$$I_{ZCT} = 2\sqrt{3}V\pi fC_2 = 2\sqrt{3}\times 6\,600\times\pi\times 60\times 0.02\times 10^{-3}$$

$$\fallingdotseq 86.192 \fallingdotseq 86\ \mathrm{mA}$$

~MEMO~

問26 Check! ☐☐☐ （平成 23 年 Ⓑ 問題 13）

　　図は，電圧 6 600〔V〕，周波数 50〔Hz〕，中性点非接地方式の三相 3 線式配電線路及び需要家 A の高圧地絡保護システムを簡易に表した単線図である．次の(a)及び(b)の問に答えよ．

　　ただし，図で使用している主要な文字記号は付表のとおりとし，C_1=3.0〔μF〕，C_2=0.015〔μF〕とする．なお，図示されていない線路定数及び配電用変電所の制限抵抗は無視するものとする．

(a)　図の配電線路において，遮断器 CB が「入」の状態で地絡事故点に一線完全地絡事故が発生した場合の地絡電流 I_g〔A〕の値として，最も近いものを次の(1)～(5)のうちから一つ選べ．

　　ただし，間欠アークによる高調波の影響は無視できるものとする．

　(1)　4　　(2)　7　　(3)　11　　(4)　19　　(5)　33

(b)　図のような高圧配電線路に接続される需要家が，需要家構内の地絡保護のために設置する継電器の保護協調に関する記述として，誤っているものを次の(1)～(5)のうちから一つ選べ．

　　なお，記述中「不必要動作」とは，需要家の構外事故において継電器が動作することをいう．

　(1)　需要家が設置する地絡継電器の動作電流及び動作時限整定値は，配電用変電所の整定値より小さくする必要がある．

　(2)　需要家の構内高圧ケーブルが極めて短い場合，需要家が設置する継電器が無方向性地絡継電器でも，不必要動作の発生は少ない．

　(3)　需要家が地絡方向継電器を設置すれば，構内高圧ケーブルが長い場合でも不必要動作は防げる．

　(4)　需要家が地絡方向継電器を設置した場合，その整定値は配電用変電所との保護協調に関し動作時限のみ考慮すればよい．

　(5)　地絡事故電流の大きさを考える場合，地絡事故が間欠アーク現象を伴うことを想定し，波形ひずみによる高調波の影響を考慮する必要がある．

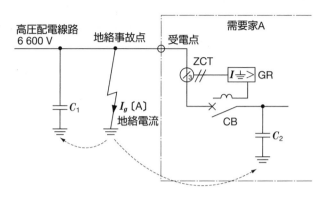

付　表

文字・記号	名称・内容
C_1	配電線路側一相の全対地静電容量
C_2	需要家側一相の全対地静電容量
ZCT	零相変流器
$I\Rightarrow$ GR	地絡継電器
CB	遮断器

解26 解答 (a)−(3)，(b)−(4)

(a) 図のように地絡事故点にスイッチ S を設け，スイッチ S を on したとき，1 線完全地絡故障が発生すると考える．

この場合，スイッチ S から系統側を見た全対地静電容量 C は，

$$C = 3C_1 + 3C_2 = 3 \times 3.0 + 3 \times 0.015 = 9.045 \,[\mu\mathrm{F}]$$

であるから，スイッチ S から系統を見た全アドミタンス Y は，

$$Y = 2\pi \times 50 \times 9.045 \times 10^{-6} = 2.8416 \times 10^{-3} \,[\mathrm{S}]$$

となる．

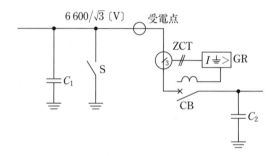

一方，スイッチ S の両端の電圧 V は，$V = \dfrac{6\,600}{\sqrt{3}}\,[\mathrm{V}]$ であるから，スイッチ S の部分にテブナンの定理を適用すれば，S を流れる電流，すなわち 1 線地絡電流 I_g は，次のようになる．

$$I_g = YV = 2.8416 \times 10^{-3} \times \frac{6\,600}{\sqrt{3}} \fallingdotseq 10.83 \,[\mathrm{A}]$$

(b) (4)が誤りである．

需要家が地絡方向継電器を設置しても，配電用変電所との保護協調に関し，その整定値は動作時限のみを考慮すればよいだけではなく，動作電流値の整定も必要である．需要家に地絡事故が発生した場合，需要家に設置された地絡方向継電器が配電用変電所に設置されたそれよりも早く動作しなければならないため，需要家に設置された地絡方向継電器は配電用変電所のそれよりも小さい動作電流値で，かつ早い動作時限で整定されるのが普通である．

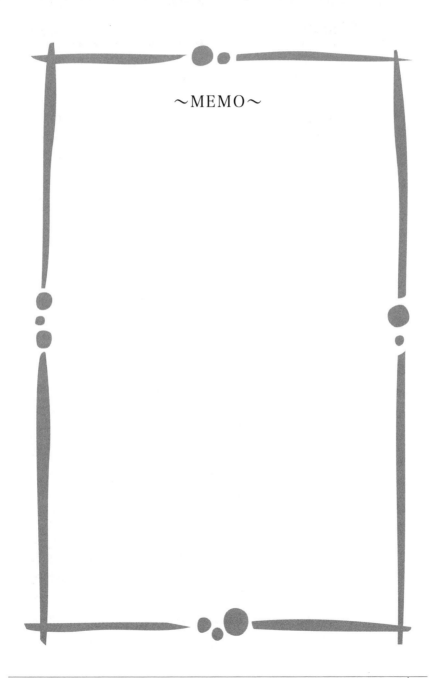

～MEMO～

問27 Check! ☐☐☐

図に示す自家用電気設備で変圧器二次側（210 V 側）F 点において三相短絡事故が発生した．次の(a)及び(b)の問に答えよ．

ただし，高圧配電線路の送り出し電圧は 6.6 kV とし，変圧器の仕様及び高圧配電線路のインピーダンスは表のとおりとする．なお，変圧器二次側から F 点までのインピーダンス，その他記載の無いインピーダンスは無視するものとする．

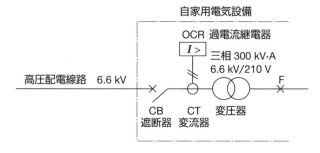

表

変圧器定格容量 / 相数	300 kV·A/ 三相
変圧器定格電圧	一次 6.6 kV/ 二次 210 V
変圧器百分率抵抗降下	2 %（基準容量 300 kV·A）
変圧器百分率リアクタンス降下	4 %（基準容量 300 kV·A）
高圧配電線路百分率抵抗降下	20 %（基準容量 10 MV·A）
高圧配電線路百分率リアクタンス降下	40 %（基準容量 10 MV·A）

(a) F 点における三相短絡電流の値 [kA] として，最も近いものを次の(1)～(5)のうちから一つ選べ．

(1) 1.2　　(2) 1.7　　(3) 5.2　　(4) 11.7　　(5) 14.2

(b) 変圧器一次側（6.6 kV 側）に変流器 CT が接続されており，CT 二次電流が過電流継電器 OCR に入力されているとする．三相短絡事故発生時の OCR 入力電流の値 [A] として，最も近いものを次の(1)～(5)のうちから一つ選べ．

ただし，CT の変流比は 75 A/5 A とする．

(1) 12　　(2) 18　　(3) 26　　(4) 30　　(5) 42

解27 **解答** (a)－(5), (b)－(4)

(a) 高圧配電線路の百分率インピーダンスを $300\,\text{kV·A}$ 基準の値で表すと,

$$\dot{Z}_{\text{Line}} = (20 + \text{j}40) \times \frac{0.3}{10} = 0.6 + \text{j}1.2\,\%$$

であるから,故障点 F から電源側を見た $300\,\text{kV·A}$ 基準で表した全インピーダンスは図より,

$$\dot{Z} = 0.6 + \text{j}1.2 + 2 + \text{j}4 = 2.6 + \text{j}5.2\,\%$$

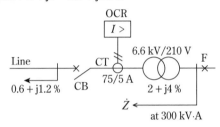

一方,低圧側の基準電流 I_{n} は,

$$I_{\text{n}} = \frac{300}{\sqrt{3} \times 210} \fallingdotseq 0.824\,8\,\text{kA}$$

であるから,求める F 点における三相短絡電流 I_{s} は,

$$I_{\text{s}} = 0.824\,8 \times \frac{100}{\sqrt{2.6^2 + 5.2^2}} \fallingdotseq 14.187 \fallingdotseq 14.2\,\text{kA}$$

(b) OCR 入力電流 I_{OC} は,(a)の結果より,

$$I_{\text{OC}} = 14.187 \times 10^3 \times \frac{210}{6\,600} \times \frac{5}{75} \fallingdotseq 30.093 \fallingdotseq 30\,\text{A}$$

問28 Check! ☐☐☐

（平成22年 Ⓑ 問題11）

図のような自家用電気施設の供給系統において，変電室変圧器二次側（210〔V〕）で三相短絡事故が発生した場合，次の(a)及び(b)に答えよ．

ただし，受電電圧6 600〔V〕，三相短絡事故電流 I_s = 7〔kA〕とし，変流器 CT–3 の変流比は，75A/5A とする．

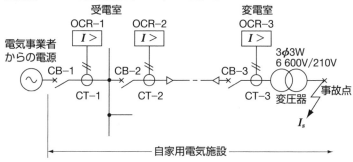

(a) 事故時における変流器 CT–3 の二次電流〔A〕の値として，最も近いのは次のうちどれか．

(1) 5.6 　(2) 7.5 　(3) 11.2 　(4) 14.9 　(5) 23

(b) この事故における保護協調において，施設内の過電流継電器の中で最も早い動作が求められる過電流継電器（以下，OCR–3 という．）の動作時間〔秒〕の値として，最も近いのは次のうちどれか．

ただし，OCR–3 の動作時間演算式は $T = \dfrac{80}{(N^2 - 1)} \times \dfrac{D}{10}$〔秒〕とする．この演算式における T は OCR–3 の動作時間〔秒〕，N は OCR–3 の電流整定値に対する入力電流値の倍数を示し，D はダイヤル（時限）整定値である．

また，CT–3 に接続された OCR–3 の整定値は次のとおりとする．

OCR 名称	電流整定値〔A〕	ダイヤル（時限）整定値
OCR–3	3	2

(1) 0.4 　(2) 0.7 　(3) 1.2 　(4) 1.7 　(5) 3.4

解28 解答 (a)−(4)，(b)−(2)

(a) 事故時における変流器 CT–3 の二次電流 I_{s22} は CT–3 の変流比が 75A/5A であるから，

$$I_{s22} = 7\,000 \times \frac{210}{6\,600} \times \frac{5}{75} \fallingdotseq 14.85 \,[\mathrm{A}]$$

となる．

(b) 題意より，倍数 N は，

$$N = \frac{14.85}{3} = 4.95$$

であるから，求める OCR–3 の動作時間 T は，

$$T = \frac{80}{(4.95^2 - 1)} \times \frac{2}{10} \fallingdotseq 0.681 \,[\mathrm{s}]$$

となる．

問29 Check! ☐ ☐ ☐

（令和4年㊤ Ⓐ 問題10）

　過電流継電器（以下「OCR」という.）と真空遮断器（以下「VCB」という.）との連動動作試験を行う. 保護継電器試験機からOCRに動作電流整定タップ3Aの300％（9A）を入力した時点から, VCBが連動して動作するまでの時間を計測する. 保護継電器試験機からの電流は, 試験機→OCR→試験機へと流れ, OCRが動作すると, 試験機→OCR→VCB（トリップコイルの誘導性リアクタンスは10Ω）→試験機へと流れる（図）. 保護継電器試験機において可変抵抗 R [Ω] をタップを切り換えて調整し, 可変単巻変圧器を操作して試験電圧 V [V] を調整して, 電流計が必要な電流値（9A）を示すように設定する（この設定中は, OCRが動作しないようにOCRの動作ロックボタンを押しておく）. 図のOCR内の※で示した接点は, OCRが動作した時に開き, それによりトリップコイルに電流が流れる（VCBは変流器二次電流による引外し方式）. 図のVCBは, コイルに3.0A以上の電流（定格開路制御電流）が流れないと正常に動作しないので, 保護継電器試験機の可変抵抗 R [Ω]の抵抗値を適正に選択しなければならない. 選択可能な抵抗値 [Ω]の中で, VCBが正常に動作することができる最小の抵抗値 R [Ω]を次の(1)～(5)のうちから一つ選べ. なお, OCRの内部抵抗, トリップコイルの抵抗及びその他記載のないインピーダンスは無視するものとする.

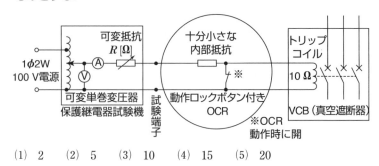

(1) 2　　(2) 5　　(3) 10　　(4) 15　　(5) 20

解29 解答 (2)

過電流継電器の連動動作試験を，OCR動作電流整定タップ3 Aの300 ％で行う．

試験機⇒ OCR ⇒試験機の回路中には，OCR の内部抵抗は十分小さいので，可変抵抗器 R のみであり，可変単巻変圧器の試験電圧 V において，流れる電流 I_{OCR} を9 Aとして式を求める．

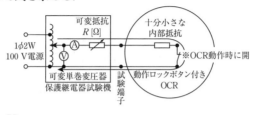

$$I_{\mathrm{OCR}} = \frac{V}{R} = 9 \text{ A} \qquad ①$$

次に，OCR が動作したときは，試験機⇒ OCR ⇒ VCB ⇒ OCR ⇒試験機と流れる．回路中には，可変抵抗 R と VCB のトリップコイルの誘導性リアクタンス 10 Ω であり，可変単巻変圧器の試験電圧 V において，流れる電流 I_{VCB} を3 Aとして式を求める．

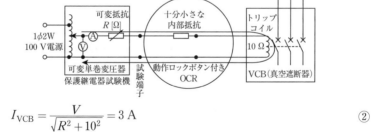

$$I_{\mathrm{VCB}} = \frac{V}{\sqrt{R^2 + 10^2}} = 3 \text{ A} \qquad ②$$

①式を $V = 9R$ にして，②式に代入すると，

$$\frac{9R}{\sqrt{R^2 + 10^2}} = 3, \quad \frac{81R^2}{R^2 + 100} = 9$$

$$81R^2 = 9R^2 + 900$$

$$R = \sqrt{\frac{900}{72}} = \sqrt{12.5} = 3.54 \ \Omega \qquad ③$$

③式の結果により，3.54 Ω 以上の場合，可変単巻変圧器の出力電圧が同一において，OCR動作時の9 Aとトリップコイル動作に必要な3 Aを流すことができる．ゆえに，VCB が正常に動作することができる最小の可変抵抗値は，5 Ωとなる．

問30 Check! ☐☐☐

定格容量 500 kV·A，無負荷損 500 W，負荷損（定格電流通電時）6 700 W の変圧器を更新する．更新後の変圧器はトップランナー制度に適合した変圧器で，変圧器の容量，電圧及び周波数仕様は従来器と同じであるが，無負荷損は 150 W，省エネ基準達成率は 140 ％ である．

このとき，次の(a)及び(b)の問に答えよ．

ただし，省エネ基準達成率は次式で与えられるものとする．

$$省エネ基準達成率（％）= \frac{基準エネルギー消費効率}{W_i + W_{C40}} \times 100$$

ここで，基準エネルギー消費効率[注) は 1 250 W とし，W_i は無負荷損 [W]，W_{C40} は負荷率 40 ％ 時の負荷損 [W] とする．

注) 基準エネルギー消費効率とは判断の基準となる全損失をいう．

(a) 更新後の変圧器の負荷損（定格電流通電時）の値 [W] として，最も近いものを次の(1)〜(5)のうちから一つ選べ．

(1) 1 860 (2) 2 450 (3) 3 080 (4) 3 820 (5) 4 640

(b) 変圧器の出力電圧が定格状態で，300 kW 遅れ力率 0.8 の負荷が接続されているときの更新前後の変圧器の損失を考えてみる．この状態での更新前の変圧器の全損失を W_1，更新後の変圧器の全損失を W_2 とすると，W_2 の W_1 に対する比率 [％] として，最も近いものを次の(1)〜(5)のうちから一つ選べ．ただし，電圧変動による無負荷損への影響は無視できるものとする．

(1) 45 (2) 54 (3) 65 (4) 78 (5) 85

解30 解答 (a)−(5), (b)−(3)

省エネ基準達成率は, 省エネ法 (エネルギーの使用の合理化等に関する法律) に基づいて定められた製品 (特定機器) ごとに設定されている省エネ性能の目標基準値を, どのくらい達成しているかをパーセントで表したもの.

この数値が高いほど, 省エネ性能が優れており, この省エネ性能の目標基準値の設定は, 「目標基準値設定時に製品化されている製品のうち, 最も省エネ性能が優れている機器のエネルギー消費効率に技術開発等により今後想定される効率改善分を上乗せして設定する」ことになっており, このことから目標基準値のことを「トップランナー基準」という.

(a) 省エネ基準達成率が 140 % であり, 基準エネルギー消費効率が 1 250 W, 無負荷損が 150 W であるから, 与えられた式から

$$140 = \frac{1\,250}{150 + W_{C40}} \times 100$$

$$210 + 1.4\,W_{C40} = 1\,250$$

$$W_{C40} = \frac{1\,040}{1.4} \fallingdotseq 742.9\ \text{W}$$

負荷率 40 % 時の負荷損であるから定格負荷時の負荷損 W_{C100} は,

$$(0.4^2) \times W_{C100} = 742.9\ \text{W}$$

$$W_{C100} = \frac{742.9}{0.16} \fallingdotseq 4\,643 \fallingdotseq \textbf{4\,640\ W}$$

(b) 更新前の変圧器は, 無負荷損:500 W, 負荷損 6 700 W (定格時), 更新後の変圧器は, 無負荷損:150 W, 負荷損 4 640 W (定格時) である.

300 kW 遅れ力率 0.8 であり, 負荷損は皮相電力の 2 乗に比例するので更新前の全損失 W_1 と更新後の全損失 W_2 は,

$$W_1 = 500 + \left(\frac{\frac{300}{0.8}}{500}\right)^2 \times 6\,700 \fallingdotseq 4\,269\ \text{W}$$

$$W_2 = 150 + \left(\frac{\frac{300}{0.8}}{500}\right)^2 \times 4\,640 = 2\,760\ \text{W}$$

$$\frac{W_2}{W_1} = \frac{2\,760}{4\,269} \fallingdotseq 0.647 \fallingdotseq \textbf{65\ \%}$$

出題年度順掲載一覧

　表中，左欄の「出題」は，問題が出題された年度とそのときの問題番号を示します．右欄の「本書での収録」は，本書においてどのテーマに分類されているのか，また，本書においての問題番号を表します．

出題		本書での収録		出題		本書での収録	
年	問	章	問	年	問	章	問
H22	1	1 電気事業法	6	H24	1	1 電気事業法	4
	2	2 工事士法・用品安全法	3		2	1 電気事業法	28
	3	1 電気事業法	30		3	3 技術基準（論説・空白）	41
	4	3 技術基準（論説・空白）	89		4	4 施設管理等（論説・空白）	14
	5	3 技術基準（論説・空白）	79		5	3 技術基準（論説・空白）	13
	6	3 技術基準（論説・空白）	103		6	3 技術基準（論説・空白）	28
	7	3 技術基準（論説・空白）	78		7	3 技術基準（論説・空白）	49
	8	5 技術基準（計算）	1		8	3 技術基準（論説・空白）	68
	9	3 技術基準（論説・空白）	96		9	3 技術基準（論説・空白）	102
	10	4 施設管理等（論説・空白）	8		10	5 技術基準（計算）	6
	11	6 施設管理（計算）	28		11	5 技術基準（計算）	4
	12	5 技術基準（計算）	11		12	6 施設管理（計算）	7
	13	5 技術基準（計算）	14		13	6 施設管理（計算）	14
H23	1	1 電気事業法	23	H25	1	1 電気事業法	20
	2	1 電気事業法	16		2	1 電気事業法	24
	3	3 技術基準（論説・空白）	25		3	3 技術基準（論説・空白）	95
	4	3 技術基準（論説・空白）	18		4	3 技術基準（論説・空白）	31
	5	3 技術基準（論説・空白）	74		5	3 技術基準（論説・空白）	21
	6	3 技術基準（論説・空白）	6		6	3 技術基準（論説・空白）	32
	7	3 技術基準（論説・空白）	42		7	3 技術基準（論説・空白）	77
	8	3 技術基準（論説・空白）	106		8	3 技術基準（論説・空白）	92
	9	3 技術基準（論説・空白）	84		9	3 技術基準（論説・空白）	113
	10	4 施設管理等（論説・空白）	2		10	4 施設管理等（論説・空白）	6
	11	6 施設管理（計算）	18		11	6 施設管理（計算）	13
	12	6 施設管理（計算）	5		12	6 施設管理（計算）	16
	13	6 施設管理（計算）	26		13	5 技術基準（計算）	10

出題		本書での収録	
年	問	章	問
H26	1	1 電気事業法	2
	2	1 電気事業法	33
	3	2 工事士法・用品安全法	2
	4	2 工事士法・用品安全法	6
	5	1 電気事業法	3
	6	3 技術基準（論説・空白）	98
	7	3 技術基準（論説・空白）	5
	8	4 施設管理等(論説・空白)	7
	9	3 技術基準（論説・空白）	44
	10	3 技術基準（論説・空白）	101
	11	5 技術基準（計算）	15
	12	6 施設管理（計算）	2
	13	6 施設管理（計算）	9
H27	1	1 電気事業法	5
	2	2 工事士法・用品安全法	7
	3	3 技術基準（論説・空白）	54
	4	3 技術基準（論説・空白）	81
	5	3 技術基準（論説・空白）	27
	6	3 技術基準（論説・空白）	76
	7	3 技術基準（論説・空白）	50
	8	3 技術基準（論説・空白）	108
	9	3 技術基準（論説・空白）	9
	10	4 施設管理等(論説・空白)	11
	11	5 技術基準（計算）	18
	12	5 技術基準（計算）	19
	13	6 施設管理（計算）	8
H28	1	1 電気事業法	21
	2	3 技術基準（論説・空白）	26
	3	3 技術基準（論説・空白）	24
	4	3 技術基準（論説・空白）	88
	5	3 技術基準（論説・空白）	73
	6	3 技術基準（論説・空白）	16
	7	3 技術基準（論説・空白）	46
	8	3 技術基準（論説・空白）	59
	9	3 技術基準（論説・空白）	110
	10	1 電気事業法	18
	11	3 技術基準（論説・空白）	33
	12	5 技術基準（計算）	3
	13	6 施設管理（計算）	25

出題		本書での収録	
年	問	章	問
H29	1	1 電気事業法	15
	2	2 工事士法・用品安全法	1
	3	3 技術基準（論説・空白）	40
	4	3 技術基準（論説・空白）	69
	5	4 施設管理等(論説・空白)	13
	6	3 技術基準（論説・空白）	1
	7	3 技術基準（論説・空白）	93
	8	3 技術基準（論説・空白）	70
	9	3 技術基準（論説・空白）	37
	10	1 電気事業法	9
	11	5 技術基準（計算）	20
	12	6 施設管理（計算）	27
	13	6 施設管理（計算）	17
H30	1	1 電気事業法	10
	2	1 電気事業法	8
	3	3 技術基準（論説・空白）	63
	4	3 技術基準（論説・空白）	99
	5	3 技術基準（論説・空白）	30
	6	3 技術基準（論説・空白）	51
	7	3 技術基準（論説・空白）	47
	8	3 技術基準（論説・空白）	104
	9	3 技術基準（論説・空白）	39
	10	4 施設管理等(論説・空白)	9
	11	5 技術基準（計算）	12
	12	6 施設管理（計算）	22
	13	6 施設管理（計算）	19
R1	1	1 電気事業法	1
	2	1 電気事業法	23
	3	3 技術基準（論説・空白）	11
	4	3 技術基準（論説・空白）	63
	5	3 技術基準（論説・空白）	87
	6	3 技術基準（論説・空白）	29
	7	3 技術基準（論説・空白）	79
	8	3 技術基準（論説・空白）	54
	9	3 技術基準（論説・空白）	9
	10	4 施設管理等(論説・空白)	
	11	5 技術基準（計算）	2
	12	6 施設管理（計算）	1
	13	5 技術基準（計算）	

出題		本書での収録			出題		本書での収録	
年	問	章	問		年	問	章	問
R2	1	1 電気事業法	22		R4下	1	1 電気事業法	19
	2	1 電気事業法	32			2	1 電気事業法	13
	3	3 技術基準（論説・空白）	14			3	3 技術基準（論説・空白）	64
	4	3 技術基準（論説・空白）	58			4	3 技術基準（論説・空白）	57
	5	3 技術基準（論説・空白）	61			5	3 技術基準（論説・空白）	55
	6	3 技術基準（論説・空白）	112			6	3 技術基準（論説・空白）	85
	7	3 技術基準（論説・空白）	2			7	3 技術基準（論説・空白）	86
	8	3 技術基準（論説・空白）	111			8	3 技術基準（論説・空白）	10
	9	3 技術基準（論説・空白）	20			9	4 施設管理等（論説・空白）	5
	10	3 技術基準（論説・空白）	38			10	1 電気事業法	35
	11	1 電気事業法	12			11	5 技術基準（計算）	16
	12	3 技術基準（論説・空白）	15			12	6 施設管理（計算）	30
	13	6 施設管理（計算）	20			13	6 施設管理（計算）	23
R3	1	1 電気事業法	26		R5上	1	1 電気事業法	7
	2	2 工事士法・用品安全法	4			2	1 電気事業法	31
	3	3 技術基準（論説・空白）	53			3	3 技術基準（論説・空白）	100
	4	3 技術基準（論説・空白）	80			4	3 技術基準（論説・空白）	17
	5	3 技術基準（論説・空白）	72			5	3 技術基準（論説・空白）	66
	6	3 技術基準（論説・空白）	67			6	3 技術基準（論説・空白）	60
	7	3 技術基準（論説・空白）	107			7	3 技術基準（論説・空白）	35
	8	3 技術基準（論説・空白）	90			8	3 技術基準（論説・空白）	94
	9	3 技術基準（論説・空白）	34			9	3 技術基準（論説・空白）	91
	10	4 施設管理等（論説・空白）	4			10	6 施設管理（計算）	3
	11	5 技術基準（計算）	17			11	6 施設管理（計算）	1
	12	5 技術基準（計算）	2			12	5 技術基準（計算）	7
	13	6 施設管理（計算）	4			13	5 技術基準（計算）	13
R4上	1	1 電気事業法	27		R5下	1	1 電気事業法	17
	2	3 技術基準（論説・空白）	82			2	2 工事士法・用品安全法	5
	3	3 技術基準（論説・空白）	52			3	3 技術基準（論説・空白）	12
	4	3 技術基準（論説・空白）	43			4	3 技術基準（論説・空白）	23
	5	3 技術基準（論説・空白）	3			5	3 技術基準（論説・空白）	62
	6	3 技術基準（論説・空白）	71			6	3 技術基準（論説・空白）	48
	7	3 技術基準（論説・空白）	105			7	3 技術基準（論説・空白）	7
	8	4 施設管理等（論説・空白）	15			8	3 技術基準（論説・空白）	109
	9	1 電気事業法	34			9	3 技術基準（論説・空白）	83
	10	6 施設管理（計算）	29			10	4 施設管理等（論説・空白）	10
	11	5 技術基準（計算）	5			11	6 施設管理（計算）	24
	12	6 施設管理（計算）	6			12	6 施設管理（計算）	11
	13	6 施設管理（計算）	15			13	1 電気事業法	11

出題		本書での収録	
年	問	章	問
R6 ㊤	1	1 電気事業法	14
	2	1 電気事業法	29
	3	3 技術基準（論説・空白）	4
	4	3 技術基準（論説・空白）	22
	5	4 施設管理等(論説・空白)	12
	6	3 技術基準（論説・空白）	45
	7	3 技術基準（論説・空白）	36
	8	3 技術基準（論説・空白）	97
	9	3 技術基準（論説・空白）	19
	10	4 施設管理等(論説・空白)	1
	11	6 施設管理（計算）	21
	12	6 施設管理（計算）	10
	13	5 技術基準（計算）	9

©Denkishoin 2024

電験3種過去問マスタ 法規の15年間　2025年版

2024年11月20日　　第1版第1刷発行

編　者　電　気　書　院
発行者　田　中　　　聡

発　行　所
株式会社 電 気 書 院
ホームページ　www.denkishoin.co.jp
（振替口座　00190-5-18837）
〒101-0051　東京都千代田区神田神保町1-3 ミヤタビル2F
電話（03）5259-9160／FAX（03）5259-9162

印刷　中央精版印刷株式会社
Printed in Japan／ISBN978-4-485-11954-9

［本書の正誤に関するお問い合せ方法は，最終ページをご覧ください］

書籍の正誤について

万一，内容に誤りと思われる箇所がございましたら，以下の方法でご確認いただきますようお願いいたします．

なお，正誤のお問合せ以外の書籍の内容に関する解説や受験指導などは**行っておりません**．このようなお問合せにつきましては，お答えいたしかねますので，予めご了承ください．

正誤表の確認方法

最新の正誤表は，弊社Webページに掲載しております．「キーワード検索」などを用いて，書籍詳細ページをご覧ください．

正誤表があるものに関しましては，書影の下の方に正誤表をダウンロードできるリンクが表示されます．表示されないものに関しましては，正誤表がございません．

弊社Webページアドレス
https://www.denkishoin.co.jp/

正誤のお問合せ方法

正誤表がない場合，あるいは当該箇所が掲載されていない場合は，書名，版刷，発行年月日，お客様のお名前，ご連絡先を明記の上，具体的な記載場所とお問合せの内容を添えて，下記のいずれかの方法でお問合せください．

回答まで，時間がかかる場合もございますので，予めご了承ください．

郵便で 問い合わせる	郵送先	〒101-0051 東京都千代田区神田神保町1-3 ミヤタビル2F ㈱電気書院　出版部　正誤問合せ係
FAXで 問い合わせる	ファクス番号	**03-5259-9162**
ネットで 問い合わせる		弊社Webページ右上の「**お問い合わせ**」から https://www.denkishoin.co.jp/

お電話でのお問合せは，承れません